Enlace-moi

Du même auteur

SYLVIA DAY

Enlace-moi

La série *Crossfire*

Traduit de l'anglais (États-Unis)
par Agathe Nabet

Flammarion
Québec

Catalogage avant publication de Bibliothèque et Archives nationales du Québec et Bibliothèque et Archives Canada

Day, Sylvia

Crossfire

Traduction de : Entwined with you.

Sommaire : t. 3. Enlace-moi.

Texte en français seulement.

ISBN 978-2-89077-456-8 (v. 3)

I. Nabet, Agathe. II. Titre. III. Titre : Enlace-moi.

PS3604.A986C7614 2012   813'.6   C2012-942105-7

COUVERTURE

Photo : © Edwin Tse

Conception graphique : © Penguin Group

INTÉRIEUR

Composition : Nord Compo

Titre original : ENTWINED WITH YOU

Éditeur original : The Berkley Publishing Group,
filiale de Penguin Group (USA) Inc.

ISBN 978-2-89077-456-8

Dépôt légal BAnQ : 3e trimestre 2013

Imprimé au Canada

www.flammarion.qc.ca

1

Les chauffeurs de taxi new-yorkais constituent une race à part. Intrépides à l'excès, ils se faufilent dans les encombrements à une vitesse folle tout en affichant un calme olympien. Pour ne pas perdre complètement la boule, j'avais donc pris l'habitude de me concentrer sur l'écran de mon téléphone plutôt que sur les voitures entre lesquelles ils zigzaguaient. Parce que si je me risquais à lever le nez, j'enfonçais aussitôt une pédale de frein imaginaire en un réflexe pavlovien.

Ce soir-là, cependant, je n'avais pas besoin de distraction. Le cours de krav maga dont je sortais m'avait lessivée, et je ne cessais de penser encore et toujours à ce que l'homme que j'aimais avait fait.

Gideon Cross. À la simple évocation de son nom, une bouffée de désir me submergeait. Depuis que j'avais posé les yeux sur lui pour la première fois – que j'avais perçu, au-delà du physique fascinant, les ténèbres qui l'habitaient –, j'avais ressenti cette irrésistible attraction qui naît de la rencontre avec l'autre moitié de soi-même. J'avais besoin de lui comme j'avais besoin de respirer, or il s'était mis en danger, il avait pris le risque de tout perdre – pour moi.

Un coup de klaxon me ramena brutalement au présent.

De l'autre côté du pare-brise, Cary Taylor, mon colocataire, me gratifia de son sourire étincelant depuis l'affiche qui s'étalait sur l'autobus qui nous bloquait le passage à un carrefour. Le chauffeur actionna l'avertisseur à plusieurs reprises comme si cela suffisait à dégager la route.

Cary ne bougea pas d'un pouce. Allongé sur le flanc, pieds et torse nus, la braguette déboutonnée de son jean laissait apparaître l'élastique de son caleçon et soulignait ses abdominaux d'acier. Ses cheveux châtain clair étaient délicieusement ébouriffés et une lueur malicieuse étincelait dans son regard d'émeraude.

Je réalisai brusquement, et ce fut un choc, que j'allais devoir dissimuler à mon meilleur ami un terrible secret.

Depuis des années, Cary était mon roc, la voix de la raison, l'épaule sur laquelle je pouvais toujours m'appuyer quoi qu'il advienne – un véritable frère. Et l'idée de lui taire ce que Gideon avait accompli pour moi m'était insupportable.

J'avais besoin d'en parler, besoin d'aide pour analyser les émotions que son acte m'inspirait, mais il était impossible que je me confie à qui que ce soit. Tant d'un point de vue éthique que légal, notre thérapeute lui-même ne pourrait nous garantir le secret.

Un agent de la circulation engoncé dans un gilet jaune fluo surgit soudain au carrefour et, d'un geste autoritaire accompagné de coups de sifflet stridents, obligea le bus à regagner sa file. Il nous fit alors signe de franchir le carrefour, juste avant que le feu passe au rouge. Les bras croisés, je tâchai de me calmer en me balançant d'avant en arrière.

Le trajet depuis le penthouse de Gideon sur la Cinquième Avenue jusqu'à mon appartement de l'Upper West Side n'était pas bien long, pourtant j'avais l'impression qu'il n'en finissait pas. Ce que l'inspectrice Shelley Graves m'avait appris quelques heures auparavant avait bouleversé ma vie et m'avait également contrainte à abandonner la seule et unique personne avec laquelle je voulais vivre.

J'avais dû quitter Gideon parce que je ne pouvais pas me fier aux motivations de Graves. L'inspectrice m'avait peut-être confié ses soupçons dans l'espoir que je coure le rejoindre, lui apportant ainsi la preuve que notre rupture n'était qu'une mise en scène.

Mon cœur cognait dans ma poitrine. Gideon avait besoin de moi – autant, si ce n'est plus, que j'avais besoin de lui –, et pourtant j'étais partie.

Le désespoir que j'avais lu dans son regard lorsque les portes de son ascenseur privé s'étaient refermées m'avait anéantie.

Le taxi s'engagea dans ma rue. Quelques secondes plus tard, il s'arrêtait devant mon immeuble. Le portier de nuit m'ouvrit la portière avant que j'aie le temps de demander au chauffeur de me ramener chez Gideon, et une bouffée d'air moite s'engouffra dans l'habitacle.

— Bonsoir, mademoiselle Tramell, me dit-il en effleurant la visière de sa casquette.

Une fois que j'eus réglé la course, je pris la main qu'il me tendait pour sortir de la voiture et sentis son regard s'attarder un bref instant sur mes joues striées de larmes.

Je plaquai sur mes lèvres un sourire faussement serein et me ruai dans le hall. Je me dépêchai de gagner l'ascenseur, saluant au passage le veilleur de nuit.

— Eva !

Je tournai vivement la tête. Assise un peu à l'écart, une jeune femme svelte, en jupe et chemisier élégants, se leva. Son épaisse chevelure brune retombait en boucles souples sur ses épaules et son gloss rose mettait en valeur ses lèvres pulpeuses. Je fronçai les sourcils – je ne croyais pas la connaître.

— Oui ? répondis-je, méfiante.

Son expression avide m'alarma. En dépit de mon abattement, je me redressai et pivotai pour lui faire face.

Elle me rejoignit, me tendit une main parfaitement manucurée.

— Deanna Johnson. Journaliste indépendante.

Je haussai un sourcil interrogateur.

Elle rit.

— Inutile d'être aussi soupçonneuse. J'aimerais seulement bavarder avec vous un instant. Je travaille sur un sujet et je pense que vous pourriez m'aider.

— Ne le prenez pas mal, mais je ne vois pas de quoi j'aurais envie de parler avec une journaliste.

— Pas même de Gideon Cross ?

Les poils se dressèrent sur ma nuque.

— Surtout pas de Gideon Cross.

Gideon figurait au palmarès des vingt-cinq personnes les plus riches du monde, et rien qu'à ce titre il attirait quotidiennement l'attention des médias. Pour l'heure, ce qui les intéressait, c'était qu'il m'avait quittée pour se remettre avec son ex-fiancée.

Deanna croisa les bras, un geste qui fit ressortir sa poitrine.

— Allons, Eva, je peux m'arranger pour ne jamais citer votre nom, proposa-t-elle afin de m'amadouer. Et ne rien dire qui permette de vous identifier. C'est une occasion unique de vous venger que je vous offre.

Un nœud se forma au creux de mon estomac. Elle avait tout pour plaire à Gideon : grande, mince, brune, peau mate. Tout le contraire de moi.

— Vous êtes sûre de vouloir vous engager dans cette voie ? m'enquis-je d'un ton posé, même si j'étais sûre que cette femme avait un jour couché avec l'homme que j'aimais. Personnellement, je n'aimerais pas figurer parmi ses ennemis.

— Vous avez peur de lui ? Pas moi. Son argent ne lui donne pas tous les droits.

Je me souvins d'avoir entendu le Dr Terrence Lucas – qui ne portait pas non plus Gideon dans son cœur – tenir des propos similaires. Alors même que je savais de quoi Gideon était capable, jusqu'où il irait pour me protéger, je répondis sans la moindre hésitation :

— Non, je n'ai pas peur de lui. Cependant j'ai appris à ne me battre que lorsque c'est nécessaire. En l'occurrence, tourner la page constitue pour moi la meilleure des vengeances.

Elle releva le menton.

— Tout le monde ne peut pas se vanter d'avoir une rock star qui l'attend en coulisses.

Je réprimai un soupir à l'évocation de mon ex, Brett Kline, chanteur des Six-Ninths, le groupe de rock qui montait. À l'instar de Gideon, le sex-appeal de Brett vous atteignait de plein fouet. Mais contrairement à Gideon, Brett n'était pas l'amour de ma vie, et il était hors de question que je m'aventure de nouveau dans son univers.

Deanna sortit une carte de visite de sa poche.

— Bientôt, vous allez réaliser que Gideon Cross s'est servi de vous pour rendre Corinne Giroux jalouse et la récupérer. Quand cette idée aura fait son chemin dans votre tête, appelez-moi. Je serai là.

Je pris sa carte.

— Pourquoi pensez-vous que je sais des choses qui valent la peine d'être partagées ? demandai-je.

Elle pinça les lèvres.

— Parce que quelles qu'aient été les motivations de Cross, vous êtes parvenue à l'atteindre. L'homme de glace a quelque peu fondu pour vous.

— Possible, mais c'est de l'histoire ancienne.

— Il n'empêche que vous savez des choses, Eva. Je peux vous aider à sélectionner celles qui méritent d'être dévoilées.

— Quel serait votre angle d'approche ?

Pas question que je reste les bras croisés alors qu'un danger menaçait Gideon. Si cette femme avait décidé de lui nuire, j'étais déterminée à l'en empêcher.

— Cross a une part d'ombre.

— Comme tout le monde, non ?

Qu'avait-elle deviné chez Gideon ? Que lui avait-il révélé au cours de leur... relation ? Si tant est qu'ils en aient eu une.

Je n'étais pas certaine d'être jamais capable de penser à Gideon ayant eu une relation intime avec une autre femme sans éprouver une bouffée de jalousie féroce.

— On pourrait aller quelque part pour en discuter, suggéra-t-elle, mielleuse.

Je jetai un coup d'œil aux réceptionnistes qui s'appliquaient poliment à nous ignorer. J'étais encore trop à vif, trop perturbée par les révélations de l'inspectrice Graves pour affronter Deanna.

— Une autre fois, peut-être, répondis-je, soucieuse de ne pas fermer définitivement la porte afin de la garder à l'œil.

Comme s'il avait perçu mon malaise, Chad, l'un des réceptionnistes, s'approcha.

— Mlle Johnson s'apprêtait à partir, annonçai-je, soulagée.

Si l'inspectrice Graves n'avait pas réussi à épingler Gideon, ce n'était pas une petite journaliste indépendante qui risquait d'y parvenir, tentai-je de me rassurer.

Hélas, je savais quel genre d'informations pouvait fuiter de sources policières, et à quel point c'était courant ! Mon père, Victor Reyes, étant flic, j'avais entendu quantité de choses à ce sujet.

— Bonne nuit, Deanna, dis-je en me tournant vers les ascenseurs.

— J'attends de vos nouvelles, lança-t-elle dans mon dos.

Je montai dans la cabine et appuyai sur le bouton de mon étage. Une fois les portes refermées, je me laissai aller contre la paroi. Il fallait absolument que j'avertisse Gideon, mais je ne disposais d'aucun moyen discret et sûr de le contacter.

La douleur qui me comprimait la poitrine s'intensifia. Notre relation prenait l'eau de partout. Nous ne pouvions même plus communiquer normalement.

Un instant plus tard, je pénétrai dans mon appartement, traversai le séjour et déposai mon sac sur l'un des tabourets du comptoir de la cuisine. La vue imprenable sur Manhattan qui s'encadrait dans la baie vitrée me laissa de marbre. J'étais trop bouleversée pour m'intéresser à mon environnement. La seule chose qui m'importait, c'était que je n'étais pas avec Gideon.

Alors que je m'engageais dans le couloir pour gagner ma chambre, j'entendis un bruit de musique étouffé s'échapper de celle de Cary. Avait-il de la compagnie, ce soir ? Et si oui, qui ? Mon meilleur ami avait décidé de jongler avec deux histoires en même temps – l'une avec une femme qui l'acceptait tel qu'il était et l'autre avec un homme qui ne supportait pas qu'il voie quelqu'un d'autre.

J'entrai dans ma chambre et fonçai droit dans la salle de bains. Je laissai tomber mes vêtements sur le carrelage tout en me dirigeant vers la cabine de douche. Tandis que je me savonnais, je ne pus m'empêcher de repenser à toutes les fois où j'avais partagé une douche avec Gideon, à toutes ces fois où le désir que nous avions l'un de l'autre s'était exprimé de la manière la plus érotique qui soit.

Il me manquait tellement.

J'avais besoin de ses caresses, de son désir, de son amour. La faim que j'avais de sa présence me tenaillait, me laissait fébrile et agitée. Je me demandai comment j'allais réussir à m'endormir alors que j'ignorais quand j'aurais l'occasion de lui parler à nouveau. Nous avions tant de choses à nous dire.

Enveloppée dans une grande serviette, je sortis de la salle de bains...

Gideon se tenait devant la porte fermée de ma chambre. Le choc que j'en éprouvai fut proprement physique. Le souffle coupé, je sentis mon cœur s'emballer, tandis qu'une puissante vague de désir me balayait. Je réagissais comme si je ne l'avais pas vu depuis des années, et non à peine une heure.

Je lui avais donné ma clef, même s'il était propriétaire de l'immeuble. Un avantage qui lui permettait de me rejoindre sans laisser de trace... tout comme il avait été en mesure d'atteindre Nathan.

— Tu prends des risques en venant ici, lui rappelai-je.

Ce qui ne m'empêchait pas d'être aux anges. Je le dévorai des yeux, m'abîmai dans la contemplation de son corps.

En pantalon de jogging noir et sweat-shirt de l'université Columbia, il avait l'allure de l'homme de vingt-huit ans qu'il était, et non celle du puissant milliardaire que le reste du monde connaissait. Une casquette des

Yankees était vissée sur sa tête. L'ombre que la visière projetait sur son visage ne parvenait pas à dissimuler l'intensité de son regard bleu. Un regard qui me détaillait farouchement, ses lèvres sensuelles formant un pli dur.

— Je ne pouvais pas rester loin de toi.

Gideon Cross était l'homme le plus séduisant qu'il m'ait été donné de rencontrer. Il était si beau que les gens se retournaient sur son passage. J'avais vu en lui un véritable dieu du sexe, et les démonstrations – aussi fréquentes qu'enthousiastes – dont il m'avait gratifiée dans ce domaine m'avaient donné raison, mais je savais aussi qu'il n'était que trop humain, et que, tout comme moi, il y avait en lui des failles béantes.

A priori, notre union était vouée à l'échec.

Sa présence eut pour effet immédiat de desserrer l'étau qui m'oppressait. Malgré la distance qui nous séparait, je ressentais l'attraction presque magnétique que la proximité de l'autre moitié de moi-même exerçait tout naturellement. Nous étions attirés l'un vers l'autre, inexorablement, depuis notre toute première rencontre. Nous avions pris cette fascination mutuelle pour du désir sexuel, jusqu'à ce que nous réalisions que nous ne pouvions respirer l'un sans l'autre.

Je luttai pour ne pas courir me jeter dans ses bras, alors que j'en mourais d'envie, parce qu'il était trop calme, trop maître de lui. J'attendis avec une exquise impatience qu'il m'y autorise.

Mon Dieu, comme je l'aimais !

Il serra les poings.

— J'ai besoin de toi.

— Rien ne t'oblige à paraître aussi heureux, le taquinai-je, le souffle court, pour détendre l'atmosphère.

Je l'aimais. Sauvagement. Tendrement.

15

J'étais prête à le recevoir de toutes les façons possibles, mais cela faisait si longtemps...

La peau me picotait déjà, et mon corps réclamait ses caresses à cor et à cri. Pourtant je redoutais ce qui se produirait s'il se ruait sur moi alors que j'avais si faim de lui.

N'allions-nous pas nous entredéchirer ?

— Ça me tue, dit-il d'un ton bourru. D'être loin de toi. Tu me manques. J'ai l'impression que ma foutue santé mentale dépend de toi, Eva, et tu voudrais que ça me rende heureux ?

Je m'humectai les lèvres.

— Moi, ça me rend heureuse.

Il paraissait moins crispé. Il avait dû tellement s'inquiéter de ma réaction après ce qu'il avait fait pour moi.

Pour être franche, à sa place, je me serais inquiétée.

Ma gratitude signifiait-elle que j'étais encore plus tordue que je ne l'imaginais ?

Le souvenir des mains de Nathan sur moi... du poids de son corps écrasant le mien... de la douleur atroce entre mes cuisses tandis qu'il s'enfonçait en moi m'assaillit alors... Aussitôt suivi d'un regain de fureur qui me laissa tremblante. Si me réjouir de la mort de ce monstre faisait de moi une folle, je préférais la folie à la raison.

— Je t'aime, dis-je, les yeux embués de larmes. Je t'aime comme tu n'as pas idée.

— Mon ange, souffla-t-il.

Il me rejoignit en deux enjambées. Il tremblait, et je fondis en larmes. Qu'il ait à ce point besoin de moi me bouleversait.

Gideon s'empara de ma bouche, mêlant sa langue à la mienne avec fièvre. Sa passion dévorante m'embrasa les sens et je gémis tandis que mes mains s'immisçaient sous son sweat-shirt. Le grondement qu'il émit en réponse se répercuta à travers tout mon corps et les pointes de mes seins se dressèrent.

Je me pressai contre lui et fis tomber sa casquette afin de caresser ses cheveux. Son baiser était affolant et je perdis pied, envoûtée par la puissance du désir charnel qu'il reflétait. Un sanglot m'échappa.

— Non, souffla-t-il en s'écartant pour encadrer mon visage de ses mains. Ne pleure pas.

— C'est trop, murmurai-je, tremblant comme une feuille.

Son beau regard était aussi las que le mien.

— Ce que j'ai fait... commença-t-il, l'air sombre.

— Ce n'est pas ça. C'est ce que je ressens pour toi.

Il m'effleura la joue du bout du nez, ses mains glissant doucement le long de mes bras nus – des mains tachées de sang qui ne me faisaient que l'aimer davantage.

— Merci, soufflai-je.

Il ferma les yeux.

— Quand tu es partie, ce soir... j'ai pensé que tu ne reviendrais peut-être jamais... que je t'avais perdue...

— Moi aussi, j'ai besoin de toi, Gideon.

— Je ne m'excuserai pas. Je le referais s'il le fallait, affirma-t-il. C'était ça ou être sur le qui-vive jusqu'à la fin de tes jours. Nathan vivant, ta sécurité n'aurait jamais été garantie.

— Tu m'as repoussée. Éjectée. Toi et moi...

— ... c'est pour la vie, Eva, m'interrompit-il en pressant les doigts sur mes lèvres. C'est fini, maintenant. Inutile de discuter, il est trop tard pour changer quoi que ce soit.

J'écartai sa main.

— C'est bel et bien fini ? Est-ce qu'on peut être ensemble ou devons-nous cacher notre relation à la police ? Avons-nous encore une relation digne de ce nom ?

Gideon soutint mon regard sans chercher à masquer sa douleur et sa peur.

— C'est précisément ce que je suis venu te demander.

— Si la décision me revient, je ne te laisserai jamais partir, assurai-je avec véhémence. Jamais.

Les mains de Gideon glissèrent le long de mon cou jusqu'à mes épaules, laissant dans leur sillage comme une brûlure.

— J'ai besoin de savoir que c'est vrai. Je craignais que tu ne t'enfuies, que tu n'aies peur... de moi.

— Non, Gideon, je...

— Je ne te ferai jamais de mal, Eva.

J'agrippai l'élastique de son jogging et tirai dessus, sans parvenir à le faire bouger.

— Je le sais, Gideon.

Physiquement, il s'était toujours montré attentif vis-à-vis de moi. Émotionnellement, en revanche, il n'avait pas hésité à utiliser mes sentiments contre moi avec une précision méticuleuse. Je luttais encore pour réconcilier ces deux aspects si paradoxaux de sa personnalité.

— Vraiment ? demanda-t-il en me scrutant avec cette intensité qu'il mettait toujours à débusquer le non-dit. Te laisser partir me tuerait, mais je ne te ferai jamais de mal pour te retenir.

— Je n'ai pas l'intention de partir.

Il soupira.

— Demain, mes avocats s'entretiendront avec la police, histoire de prendre la température.

Je pressai doucement les lèvres contre les siennes. Nous étions complices pour dissimuler un crime. La fille de flic que j'étais mentirait en disant que cela ne la perturbait pas, mais il n'y avait pas d'autre choix possible.

— Il faut que je sache si tu peux vivre avec ce que j'ai fait.

— Je crois que je le peux, murmurai-je. Et toi ?

— Je peux tout supporter si je suis avec toi.

Je glissai les mains sous son sweat et savourai les retrouvailles avec sa peau et ses muscles. Je fis courir la pointe de ma langue sur sa bouche, mordillai délicatement sa lèvre inférieure. Son gémissement me fit l'effet d'une caresse.

— Touche-moi.

C'était un ordre, mais le ton était suppliant.

— C'est ce que je fais.

Me saisissant le poignet, il immobilisa ma main au niveau de son entrejambe et, d'une impudique poussée des hanches, nicha son sexe au creux de ma paume. Mon pouls s'accéléra : il ne portait pas de slip sous son jogging !

— Tu me rends folle, soufflai-je.

Son regard bleu ne quitta pas le mien ; ses joues s'empourprèrent et ses lèvres s'entrouvrirent. Il ne cherchait jamais à dissimuler l'effet que j'avais sur lui, n'essayait jamais de feindre qu'il maîtrisait mieux que moi le désir que je lui inspirais. Le savoir aussi vulnérable que moi ne faisait que rendre plus excitante sa suprématie dans la chambre à coucher.

Je n'arrivais toujours pas à croire qu'il m'appartenait, qu'il se livrait aussi totalement, avidement, crûment...

Il tira sur mon drap de bain et prit une brève inspiration quand il atteignit le sol et que je me retrouvai entièrement nue devant lui.

— Eva !

L'émotion dans sa voix me fit monter les larmes aux yeux. Il se débarrassa de son sweat. Puis il se rapprocha de moi, lentement, retardant à dessein l'instant où nos peaux nues entreraient en contact.

Il m'empoigna les hanches, les doigts crispés d'impatience, le souffle rapide. Les pointes de mes seins le frôlèrent d'abord, déclenchant un tel flot de sensations que je poussai un cri inarticulé. Il m'attira contre lui, je sentis mes pieds se détacher du sol et il me porta jusqu'au lit.

2

Mes jambes entrèrent en contact avec le matelas et j'atterris sur les fesses, puis Gideon me fit basculer en arrière et s'installa au-dessus de moi. Déjà, sa bouche se refermait sur mon sein, et il entreprit d'en sucer la pointe avec avidité tandis que sa main le pétrissait avec vigueur.

— Dieu que tu m'as manqué ! gronda-t-il.

Sa peau était brûlante contre la mienne, et mon corps accueillait le sien avec reconnaissance après ces longues nuits solitaires.

J'agrippai ses fesses et le plaquai contre moi tout en creusant les reins pour sentir son sexe à travers l'étoffe. Je le voulais en moi pour être certaine qu'il m'appartenait de nouveau.

— Dis-le, le câlinai-je, avide d'entendre les mots dont il prétendait qu'ils étaient inappropriés.

Il se redressa, écarta délicatement mes cheveux de mon front. Je le vis avaler sa salive et soulevai la tête pour capturer ses lèvres au dessin parfait.

— Je le dis la première : je t'aime.

Il ferma les yeux, me prit dans ses bras et me serra si fort que je pouvais à peine respirer.

— Je t'aime, murmura-t-il. Trop.

Sa voix empreinte de ferveur me bouleversa. J'enfouis le visage au creux de son épaule et me mis à pleurer.

— Mon ange.

Sa main se crispa dans mes cheveux. Je m'emparai à nouveau de sa bouche et le gratifiai d'un baiser au goût de sel. Un baiser passionné, éperdu, comme s'il devait partir d'une seconde à l'autre et que je n'avais pas le temps de me rassasier de lui.

— Eva, laisse-moi...

Il s'interrompit pour prendre mon visage entre ses mains, puis plongea profondément la langue dans ma bouche

— Laisse-moi t'aimer.

— Je t'en supplie, soufflai-je, nouant les doigts sur sa nuque. Ne cesse jamais de m'aimer.

Son érection exerçait une pression délicieuse sur mon clitoris.

— Jamais. Je ne pourrais pas.

Il passa la main sous mes fesses et me souleva tout en exerçant une habile rotation des hanches. Le plaisir se déploya en moi, m'arrachant un cri, et les pointes de mes seins durcirent comme de petites billes contre son torse. Mon ventre se contracta, se préparant à accueillir les puissantes poussées de son sexe.

Mes ongles coururent le long de son dos. Gideon se cabra et rejeta la tête en arrière en un geste d'abandon délicieusement érotique.

— Encore, exigea-t-il d'une voix rauque.

Je levai la tête et plantai les dents dans sa chair, juste au-dessus du cœur. Il aspira bruyamment et frémit de la tête aux pieds.

Je ne parvenais plus à contenir le flot d'émotions qui me submergeait – amour et désir, peur et colère. Douleur aussi. Mon Dieu, cette douleur ! Elle me tourmentait encore et me donnait envie de le punir autant que de lui donner du plaisir. De lui offrir un échantillon de ce que j'avais enduré quand il m'avait repoussée.

Je passai la langue sur la trace qu'avaient laissée mes dents dans sa chair. Ses hanches basculèrent en avant et son sexe glissa entre les replis du mien.

— À mon tour, murmura-t-il d'un ton lourd de promesses.

Il prit appui sur un bras, ce qui fit saillir son biceps, et referma la main autour de mon sein. La seconde d'après, il léchait goulûment le mamelon. Sa bouche était brûlante et sa langue comme un fouet de velours sur ma chair sensible. Lorsque ses dents mordillèrent doucement la pointe érigée, une flèche de désir me traversa, si acérée que je poussai un cri.

Je me cramponnai à ses cheveux, trop passionnée pour faire preuve de tendresse. Mes jambes l'enserrèrent étroitement, comme en écho à mon besoin de le posséder, de le faire mien de nouveau.

— Gideon...

Son nom avait franchi mes lèvres dans un gémissement. Mes tempes étaient humides de larmes, ma gorge douloureusement nouée.

— Je suis là, mon ange, souffla-t-il avant de se lancer à l'assaut de mon autre sein.

Ses doigts diaboliques pinçaient la pointe humide que ses lèvres venaient d'abandonner, la titillaient si habilement que je me cambrai pour la plaquer contre sa paume.

— Ne résiste pas. Laisse-moi t'aimer.

Je réalisai alors que je tirais sur ses cheveux comme si j'essayais de l'écarter alors même que je cherchais à me rapprocher de lui. Gideon m'assiégeait, s'appliquait à me séduire avec son corps et la connaissance approfondie qu'il avait du mien. J'étais au bord de la reddition. Mes seins étaient lourds, mon sexe moite, mes mains le parcouraient inlassablement et mes jambes l'emprisonnaient.

Sa bouche glissa plus bas et des murmures s'élevèrent au niveau de mon ventre. *Tellement manqué... besoin de toi... besoin de te posséder...* Je sentis quelque chose d'humide sur ma peau et découvris qu'il pleurait, lui aussi, son beau visage dévasté par le même flot d'émotions que celui qui me submergeait.

Je cueillis ses larmes du bout de mes doigts tremblants. Il pressa alors la joue contre ma main et le gémissement qui lui échappa me fendit le cœur. Sa souffrance m'était encore plus insupportable que la mienne.

— Je t'aime, murmurai-je.

— Eva.

Il s'agenouilla, ses cuisses écartées calées entre les miennes, son sexe épais et dur oscillant sous son propre poids.

Mon corps entier se crispa de désir. Un voile de sueur emperlait sa peau bronzée et ses muscles parfaitement définis semblaient avoir été sculptés dans un bloc de marbre. À l'exception de son pénis, si brutalement primitif, il incarnait l'alliance parfaite de la force et de l'élégance. Un moulage de son corps aurait permis de réaliser une statue aussi belle que le *David* de Michel-Ange, dans une version nettement plus érotique.

À vrai dire, Gideon Cross semblait avoir été conçu dans le seul but d'affoler les femmes.

— Tu es à moi, déclarai-je d'une voix enrouée en me redressant maladroitement pour me plaquer contre son torse. Tu m'appartiens.

— Mon ange, murmura-t-il, avant de m'embrasser presque brutalement.

Puis il me souleva dans ses bras et pivota sur lui-même, le dos face à la tête du lit. Nos peaux luisantes de sueur glissèrent l'une contre l'autre quand il m'allongea sur lui.

Ses mains étaient partout à la fois, et son corps musclé se tendait vers moi comme le mien vers lui un instant plus tôt. Mes mains encadrèrent son visage et j'enfouis la langue dans sa bouche pour tenter d'étancher la soif que j'avais de lui.

Il insinua la main entre mes cuisses, se fraya un chemin avec une infinie délicatesse. Il effleura mon clitoris avant de s'aventurer jusqu'à l'orée de mon sexe. La bouche pressée contre la sienne, un gémissement remonta dans ma gorge. Mes hanches se mirent à onduler. À la caresse habile de ses doigts répondit celle, plus suave, de sa langue, dont les mouvements évoquaient le va-et-vient de son sexe que j'appelais de tous mes sens.

J'avais du mal à respirer, je tremblais comme une feuille tandis que son doigt s'enfonçait en rythme dans ma chair palpitante, sa paume frottant délicieusement contre mon clitoris. Son autre main me tenait fermement la hanche, m'interdisant de me dérober à ses caresses.

Le contrôle que Gideon exerçait sur moi semblait total, et l'entreprise de séduction à laquelle il se livrait d'une méticulosité diabolique, pourtant, il tremblait plus que moi et son souffle était plus erratique encore. Les mots qui lui échappaient étaient suppliants et teintés de remords.

Je m'écartai et enroulai les doigts autour de son sexe. Je connaissais bien son corps, moi aussi, ses besoins et ses désirs. Au premier va-et-vient, une perle de liquide vint en couronner l'extrémité engorgée. Il se redressa contre la tête de lit avec un gémissement.

— Arrête, haleta-t-il. Je suis trop près de jouir.

Ignorant sa supplication, je renouvelai le mouvement, et l'eau me vint à la bouche quand une deuxième perle translucide succéda à la première. Son plaisir et le fait de savoir que j'exerçais un tel pouvoir sur un homme aussi viril m'excitaient violemment.

Avec un juron, il m'attrapa aux hanches, me forçant à lâcher son sexe. Puis il me souleva, s'empala en moi et commença à me besogner.

Je poussai un cri et me cramponnai à ses épaules. Mon sexe se crispa en réaction à son intrusion.

Le corps tendu comme un arc, il cria mon nom avant d'exploser en moi.

Sa semence me lubrifia, je m'ouvris spontanément à lui et coulissai aisément le long de son érection jusqu'à ce qu'il m'emplisse entièrement. Mes ongles s'enfoncèrent dans les muscles durs de ses épaules. J'ouvris la bouche pour aspirer une goulée d'air comme quelqu'un qui se noie.

— Prends ça, dit-il d'un ton mordant en appuyant sur mes hanches pour s'enfoncer en moi jusqu'à la garde.

Retrouver la sensation familière de cette pénétration intense me tira un gémissement de reconnaissance. L'orgasme m'envahit par surprise, et le plaisir fulgurant qui me secoua me fit cambrer le dos.

L'instinct reprit le dessus, mes hanches remuant spontanément, mes cuisses se contractant tandis que je me concentrais sur l'instant présent, sur la reconquête de mon homme. De mon cœur.

Gideon se plia à mes exigences.

— Voilà, mon ange, comme ça, m'encouragea-t-il d'une voix rauque, son sexe fiché en moi aussi raide que s'il n'avait pas joui.

Il prit appui sur ses poings fermés. Ses biceps se contractaient et ses abdominaux luisants de sueur saillaient chaque fois que je m'empalais sur lui. Son corps était une mécanique bien huilée que j'exploitais sans vergogne.

Il me laissait l'utiliser à ma guise, se donnait à moi.

Je pris mon plaisir en criant son nom. Mes muscles intimes se contractèrent spasmodiquement comme un nouvel orgasme s'annonçait, trop tôt à mon goût. Je faiblis, emportée par la vague.

— Je t'en supplie, Gideon, haletai-je. S'il te plaît...

Il referma une main sur ma nuque, l'autre sur ma taille et me fit ployer en arrière jusqu'à ce que je me retrouve allongée sur le dos. Pesant sur moi de tout son poids, il commença alors à me pilonner, chaque coup de reins plus puissant et plus rapide que le précédent. La friction de son sexe devint vite insupportable, et mon corps tressauta quand l'orgasme déferla brutalement. Mes ongles s'incrustèrent dans ses flancs.

Gideon me rejoignit en frémissant, ses bras m'étreignant si fort que j'arrivais à peine à respirer.

— Mon Dieu, Eva, souffla-t-il en pressant le visage contre ma gorge, j'ai tellement besoin de toi !

— Mon amour.

Je l'étreignis. Encore trop terrifiée pour oser lâcher prise.

Mes cils palpitèrent, et je me rendis compte que je m'étais endormie. La panique me saisit : j'avais fait un rêve merveilleux et j'allais devoir affronter la réalité cauchemardesque. Je me redressai vivement, suffoquant presque.

Gideon.

Je faillis éclater en sanglots quand je le découvris endormi près de moi, son souffle régulier s'échappant de ses lèvres à peine entrouvertes. L'amant qui m'avait brisé le cœur m'était revenu !

Je me laissai retomber sur l'oreiller et me forçai à me détendre, à savourer le plaisir rare de le regarder dormir. Dans le sommeil, son visage paraissait métamorphosé, et si jeune. On avait tendance à oublier qu'il l'était lorsqu'il était éveillé et qu'il émanait de lui cette force de volonté qui m'avait littéralement foudroyée la première fois que je l'avais rencontré.

J'écartai avec précaution une mèche d'un noir d'encre de sa joue et remarquai de nouvelles rides autour de ses yeux et de sa bouche. J'avais également constaté qu'il avait minci. Notre séparation ne l'avait pas laissé indemne, mais il s'était appliqué à en dissimuler les effets. À moins que mon regard idolâtre ne m'ait pas permis de distinguer ses défauts...

Je m'étais, quant à moi, révélée parfaitement incapable de masquer mon désespoir quand j'avais cru que tout était fini entre nous, et tous ceux qui m'avaient croisée avaient pu le constater – ce sur quoi Gideon avait tablé depuis le début. *Possibilité de démenti plausible*, avait-il appelé cela. Personnellement, j'appelais cela l'enfer, et tant que nous ne pourrions pas cesser de feindre d'avoir rompu, je continuerais de vivre un enfer.

Doucement, je roulai sur le flanc, calai la tête au creux de ma main et contemplai le fabuleux spécimen masculin qui partageait mon lit. Allongé à plat ventre, il serrait l'oreiller entre ses bras, sa position mettant en valeur la perfection de ses biceps et de son dos, strié de griffures et de marques en forme de croissant laissées par mes ongles. Je m'étais agrippée à ses fesses aussi, follement excitée par la contraction de ses muscles tandis qu'il me régalait de ses puissants coups de reins.

Infatigablement...

Je commençai à m'agiter, gagnée par un désir naissant. Si courtois et raffiné fût-il, Gideon se révélait dans l'intimité un amant aussi fougueux qu'indompté qui mettait mon âme à nu chaque fois qu'il me faisait l'amour. Dès qu'il me touchait, je me retrouvais sans défense, incapable de résister au plaisir enivrant d'écarter les jambes pour ce mâle aussi viril que passionné...

Il ouvrit les yeux et ses iris d'un bleu vif me stupéfièrent comme au premier jour. Son regard glissa paresseusement sur mon corps nu et mon cœur manqua un battement.

— Hmm... Tu as le regard d'une femme qui meurt d'envie de remettre le couvert, observa-t-il.

— C'est peut-être parce que tu m'as l'air tout à fait comestible, répliquai-je. Quand je me réveille à côté de toi, j'ai l'impression de découvrir des cadeaux au pied du sapin le matin de Noël.

Sa bouche s'incurva sensuellement.

— Ça tombe bien, parce que je suis déjà déballé et que je fonctionne sans piles...

Le désir me contracta la poitrine. Je l'aimais trop. Je redoutais en permanence de ne pas être capable de le garder. Gideon était aussi impossible à capturer qu'un éclair zébrant le ciel et incarnait à mes yeux un rêve auquel je tentais désespérément de m'accrocher.

Je poussai un soupir.

— Tu représentes une merveilleuse extravagance pour une femme, tu sais. Une succulente, appétissante...

— Silence.

Avant que j'aie le temps de comprendre ce qui m'arrivait, je me retrouvai sous lui.

— Je suis monstrueusement riche, mais tu ne m'aimes que pour mon corps.

Je levai les yeux et admirai la façon dont ses cheveux sombres encadraient son merveilleux visage.

— Ce que je veux, c'est le cœur qui se trouve à l'intérieur de ce corps.

— Tu l'as.

Ses bras m'enserrèrent et ses jambes se mêlèrent aux miennes.

J'étais entravée. Délicieusement prisonnière de son corps ferme. Je soupirai d'aise et sentis une partie de mes craintes s'apaiser.

— Je n'aurais pas dû m'endormir, dit-il calmement.

Je lui caressai les cheveux, sachant qu'il disait vrai, qu'en raison de ses cauchemars et de sa parasomnie atypique dormir à ses côtés était dangereux. Il lui arrivait de se déchaîner dans son sommeil et si je me trouvais près de lui, c'était sur moi que sa rage se déversait.

— Je suis contente que tu l'aies fait.

Il me saisit la main et la porta à ses lèvres.

— Nous avons besoin de passer du temps ensemble, rien que toi et moi.

— Oh, mon Dieu, j'ai failli oublier ! Deanna Johnson m'attendait dans le hall, hier soir.

À peine ces mots eurent-ils franchi mes lèvres que je regrettai de les avoir prononcés.

Gideon cligna des yeux. En une fraction de seconde, toute chaleur déserta son regard.

— Garde tes distances avec cette femme. C'est une journaliste.

Je l'enlaçai et murmurai :

— Elle veut ta peau.

— Qu'elle prenne sa place dans la file d'attente !

— Pourquoi s'intéresse-t-elle tant à toi ? C'est une indépendante. Personne ne lui a assigné de mission te concernant.

— Laisse tomber, Eva.

Son refus de dialoguer me hérissa.

— Je sais que tu as couché avec elle.

— Non, tu n'en sais rien. Et tu ferais mieux de te concentrer sur le fait que c'est avec *toi* que j'ai l'intention de coucher.

Cette fois, je fus absolument certaine qu'il y avait eu quelque chose entre eux. Je le lâchai et le repoussai.

— Tu m'as menti.

Il eut un mouvement de recul comme si je l'avais giflé.

— Je ne t'ai jamais menti.

— Tu m'as affirmé que tu avais eu plus de relations sexuelles depuis que tu me connais que tu n'en avais eu au cours des deux années précédentes, mais tu as aussi dit au Dr Petersen que la fréquence de tes relations sexuelles avant de me connaître était de deux fois par semaine. Où est la vérité ?

Il roula sur le dos et fixa le plafond, les sourcils froncés.

— Tu tiens vraiment à parler de ça maintenant ?

Il était si tendu, si visiblement sur la défensive, que l'irritation qui m'avait gagnée face à sa dérobade m'abandonna d'un coup. Je n'avais pas envie de me disputer avec lui. Surtout pas au sujet du passé. Tout ce qui comptait, c'était le présent et l'avenir. Je devais croire en sa fidélité.

— Non, pas vraiment, répondis-je calmement en me tournant vers lui.

Une fois que le soleil serait levé, nous recommencerions à faire semblant de ne plus être ensemble. Et je ne savais pas combien de temps durerait cette mascarade ni quand je le reverrais.

— Je voulais seulement te prévenir qu'elle est en train de fouiner sur ton compte. Tu ferais bien de te méfier d'elle.

— Le Dr Petersen m'avait interrogé sur mes relations sexuelles, Eva, déclara-t-il posément. En ce qui me concerne, cela ne signifie pas forcément coucher avec quelqu'un. Je n'ai pas jugé bon de le préciser sur le moment, je vais donc clarifier les choses : j'invitais des femmes dans ma chambre d'hôtel, mais je ne couchais pas systématiquement avec elles. Cela n'arrivait qu'exceptionnellement.

Je repensai à sa garçonnière remplie de sex-toys en tout genre, située dans l'un des innombrables hôtels qui lui appartenaient. Il ne l'avait plus, Dieu merci, mais je ne l'oublierais jamais.

— Il vaudrait peut-être mieux que je n'en sache pas plus.

— C'est toi qui as ouvert cette porte, répliqua-t-il sèchement. Nous allons en franchir le seuil.

— Je t'écoute, soupirai-je.

— Parfois, je ne supportais pas de me retrouver seul, mais je n'avais pas envie de parler. Je n'avais pas envie de *penser* et encore moins de ressentir quoi que ce soit. Tu peux comprendre cela ?

Je le pouvais, oui, malheureusement. Il me suffisait de repenser aux fois où je m'étais agenouillée devant un type pour chasser, ne serait-ce qu'un instant, les pensées qui me polluaient l'esprit. Dans ces moments-là, il n'avait jamais été question de préliminaires ni même de rapports sexuels.

— Deanna Johnson fait-elle partie des femmes avec lesquelles tu as couché ?

Poser cette question me déplaisait, mais il fallait s'en débarrasser.

Il tourna la tête vers moi et me regarda franchement.

— Une seule fois.

— Une fois qui a dû être mémorable parce que, apparemment, elle ne s'en est toujours pas remise.

— Je ne saurais le dire, marmonna-t-il. Je ne m'en souviens même pas.

— Tu étais saoul ?

— Non. Bon sang, ajouta-t-il en se passant la main sur le visage, qu'est-ce qu'elle t'a dit, exactement ?

— Rien de personnel. Elle a mentionné ta « part d'ombre ». Je suppose qu'il y avait une connotation sexuelle. Je n'ai pas demandé de précision. Elle faisait comme si nous étions complices, sous prétexte que nous avions toutes deux été plaquées par toi. La « sororité des rebuts de Gideon », en quelque sorte.

Il me décocha un regard glacial.

— Ça ne te va pas de dire des vacheries.

— Oh, pardon ! répliquai-je, piquée au vif. Je ne cherchais pas à me faire passer pour une pétasse intégrale, seulement pour une aspirante pétasse. Je pense que j'en ai le droit, tout bien considéré.

— Qu'est-ce que j'étais supposé faire, Eva ? Je ne savais même pas que tu existais, se rebiffa Gideon en haussant le ton. Si je l'avais su, j'aurais passé ma vie à te traquer. Je ne le savais pas, alors je me contentais de pis-aller. Tu en faisais autant de ton côté. Nous avons l'un et l'autre perdu notre temps avec des gens qui ne nous convenaient pas.

— Oui. C'était très bête de notre part.

— Tu es fâchée ? demanda-t-il après un silence.

— Non, ça va.

Il me dévisagea et j'éclatai de rire.

— Tu t'attendais à une scène, pas vrai ? Je peux t'en faire une, si tu y tiens, mais si tu n'y vois pas d'inconvénient, je préférerais faire l'amour.

Gideon me couvrit de son corps. Le mélange de soulagement et de gratitude dans son regard me fendit le cœur. Je savais combien il était essentiel à ses yeux d'être cru quand il faisait l'effort de dire la vérité.

— Tu as changé, dit-il en me caressant le visage.

Évidemment que j'avais changé.

L'homme que j'aimais avait tué pour moi.

Bien des choses paraissent sans importance après un tel sacrifice.

3

— Mon ange.

L'arôme du café me parvint avant même que j'ouvre les yeux.

— Gideon ?

— Hmm ?

— S'il n'est pas 7 heures, ma vengeance sera terrible.

Son rire me toucha en plein cœur.

— Il est tôt, mais il faut qu'on parle.

— Ah bon ?

Je soulevai une paupière, puis l'autre pour savourer la vision de Gideon en costume trois pièces. Il était si appétissant que j'eus aussitôt envie de le lui retirer... avec les dents.

Il s'assit au bord de mon lit.

— Avant de partir, je voudrais m'assurer que nous sommes sur la même longueur d'onde.

Je me redressai en position assise et m'adossai à la tête du lit sans me donner la peine de couvrir ma poitrine car je savais que tôt ou tard nous parlerions de Corinne Giroux, son ex-fiancée.

Je peux jouer de sales tours quand c'est nécessaire.

— Je vais avoir besoin de café pour cette conversation.

Gideon me tendit ma tasse, puis effleura la pointe d'un de mes seins.

— Tu es si belle, murmura-t-il. De partout.

— Essaierais-tu de me distraire ?

— C'est toi qui me distrais. Très efficacement.

Était-il possible qu'il admire autant mon physique que moi le sien ? Cette idée me fit sourire.

— Ton sourire m'a manqué, mon ange.

— Je connais ça.

Chaque fois que je l'avais croisé et qu'il ne m'avait même pas gratifiée d'un sourire, j'avais eu l'impression de recevoir un coup de poignard en plein cœur. À la fin, mon cœur saignait en permanence, et je ne pouvais repenser à ces instants sans que la douleur se réveille.

— Où avais-tu caché ce costume, champion ? Il n'était pas dans ta poche, j'en suis sûre.

Il lui avait suffi de changer de tenue pour se transformer en homme d'affaires. Son costume était taillé sur mesure, et sa chemise et sa cravate parfaitement assorties. Il était impeccable, jusqu'aux boutons de manchettes d'une élégance discrète. Les cheveux sombres qui frôlaient le col de sa chemise venaient cependant rappeler que Gideon Cross était loin d'être apprivoisé.

— C'est une des choses dont il faut justement que nous parlions, déclara-t-il.

Il se redressa, mais son regard ne perdit rien de sa chaleur.

— J'ai emménagé dans l'appartement d'à côté. Nous allons devoir faire semblant de nous réconcilier petit à petit, je continuerai donc à occuper mon penthouse, mais je m'arrangerai pour passer le plus de temps possible en face.

— Est-ce bien raisonnable ?

— Officiellement, je ne suis pas suspect, Eva. Je ne suis même pas digne d'être entendu en tant que témoin. Mon alibi est solide et je n'ai aucun mobile connu. Je tiens juste à manifester du respect vis-à-vis des inspecteurs de police en évitant d'insulter ouvertement leur intelligence. Nous leur faciliterons la tâche pour qu'ils concluent que leur enquête aboutit à une impasse.

Je bus une gorgée de café et réfléchis à ce qu'il venait de dire. Le danger n'était peut-être pas immédiat, mais il était inhérent à sa culpabilité. J'avais beau m'efforcer de me rassurer, il n'en demeurait pas moins présent.

C'était de notre réconciliation qu'il s'agissait, et je sentais que Gideon avait besoin d'être certain que nous avions franchi un cap et que la douloureuse épreuve de notre fausse séparation était désormais derrière nous.

— Si je comprends bien, observai-je d'un ton volontairement léger, alors que mon ex-petit ami habitera sur la Cinquième Avenue, moi, je m'amuserai avec mon nouveau voisin ? Voilà qui s'annonce intéressant...

Il haussa les sourcils.

— Tu veux jouer à des jeux de rôles, mon ange ?

— Je veux te satisfaire, admis-je sans détour. Et je veux que tu trouves en moi tout ce qui a pu te plaire chez les autres femmes que tu as connues.

Des femmes qu'il avait emmenées dans sa garçonnière remplie de sex-toys...

Son regard s'embrasa, mais il déclara d'un ton égal :

— Je ne peux pas me passer de toi. Cela devrait suffire à te prouver que je n'ai besoin de rien d'autre.

Il se leva, me prit la tasse des mains, la posa sur la table de chevet, puis il attrapa le coin du drap et le rabattit, me découvrant entièrement.

— Allonge-toi, ordonna-t-il. Écarte les jambes.

Mon pouls s'accéléra tandis que je me pliais docilement à sa volonté. J'étais soudain si vulnérable sous son regard perçant que j'éprouvai le besoin instinctif de me couvrir. J'y résistai cependant. Dire que me retrouver entièrement nue alors qu'il était vêtu d'un de ses élégants costumes trois pièces ne me plaisait pas serait malhonnête. L'avantage que cela lui conférait était très excitant.

Il insinua un doigt entre les replis moites de mon sexe, le fit glisser sur mon clitoris en une caresse aussi provocante qu'habile.

— Cette belle petite chatte m'appartient.

Le timbre rauque de sa voix déclencha une délicieuse contraction au creux de mon ventre.

Pressant la paume sur mon mont de Vénus, il leva les yeux vers moi.

— Tu as dû te rendre compte que j'étais très possessif, Eva.

Je frémis comme il s'égarait plus bas.

— En effet, confirmai-je.

— Les jeux de rôles, les entraves, les moyens de transport et les changements de décor... Je suis impatient d'explorer tout cela avec toi, Eva.

Le regard brillant, il inséra son doigt en moi avec une exquise lenteur, émit une sorte de ronronnement et se mordit la lèvre inférieure. À en juger par l'étincelle dans ses yeux, il avait senti sa semence en moi.

C'était si bon, cette douce pénétration, que j'en restai sans voix.

— Tu aimes ça, murmura-t-il.

— Mmm.

Son doigt s'enfonça plus profondément.

— Je doute fort qu'un instrument en plastique, en métal ou en verre, fût-il gainé de cuir, parvienne à te faire jouir. Ce vibromasseur auquel tu as prétendu un jour que t'unissait une longue complicité va devoir se trouver une nouvelle confidente.

Ma peau devint brûlante comme si j'avais la fièvre. Gideon avait tout compris.

S'inclinant vers moi, il s'appuya sur le matelas et approcha ses lèvres des miennes. Tandis que son pouce exerçait une pression sur mon clitoris, son index me fouaillait. L'onde de plaisir qui se déploya depuis mon ventre me fit durcir les seins. Je les saisis à pleines mains et les pressai. Les caresses de Gideon, son désir étaient magiques. Comment avais-je pu vivre sans lui ?

— J'ai tellement envie de toi que ça me fait mal, Eva, avoua-t-il. J'ai constamment envie de toi. D'un simple claquement de doigts, tu fais de moi ta chose.

Il suivit de la langue le contour de ma lèvre inférieure, inhala mon souffle haletant.

— Quand je jouis, je jouis pour toi, reprit-il. À cause de toi, de ta bouche, de tes mains et de ta petite fente insatiable. Et il en ira de même pour toi. Ma langue, mes doigts, ma semence en toi. Rien que toi et moi, Eva. Dans l'intimité la plus crue.

Quand il me caressait ainsi, je ne doutais pas d'être au centre de son univers. Il ne voyait que moi, ne pensait qu'à moi. Cependant ce lien physique ne pouvait être permanent. J'allais devoir apprendre à croire en ce qu'il y avait d'invisible entre nous.

Mon corps ondulait de façon parfaitement impudique. Gideon inséra un autre doigt en moi ; mes talons s'enfoncèrent dans le matelas comme je me cambrais en réponse.

— Chaque fois que tu fondras de plaisir, ce sera toujours grâce à *moi*, pas à un gadget.

Il me mordilla la gorge, puis, repoussant mes mains du menton, happa entre ses lèvres la pointe dressée d'un sein qu'il se mit à sucer doucement. Le plaisir que j'en ressentis était si aigu qu'il flirtait avec la douleur. Et le sentiment qu'un gouffre nous séparait encore, que tout n'avait pas été résolu entre nous ne fit qu'attiser mon désir.

— Encore, haletai-je, aussi avide de son plaisir que du mien.

— Toujours plus, répondit-il, sa bouche s'incurvant en un sourire espiègle contre ma peau.

Un gémissement de frustration m'échappa.

— Je te veux en moi.

— Un désir parfaitement naturel.

Sa langue s'enroula autour de l'autre mamelon et le titilla jusqu'à ce que je meure d'envie de sentir à nouveau la succion de ses lèvres.

— C'est de moi que tu dois avoir envie, mon ange, pas d'un orgasme. De mon corps, de mes mains. Mon souhait le plus cher, c'est que tu sois incapable de jouir si ta peau ne touche pas la mienne.

Je hochai vigoureusement la tête en réponse, la bouche trop sèche pour parler. Le désir tapi au creux de mon ventre était pareil à un ressort enroulé sur lui-même qui se contractait davantage à chaque mouvement de ses doigts. Je repensai à mon vibromasseur complice qui m'avait si souvent soulagée, et je réalisai que, si Gideon cessait à l'instant de me caresser, rien ne saurait me faire jouir. Ma passion lui était tout entière destinée, mon désir ne pouvait s'enflammer qu'en réaction à son désir pour moi.

Un tremblement irrépressible s'empara de mes cuisses.

— Je... je vais jouir.

Sa bouche recouvrit la mienne, douce et cajoleuse, en un baiser vibrant d'amour. Je laissai échapper un cri et frémis de la tête aux pieds, emportée par un orgasme aussi bref que fulgurant, accompagné d'un long gémissement. Je glissai les mains sous sa veste pour l'attirer contre moi et gardai la bouche collée à la sienne jusqu'à ce que les spasmes qui me secouaient s'apaisent.

Lorsque je me détachai de ses lèvres, il y porta les doigts et goûta l'essence de mon plaisir.

— À quoi penses-tu ? murmura-t-il.

Je luttai pour reprendre mon souffle.

— Je ne pense à rien d'autre qu'à te regarder.

— Pas toujours. Il t'arrive de fermer les yeux.

— Seulement parce que tu parles quand tu fais l'amour et que ta voix m'excite. J'adore t'entendre, Gideon. J'ai besoin de savoir que ce que je te fais te plaît autant que ce que tu me fais.

— Suce-moi, chuchota-t-il. Fais-moi jouir pour toi.

Je glissai au bord du lit, m'assis et m'attaquai sans attendre à sa braguette. Long et dur, son sexe tendait l'étoffe de son pantalon. Je soulevai les pans de sa chemise et baissai son caleçon pour le libérer. Je fis disparaître d'un coup de langue la preuve de son excitation, admirant la façon dont il tenait ses appétits en bride pour satisfaire les miens.

Levant les yeux vers lui, je fis coulisser ma bouche le long de son sexe. Il tressaillit et son regard se voila.

— Eva.

Il me fixait, les paupières lourdes, l'air ailleurs, déjà.

— Oui ! Comme ça... Dieu que j'adore ta bouche !

Son compliment m'électrisa et je l'avalai aussi profondément que je pus. J'adorais l'aimer ainsi, j'adorais son goût et cette odeur qui n'appartenait qu'à lui. Je fis aller et venir mes lèvres sur toute sa longueur de son sexe. Doucement. Amoureusement.

— Tu aimes ça, dit-il en plongeant les doigts dans ma chevelure pour me maintenir la tête. Tu aimes ça autant que moi.

— Plus. Je voudrais te faire jouir pendant des heures.

— Tu n'aurais aucun mal. Je ne me lasserai jamais de ta bouche.

Du bout de la langue, je suivis le tracé saillant d'une veine jusqu'à l'extrémité de sa verge, que je repris en bouche. Mon cou ploya en arrière quand je m'accroupis, les mains sur les genoux, offerte.

Dans le regard que Gideon posa sur moi, l'excitation se teintait de tendresse.

— N'arrête surtout pas, souffla-t-il.

Se carrant sur ses jambes, il fit glisser son sexe jusqu'au fond de ma gorge, puis se retira lentement, abandonnant sur ma langue une traînée de liquide séminal. Je l'avalai et en appréciai la riche saveur.

Il gémit, et ses doigts se crispèrent sur mon crâne.

— Continue, mon ange. Suce-moi jusqu'à la dernière goutte.

Mes joues se creusèrent à mesure que nous trouvions un rythme, notre rythme, où les battements de nos cœurs faisaient écho à la montée du plaisir.

Nous avions tendance à trop analyser les problèmes au milieu desquels nous nous débattions, mais nos corps, eux, savaient à quoi s'en tenir. Il nous suffisait de nous toucher pour avoir la certitude que nous étions là où nous devions être, avec la personne qui nous était destinée.

— C'est tellement bon...

Je l'entendis distinctement grincer des dents.

— Je vais jouir...

Son sexe enfla dans ma bouche. Son poing se referma dans mes cheveux, et un spasme violent le secoua quand il éjacula.

Un juron lui échappa comme j'avalais sa semence. Il se déversa dans ma bouche aussi abondamment que s'il n'avait pas joui de la nuit. Quand il eut terminé, j'étais tremblante et à bout de souffle. Il m'aida à me relever et nous basculâmes sur le lit.

— Ce n'est pas ce que j'avais en tête en t'apportant ton café, avoua-t-il en déposant un baiser sur mon front. Non pas que je m'en plaigne.

Je me blottis contre lui, plus que reconnaissante de l'avoir de nouveau dans mes bras.

— On devrait sécher le boulot et passer la journée ensemble pour rattraper le temps perdu, suggérai-je.

En guise de réponse, Gideon me serra contre lui.

— Ça m'a laminé, commença-t-il d'une voix calme. De voir combien tu souffrais, combien tu étais en colère. De savoir que c'était moi qui étais la cause de ton chagrin, moi qui t'obligeais à t'éloigner de moi... C'était l'enfer pour nous deux, mais je ne pouvais pas prendre le risque que la police te considère comme une suspecte.

Je me raidis. Je n'avais pas envisagé cette possibilité. S'il apparaissait que Gideon avait tué Nathan pour moi, rien n'interdisait de penser que j'étais au courant de ce meurtre. Mon ignorance n'avait pas été ma seule protection ; Gideon s'était assuré que j'avais un alibi. Il me protégeait toujours – quel que soit le prix à payer.

— J'ai glissé un téléphone rechargeable dans ton sac. J'ai entré le numéro d'Angus afin que tu puisses me joindre en cas de besoin.

Je serrai les poings. Pour atteindre mon amant, j'allais devoir passer par son chauffeur !

— J'ai horreur de cela.

— C'est provisoire. Nous permettre de communiquer normalement est ma priorité absolue.

— Ce n'est pas dangereux pour Angus, de nous servir d'intermédiaire ? m'inquiétai-je.

— C'est un ancien du MI6. Pour lui, passer des coups de fil intraçables est un jeu d'enfant. Je vais être franc avec toi, Eva, ajouta-t-il après une pause. Ce téléphone me permet de te localiser et je n'hésiterai pas à le faire en cas de besoin.

— Quoi ?

Je bondis hors du lit, ne sachant ce qui m'énervait le plus – découvrir qu'Angus était un ex-agent des services secrets britanniques ou que Gideon avait l'intention de surveiller mes déplacements.

— C'est absolument hors de question !

Il se leva à son tour.

— Si je ne peux pas être avec toi ni entendre ta voix, j'ai au moins besoin de savoir où tu es.

— Ne fais pas ça, Gideon !

— Rien ne m'obligeait à t'en parler, répliqua-t-il, imperturbable.

— Tu es sérieux ? m'exclamai-je en fonçant vers l'armoire pour en sortir un peignoir. Je crois pourtant t'avoir entendu dire qu'avouer une erreur ne suffit pas à l'excuser.

— J'en appelle à ton indulgence.

J'enfilai mon peignoir de soie rouge en le fusillant du regard.

— Non. Je pense que tu veux toujours tout contrôler et que ça te plaît de me suivre à la trace !

— Ce qui me plaît, c'est de te garder en vie, rétorqua-t-il en croisant les bras.

Je me figeai. Puis je me remémorai les événements de ces dernières semaines – en ajoutant Nathan dans le tableau. Tout s'expliquait : la façon dont Gideon avait perdu les pédales quand j'avais voulu aller au bureau à pied, la présence d'Angus, qui me suivait comme mon ombre à travers toute la ville, la fureur de Gideon lorsqu'il avait réquisitionné la cabine d'ascenseur dans laquelle je me trouvais...

Toutes ces fois où je l'avais détesté de se comporter comme un sale type autoritaire, il ne pensait qu'à me protéger de Nathan.

Mes genoux faiblirent et je me laissai choir sur le sol.

— Eva !

— Donne-moi une minute.

J'avais déjà compris un certain nombre de choses au cours de notre séparation. J'avais réalisé que Gideon ne pouvait permettre à Nathan de se pointer à son bureau avec des photos de moi en train de me faire violer, puis de s'en aller tranquillement.

Brett Kline s'était contenté de m'embrasser et Gideon l'avait dérouillé.

Nathan m'avait violée régulièrement pendant des années et avait filmé et photographié ses exploits. Gideon avait forcément réagi très violemment à cette première visite de Nathan. Celui-ci était sans doute venu au Crossfire Building le jour où j'avais trouvé Gideon sortant de la douche, une tache écarlate maculant le poignet de sa chemise. Ce que j'avais pris pour du rouge à lèvres était en fait le sang de Nathan. Et le canapé et les coussins avaient été déplacés au cours d'une bagarre et non parce qu'il s'était envoyé en l'air avec Corinne.

Gideon s'accroupit en face de moi, les sourcils froncés.

— Tu crois que ça me fait plaisir de te surveiller ainsi ? Il me semble que je peux invoquer des circonstances atténuantes, Eva. Crois-moi, je m'efforce de respecter ton indépendance, mais ta sécurité compte plus que tout à mes yeux.

Examiner la situation avec du recul n'avait pas seulement clarifié les choses, cela m'avait aussi remis les idées en place.

— Je comprends.

— J'en doute. Ce que tu vois là, dit-il en se désignant d'un geste impatient, n'est qu'une coquille vide. Ce qui me met en mouvement, c'est toi, Eva. Tu peux comprendre, n'est-ce pas ? Tu es mon cœur et mon âme. S'il t'arrivait quelque chose, j'en mourrais. Te

44

protéger relève pour moi de l'instinct de survie ! Tolère-le pour l'amour de moi sinon pour toi.

Je me jetai à son cou avec une telle fougue qu'il tomba à la renverse. Le cœur battant, je l'embrassai follement.

— Je ne supporte pas que tu t'inquiètes à cause de moi, murmurai-je entre deux baisers. Tu es vraiment accro, on dirait

Il m'étreignit avec force.

— Alors on est d'accord ?

Je fronçai le nez.

— Peut-être pas pour le portable, m'entêtai-je. C'est dingue de me traquer comme ça ! Franchement, ce n'est pas drôle du tout.

— C'est temporaire.

— Je sais, mais...

Il posa la main sur ma bouche.

— J'ai aussi glissé dans ton sac des instructions pour te permettre de localiser mon portable.

Cette nouvelle me laissa sans voix.

— Tu vois, ce n'est pas une si mauvaise idée que ça, ajouta-t-il avec un petit sourire satisfait.

— Tais-toi, dis-je en me dégageant pour lui appliquer une tape sur l'épaule. On est complètement dysfonctionnels.

— Je préfère dire « sélectivement déviants ». Mais autant garder cela pour nous.

Un grand froid m'envahit soudain en même temps qu'une bouffée de panique au souvenir de l'obligation dans laquelle nous étions de dissimuler notre relation. Combien de temps avant que je le revoie ? Plusieurs jours ? Je ne supporterais pas de revivre les semaines qui venaient de s'écouler. Le simple fait d'envisager une nouvelle séparation, quelle qu'en soit la durée, me rendait malade.

— Et on est censés se revoir quand ? risquai-je, la gorge serrée.

— Ce soir.

Son beau regard s'assombrit.

— Eva, je ne supporte pas que tu sois triste.

— Tu n'as qu'à rester avec moi, murmurai-je, les yeux brûlants de larmes. J'ai besoin de toi.

Gideon effleura ma joue du bout des doigts.

— Tu étais avec moi, Eva. Tout le temps. Tu n'as pas quitté mes pensées une seule seconde. Je t'appartiens. Où que je sois, quoi que je fasse, je suis à toi.

J'accompagnai sa caresse d'un mouvement de la tête, laissant sa tendresse me pénétrer et dissiper mes craintes.

— Tu ne verras plus Corinne. Je ne supporte pas de te savoir avec elle.

— C'est fini, promit-il à ma grande surprise. Je le lui ai déjà dit. J'espérais que nous pourrions être amis, mais elle veut ce que nous avions autrefois, et moi, c'est toi que je veux.

— Le soir où Nathan est mort... c'était elle, ton alibi.

Je fus incapable d'en dire plus. Imaginer la manière dont il avait passé toutes ces heures avec elle me faisait trop mal.

— Non, mon alibi, c'est l'incendie de la cuisine. Régler la situation avec les pompiers, la compagnie d'assurances et organiser une solution d'urgence pour continuer à assurer le service m'a pris une bonne partie de la soirée. Corinne est restée un moment, puis elle est partie. De toute façon, la plupart des employés de l'hôtel étaient en mesure d'attester m'avoir vu.

Mon soulagement dut se lire sur mon visage, car le regard de Gideon s'adoucit et prit cette expression de regret que je lui avais si souvent vue.

Il se leva, puis m'aida à me relever.

— Ton nouveau voisin aimerait t'inviter à dîner. Vers 20 heures, si cela te convient. Tu trouveras sa clef – ainsi que celle de mon penthouse – sur ton trousseau.

— J'aime bien mon nouveau voisin. Il est très sexy, plaisantai-je, histoire de détendre l'atmosphère. Je me demande s'il est du genre à coucher le premier soir...

Gideon accueillit cette réplique avec un sourire si machiavélique que j'en fus tout émoustillée.

— Je pense que tu as d'assez bonnes chances de t'envoyer en l'air.

— Comme c'est romantique ! m'exclamai-je avec un soupir théâtral.

— Je t'en donnerais, de la romance, rétorqua-t-il.

M'attirant à lui, il me fit ployer en arrière avec une aisance consommée.

Pressée contre lui, le dos cambré, les pans de mon peignoir s'écartèrent, révélant ma poitrine. Gideon me fit ployer davantage de façon à glisser sa cuisse musclée entre mes jambes, et la conscience aiguë que j'eus soudain de sa force physique me chavira.

En un clin d'œil, il m'avait séduite. Malgré un tout récent orgasme, j'étais prête à lui céder sur-le-champ, subjuguée par sa force, son assurance, cette maîtrise qu'il avait, tant de lui-même que de moi.

Lorsque j'entrepris de chevaucher voluptueusement sa cuisse, il posa les lèvres sur mon sein, bouche ouverte, sa langue en agaçant la pointe érigée.

Je fermai les paupières et gémis en signe de reddition.

La chaleur et l'humidité du mois d'août m'incitèrent à choisir une robe de lin légère et à relever mes cheveux en queue-de-cheval. Une paire de créoles en or, un soupçon de maquillage, et le tour était joué.

Tout avait changé.

Gideon et moi étions de nouveau ensemble. Je vivais à présent dans un monde dont Nathan Barker ne faisait plus partie. Je ne risquais plus de le rencontrer au coin d'une rue. Il ne risquait pas de se présenter à ma porte un beau matin. Je n'avais plus à m'inquiéter de ce que Gideon pouvait apprendre sur mon passé, car il savait tout et m'acceptait telle que j'étais.

Cependant cette paix naissante s'accompagnait d'une crainte terrible au sujet de Gideon – je voulais avoir la certitude qu'il n'allait pas être traduit en justice. Comment pouvait-il être déclaré innocent d'un crime qu'il avait bel et bien commis ? Allions-nous devoir vivre dans la crainte que ce dernier revienne un jour nous hanter ? Et en quoi cela nous avait-il transformés ? Car nous ne pouvions espérer que tout redevienne comme avant. Pas après un acte aussi grave.

Je sortis de ma chambre et me dirigeai vers la cuisine pour récupérer mon sac sur le tabouret où je l'avais laissé la veille. Je tombai sur Cary, qui avait de toute évidence passé la nuit aussi agréablement que moi.

Appuyé contre le comptoir, il en agrippait le rebord, tandis que Trey, son petit ami, encadrait son visage de ses mains pour l'embrasser passionnément. Celui-ci était en jean et T-shirt, alors que Cary ne portait qu'un pantalon de jogging gris qui tombait bas sur ses hanches étroites. Tous deux avaient les yeux fermés et étaient trop absorbés l'un par l'autre pour réaliser qu'ils n'étaient plus seuls.

J'eus conscience de commettre une indiscrétion en les observant, mais je ne pouvais m'en empêcher. D'une part parce que j'avais toujours trouvé fascinant de regarder deux hommes s'embrasser sur la bouche, d'autre part parce que la pose de Cary était extrêmement révélatrice. Alors que son beau visage reflétait une profonde vulnérabilité, le fait que ses mains agrippent le bord du comptoir plutôt que son amant trahissait son besoin de maintenir une certaine distance entre eux.

J'attrapai mon sac, sortis à reculons sur la pointe des pieds et quittai l'appartement.

Sachant que je serais en nage si je faisais le trajet à pied, je décidai de héler un taxi. Depuis la banquette arrière, j'admirai la spirale noire et étincelante du Crossfire Building quand elle se matérialisa au bout de la rue. Le gratte-ciel abritait, entre autres, les locaux de Cross Industries ainsi que ceux de Waters, Field & Leaman, l'agence de publicité – l'une des plus prometteuses du pays – pour laquelle je travaillais.

Mon travail en tant qu'assistante de Mark Garrity, chef de projet junior, était un rêve devenu réalité. Si certains – dont Richard Stanton, troisième époux de ma mère et magnat de la finance – n'avaient pas compris que je veuille démarrer au bas de l'échelle alors que j'aurais pu faire fonctionner à plein mes relations, je n'en étais pas moins fière de gravir les échelons sans bénéficier du moindre piston. Mark était un patron idéal qui me faisait profiter de son expérience et de son savoir-faire tout en me laissant une marge de manœuvre appréciable.

Le taxi s'arrêta derrière une Bentley noire que je ne connaissais que trop bien. Mon cœur fit un bond dans ma poitrine, car sa présence signifiait que Gideon était dans les parages.

Je réglai la course et quittai l'habitacle climatisé pour affronter la chaleur extérieure. Je gardai les yeux rivés sur la Bentley dans l'espoir d'apercevoir Gideon, ce qui était d'autant plus ridicule que je venais de passer la nuit avec lui.

49

Je réprimai un sourire narquois, poussai la porte à tambour du Crossfire et traversai l'immense hall. D'une certaine façon, ce luxueux building était à l'image de son propriétaire. Tout en verre bleu cobalt et sols de marbre, il reflétait la puissance et l'influence de l'homme qui l'avait conçu, son élégance aussi, et cette part d'ombre indissociable de sa personne. J'adorais y travailler.

Je franchis le portique de sécurité et pris l'ascenseur jusqu'au vingtième étage. En sortant de la cabine, j'aperçus Megumi, la réceptionniste, assise derrière le comptoir de l'autre côté de la porte vitrée. Elle en actionna l'ouverture et se leva vivement pour venir à ma rencontre, plus élégante que jamais en pantalon noir et chemisier de soie dorée.

Ses yeux en amande brillants d'excitation, elle me gratifia d'un sourire. Elle arborait un nouveau rouge à lèvres d'un écarlate plutôt audacieux, notai-je au passage.

— Salut, Eva, je voulais savoir si tu avais des projets pour samedi soir, débita-t-elle.

— Euh...

J'aurais volontiers passé tout mon temps libre avec Gideon, mais j'ignorais si ce serait possible.

— Rien de précis, non, répondis-je. Pourquoi ?

— Un des copains de Michael va se marier et il l'a invité à son enterrement de vie de garçon. Je n'ai pas envie de passer la soirée seule.

— Michael ? Tu veux dire, le type que t'a présenté ta colocataire ?

— Oui, confirma-t-elle.

Son visage s'illumina un instant avant de s'assombrir.

— Il me plaît beaucoup, et je crois que je lui plais aussi, mais...

— Mais ?

Elle haussa une épaule et détourna le regard.

— Il a peur de s'impliquer dans une relation. Je suis sûre qu'il tient à moi, et il n'arrête pas de dire qu'il n'y a rien de sérieux entre nous, qu'on est ensemble pour le fun. Pourtant, on se voit tout le temps et il a arrangé son planning pour être plus souvent avec moi. Ce n'est pas juste un truc physique.

J'affichai une expression contrite. Je savais combien il était difficile de mettre fin à une relation de ce genre. Les signaux contradictoires entretiennent la tension et l'adrénaline, et la promesse de bonheur, à condition que le mec accepte de se jeter à l'eau, est telle qu'on ne peut se résoudre à ne pas y croire. Quelle fille ne rêve d'obtenir ce qui semble *a priori* inaccessible ?

— Je suis partante pour samedi soir, déclarai-je, soucieuse de la soutenir. Qu'est-ce que tu aimerais faire ?

— Boire, danser, déconner, répondit Megumi en retrouvant le sourire. Peut-être que tu rencontreras l'homme qui te fera oublier le passé ?

— Heu...

Aïe. Galère.

— Ça va plutôt bien de ce côté-là, en fait.

Elle haussa les sourcils.

— Tu as une petite mine, toi.

Je me suis fait sauter par Gideon Cross toute la nuit...

— Mon cours de krav maga a été assez intense, hier soir.

— Ah ouais ? Bon, quoi qu'il en soit, regarder le paysage ne peut pas te faire de mal, pas vrai ?

J'assujettis la bretelle de mon sac sur mon épaule.

— Je ne cherche pas de mec pour oublier le passé, d'accord ? insistai-je.

— Eh ! s'exclama-t-elle en posant les mains sur ses hanches. Je te suggérais juste de rester ouverte à la possibilité de rencontrer quelqu'un. Ça ne doit pas être facile d'oublier Gideon Cross, je m'en doute, mais crois-moi, passer à autre chose est la meilleure des revanches.

Cette déclaration me fit sourire.

— Je te promets de garder l'esprit ouvert, transigeai-je.

La sonnerie du téléphone retentit. Megumi décrocha avec un sourire d'excuse et j'empruntai le couloir qui menait à mon bureau. M'adapter à mon nouveau rôle de célibataire alors que je ne l'étais pas allait demander du temps. J'appartenais à Gideon autant qu'il m'appartenait. Appartenir à qui que ce soit d'autre était inconcevable.

Je commençais seulement à envisager de quelle façon j'allais lui annoncer que je sortais samedi soir quand Megumi m'appela. Je me retournai.

— C'est pour toi, je transfère l'appel sur ton poste ! annonça-t-elle. J'espère que c'est personnel parce que le mec a une voix à tomber. Le genre sexe, drogue et rock'n'roll intégral !

Un frisson d'excitation fit se hérisser les poils sur ma nuque.

— Il a donné son nom ?

— Oui. Brett Kline.

4

Je gagnai mon bureau et me laissai tomber sur mon siège. J'avais les mains moites rien qu'à l'idée de parler à Brett. Je devais me blinder pour me préparer à l'émotion que ne manquerait pas de déclencher sa voix ainsi qu'à la bouffée de culpabilité qui lui succéderait immanquablement. Ce n'était pas que je veuille qu'il me revienne ou que je souhaite être avec lui. Entre nous, l'attirance était purement physique. Je ne pouvais le nier, et je ne voulais pas prendre de risques.

Alors que je fourrais mon sac dans le tiroir inférieur de mon bureau, mon regard s'arrêta sur le cadre contenant les photos de Gideon et moi. Il me l'avait donné pour être toujours dans mes pensées. Comme s'il les quittait ! Même la nuit, c'était de lui que je rêvais.

La sonnerie de mon téléphone retentit. Brett ne lâchait pas prise. Je décrochai, déterminée à adopter un ton boulot-boulot pour lui signifier qu'il m'appelait sur mon lieu de travail et que le moment était mal choisi pour une conversation personnelle.

— Bureau de Mark Garrity, Eva Tramell à l'appareil.

— Eva, enfin ! C'est Brett.

Je fermai les yeux. Sa voix – tellement « sexe, drogue et rock'n'roll » comme l'avait si justement définie Megumi – avait toujours le même effet sur moi. Elle était encore plus sexy quand il parlait que lorsqu'il chantait. Le groupe qu'il avait créé, les Six-Ninths, était en passe d'acquérir une notoriété internationale. Il avait d'ailleurs signé chez Vidal Records, label dirigé par Christopher Vidal Senior, le beau-père de Gideon – dont Gideon était, inexplicablement, l'actionnaire majoritaire. Le monde était petit...

— Salut, Brett. Comment se passe la tournée ?

— C'est surréaliste. Je n'arrive toujours pas à croire que c'est à moi que ça arrive !

— Tu en as rêvé assez longtemps et tu le mérites. Profites-en !

— Merci.

Au cours du silence qui suivit, je ne pus m'empêcher de me le remémorer tel qu'il était la dernière fois que je l'avais vu, si attirant avec ses cheveux en bataille aux pointes décolorées, son regard émeraude brûlant de désir rivé sur moi... Grand et musclé, il irradiait cette énergie qui semble être l'apanage des rock stars. Il était couvert de tatouages et j'avais un souvenir aussi précis que sensuel des piercings de ses tétons pour avoir appris à les sucer quand je voulais sentir son sexe durcir en moi...

J'étais sensible au charme de Brett comme n'importe quelle femme digne de ce nom, mais il ne faisait pas le poids face à Gideon.

— Écoute, reprit Brett, je sais que tu es au boulot et je ne veux pas te déranger. J'appelais pour te dire que je vais revenir à New York et que j'aimerais qu'on se voie.

— Je ne crois pas que ce soit une bonne idée.

— Le lancement de la vidéo de *Golden* aura lieu à Times Square, Eva, et je veux que tu sois là.

— Que je sois là pour le... Waouh !

Je me passai la main sur le front, bouleversée par son invitation, et tâchai de me ressaisir en pensant à ce qu'aurait dit ma mère si elle m'avait vue me frotter le front ainsi – elle était convaincue que cela accentuait les rides.

— Je suis très flattée, mais il faut que je sache... cela te va si on se voit uniquement en amis ?

— Sûrement pas ! Tu es célibataire, golden girl, me rappela-t-il en riant. Je considère donc que j'ai le champ libre.

Et merde.

Cela faisait maintenant trois semaines que les photos de Gideon et de Corinne circulaient sur Internet. Apparemment, tout le monde avait décidé qu'il était temps pour moi de tourner la page.

— Ce n'est pas aussi simple. Je ne suis pas prête pour une nouvelle relation, Brett.

— Je t'ai juste proposé d'assister au lancement d'une vidéo et tu fais comme si je te demandais en mariage.

— Brett, franchement, je...

— Il faut que tu viennes, Eva, dit-il de cette voix grave à laquelle je n'avais jamais su résister. C'est ta chanson. Je n'accepterai aucun refus de ta part.

— Tu y seras pourtant bien obligé.

— Je serai vraiment blessé si tu ne viens pas, déclara-t-il posément. Je ne plaisante pas. J'ai besoin que tu sois là. On se verra en amis, si c'est ce que tu souhaites.

Je laissai échapper un long soupir.

— Je n'ai pas envie de te donner de faux espoirs.

Et encore moins envie de mettre Gideon de mauvaise humeur...

— Je te promets que je considérerai ça comme une faveur strictement amicale.

Je ne mordis pas à l'hameçon et préférai m'abstenir de répondre.

Il ne lâcha pas prise pour autant. Le ferait-il jamais ?

— D'accord ? insista-t-il.

Une tasse de café surgit près de mon coude. Je levai les yeux et découvris Mark derrière moi.

— D'accord, répondis-je, pour me débarrasser de lui.

— *Yesss* ! hurla-t-il d'un ton triomphal, et j'étais à peu près certaine qu'il avait brandi le poing. Le lancement aura lieu jeudi ou vendredi soir, la date n'est pas encore arrêtée. Donne-moi ton numéro de portable, que je t'envoie un message dès que ce sera sûr.

Je débitai mon numéro à toute allure.

— C'est noté ? Il faut que j'y aille.

— Je te souhaite une bonne journée, dit-il d'un ton si sincère que je me sentis coupable de l'évincer de façon aussi abrupte et inamicale.

Brett n'était pas un méchant garçon, et il aurait pu devenir un ami génial si je n'avais pas tout gâché en l'embrassant.

— Merci, Brett. Je suis sincèrement contente pour toi.

Je raccrochai et souris à Mark.

— Bonjour.

— Tout va bien ? s'enquit-il, un soupçon d'inquiétude voilant son regard brun.

Son costume bleu marine et sa cravate lie-de-vin s'harmonisaient particulièrement bien avec son teint.

— Oui, tout va bien. Merci pour le café.

— Il n'y a pas de quoi. Prête à bosser ?

— Comme toujours, assurai-je avec un grand sourire.

Je ne tardai guère à sentir que quelque chose clochait. Mark était à cran et distrait, ce qui ne lui ressemblait pas. Il n'arrivait pas à se concentrer sur le projet sur lequel nous travaillions – la campagne de promotion d'un logiciel d'apprentissage de langues. Je suggérai de passer à une autre campagne – celle des producteurs bios –, mais la manœuvre demeura sans effet.

— Tout va bien ? risquai-je finalement, passant maladroitement au registre amical – un territoire sur lequel nous évitions l'un comme l'autre de nous aventurer au bureau.

Il nous arrivait de mettre le travail de côté quand il m'invitait à déjeuner avec Steven, son compagnon, mais à l'agence, nous nous efforcions de maintenir des relations strictement professionnelles. Mark savait qui était mon beau-père et je lui étais d'autant plus reconnaissante de son attitude. Il avait compris que je ne voulais pas qu'on me traite avec des égards qui ne m'étaient pas dus.

— Pardon ? fit-il en levant les yeux.

Puis il se passa la main dans ses cheveux ras.

— Désolé, soupira-t-il.

— J'ai comme l'impression que quelque chose te tracasse, dis-je en posant ma tablette sur mes genoux.

Il haussa les épaules et fit pivoter son fauteuil Aeron de droite à gauche, puis de gauche à droite.

— Dimanche prochain, cela fera quatre ans que nous vivons ensemble, Steven et moi.

— Waouh ! m'exclamai-je. Félicitations.

De tous les couples que je connaissais, celui que formaient Mark et Steven m'apparaissait comme le plus stable et le plus aimant.

— Merci, répondit-il avec un sourire qui manquait de conviction.

— Vous allez fêter ça au resto ? Tu t'es occupé des réservations ou tu veux que je m'en charge ?

Il secoua la tête.

— Ce n'est pas encore décidé. Je ne sais pas ce qui serait le plus approprié.

— Voyons voir... Je n'ai pas beaucoup d'expérience en la matière, à mon grand regret, mais ma mère, qui a un talent fou pour ce genre de choses, m'a appris deux ou trois trucs.

Après avoir été mariée à trois hommes particulièrement fortunés, Monica Tramell Barker Mitchell Stanton pourrait envisager de devenir organisatrice d'événements si elle devait un jour subvenir à ses besoins.

— Tu veux quelque chose d'intime, rien que vous deux ? Ou une fête avec les amis et la famille ? Est-ce que vous avez l'habitude d'échanger des cadeaux ?

— Je veux me marier, lâcha-t-il.

— Ah, d'accord, dis-je en m'adossant à mon siège. Dans le genre romantique, j'avoue que je ne vois pas mieux.

Mark laissa échapper un rire sans joie qui me fit penser à un aboiement, puis m'adressa un regard malheureux.

— Ça devrait être romantique. Dieu sait que quand Steven m'a fait sa demande, il y a quelques années, il avait mis le paquet. Tu le connais.

Je clignai des yeux, stupéfaite.

— Et tu as dit non ?

— J'ai dit que c'était trop tôt. Je venais à peine d'entrer à l'agence alors que la carrière de Steven était déjà lancée, et on en était encore à recoller les morceaux après la rupture dont je t'ai parlé. Le moment me paraissait mal choisi et puis... je n'étais pas sûr qu'il voulait se marier pour les bonnes raisons.

— Ça, je crois que personne n'en est jamais sûr, murmurai-je, autant pour lui que pour moi.

— Je ne voulais pas qu'il pense que je doutais de nous, poursuivit Mark sans relever. Alors, comme un abruti, j'ai motivé mon refus en rejetant le blâme sur l'institution du mariage.

Je réprimai un sourire.

— Tu n'as rien d'un abruti.

— Depuis, il n'a pas raté une occasion de me faire remarquer que j'avais eu bien raison de dire non.

— Mais tu n'as pas dit non ! Juste que c'était trop tôt, pas vrai ?

— Je ne sais pas. Je ne sais plus ce que j'ai dit.

Il cala les coudes sur le bureau et enfouit le visage entre ses mains.

— J'ai paniqué, dit-il d'une voix étouffée. J'avais vingt-quatre ans. Il y a peut-être des gens qui se sentent prêts à cet âge-là, mais pas moi.

— Et maintenant que tu en as vingt-huit tu te sens prêt ?

Il avait le même âge que Gideon. Cette pensée me fit frissonner parce que j'avais, quant à moi, l'âge qu'avait Mark quand il avait déclaré à Steven que c'était trop tôt et je comprenais ses réticences.

Il releva la tête et soutint mon regard.

— Oui, répondit-il. Je suis plus que prêt. C'est comme si un compte à rebours s'était enclenché. Je suis de plus en plus pressé de me marier avec Steven, et j'ai peur qu'il refuse. Si ça se trouve il était prêt il y a quatre ans, et maintenant il a tourné la page.

— Au risque d'énoncer une lapalissade, tu n'en sauras rien tant que tu ne lui feras pas ta demande, fis-je remarquer, rassurante. Il t'aime. Énormément. D'après moi, il y a de fortes chances qu'il accepte.

Son sourire révéla ses adorables dents de travers.

— Merci, Eva.

— Tiens-moi au courant pour les réservations.

— Ta compréhension me touche beaucoup. Je suis sincèrement désolé de t'ennuyer avec mes histoires alors que tu traverses une rupture douloureuse, ajouta-t-il d'un air grave.

— Ne t'inquiète pas pour moi. Je vais bien.

Mark me dévisagea un instant, puis hocha la tête.

— On déjeune ensemble ?

Je levai les yeux et croisai le regard franc de Will Granger. Will était un nouvel assistant et je l'avais aidé à trouver ses marques. Avec ses rouflaquettes et ses lunettes noires à monture carrée, il avait un look rétro, vaguement beatnik, qui lui allait bien. Il était très cool et je l'aimais beaucoup.

— Avec plaisir. Qu'est-ce qui te tente ?

— Des pâtes et du pain. Un gâteau. Et peut-être une pomme de terre au four, pour faire bonne mesure.

Je haussai les sourcils.

— Comme tu veux. Mais si je fais un coma glucidique et que je m'écroule sur mon bureau, tu expliqueras à Mark que c'est à cause de toi.

— Tu es une sainte, Eva. Natalie se tape un délire « protéines pures » et je sens que je vais craquer si je n'ai pas ma dose de sucre. J'ai l'impression de disparaître. Regarde-moi, j'ai carrément décollé !

D'après ce qu'il racontait, Will s'entendait à merveille avec sa copine Natalie qu'il connaissait depuis le secondaire. Je le soupçonnais d'être prêt à bien des sacrifices pour elle et, apparemment, elle veillait sur lui avec un soin jaloux, ce qui ne lui déplaisait pas, même s'il faisait mine de s'en plaindre.

— Je compatis, déclarai-je, soudain mélancolique.

Feindre d'être séparée de Gideon était une torture, d'autant que j'étais entourée de gens qui étaient en couple.

À midi, alors que j'attendais que Will me rejoigne, j'adressai un texto à Shawna – la presque belle-sœur de Mark – pour lui demander si elle était partante pour une soirée entre filles samedi. Je venais d'appuyer sur la touche Envoi quand la sonnerie de mon téléphone retentit.

— Bureau de Mark Garrity, répondis-je d'un ton brusque.

— Eva.

Gideon ! Mes orteils se recroquevillèrent dans mes ballerines.

— Salut, toi.

— Dis-moi que tout va bien.

Je me mordillai la lèvre, et mon cœur se serra. Il était certainement aussi conscient que moi de cette faille entre nous qui me déstabilisait.

— Tout va bien. Pourquoi ? Il y a un problème ?

— Non... J'avais juste besoin de te l'entendre dire.

— Je ne me suis pas montrée assez claire hier soir ? Quand je te griffais le dos... Ou ce matin ? Quand j'étais à genoux devant toi...

— J'avais besoin de te l'entendre dire sans que tu me regardes, répondit-il d'une voix si caressante que j'en rougis.

— Pardon, murmurai-je, gênée. Je sais que tu n'aimes pas que les femmes te voient comme un objet sexuel. Je suis désolée de te faire subir ça.

— Il ne me viendrait pas à l'idée de me plaindre d'être ce que tu veux que je sois, Eva, répliqua-t-il d'un ton bourru. Je suis heureux que tu aimes ce que tu vois quand tu me regardes, parce que Dieu sait que j'adore te regarder.

Je fermai les yeux, m'efforçant de juguler le désir qui montait en moi. Savoir que je comptais autant pour lui que lui pour moi rendait la situation d'autant plus intenable.

— Tu me manques, soufflai-je. Et c'est horrible parce que tout le monde croit qu'on a rompu et pense qu'il faut que je tourne la page...

— Non !

Son cri me fit sursauter.

— Bon sang, attends-moi, Eva ! Je t'ai attendue toute ma vie.

Je déglutis et rouvris les yeux. Will se dirigeait vers mon bureau.

— Je t'attendrai toute la vie, tant que je saurai que tu m'appartiens, chuchotai-je.

— Ça ne durera pas toute la vie. Je fais tout ce que je peux. Fais-moi confiance, Eva.

— Je te fais confiance.

J'entendis une sonnerie de téléphone s'élever à l'autre bout de la ligne.

— Rendez-vous à 20 heures, me rappela-t-il.

— C'est noté.

Il raccrocha et je me sentis affreusement seule.

— Prête à t'empiffrer ? demanda Will en se frottant les mains d'impatience.

Megumi déjeunait avec son copain allergique à l'engagement et avait promis de nous accompagner une autre fois. J'allais donc passer une heure en tête à tête avec Will à me goinfrer.

L'excès d'hydrates de carbone me plongerait dans l'état de béatitude auquel j'aspirais, aussi me levai-je d'un bond

— On y va, répondis-je.

Sur le chemin du retour, j'achetai une boisson énergisante light dans une pharmacie. Lorsque 17 heures sonnèrent, je décidai d'aller au gymnase.

J'avais un abonnement à l'Équinoxe, mais l'idée d'aller au Cross Trainer – la chaîne dont Gideon était propriétaire – me tentait davantage. Le fossé qui s'était creusé entre nous me minait et passer du temps dans un endroit où nous avions de bons souvenirs m'apaiserait. Un sentiment de loyauté m'y incitait aussi. Gideon était mon homme. J'allais tout mettre en œuvre pour vivre le restant de mes jours avec lui, je me devais donc de le soutenir dans toutes ses entreprises.

Je rentrai à pied sans plus me soucier d'être en piteux état, sachant que j'allais transpirer au gymnase. Quand l'ascenseur atteignit mon étage, je me surpris à jeter un coup d'œil à la porte de l'appartement voisin et mes doigts jouèrent avec la clef que Gideon m'avait donnée. L'idée d'aller visiter les lieux me titilla. Son appartement était-il identique à celui de la Cinquième Avenue ou complètement différent ?

Le penthouse de Gideon était spectaculaire tant par son architecture d'avant-guerre que par le charme très européen de sa décoration. Il était à la fois luxueux, chaleureux et accueillant, aussi susceptible de convenir à des dignitaires étrangers qu'à des enfants.

À quoi ressemblait son abri temporaire ? S'était-il contenté de poser quelques meubles ici ou là, laissant les murs nus et la cuisine vide ? Ou était-il parfaitement agencé ?

Je m'arrêtai devant la porte de son appartement, hésitai un instant, puis décidai de résister à la tentation. Je voulais que ce soit lui qui m'invite dans son nouvel intérieur.

En entrant chez moi, je fus accueillie par un rire féminin et découvris, sans surprise, une superbe blonde aux jambes interminables blottie contre Cary sur le canapé blanc du séjour. Toujours torse nu, Cary entourait nonchalamment du bras les épaules de Tatiana Cherlin.

— Salut, baby girl, me lança-t-il avec un grand sourire. Ta journée s'est bien passée ?

— Comme d'habitude. Salut, Tatiana.

Elle me salua d'un vague hochement de tête. Tatiana était superbe, ce qui n'avait rien de surprenant vu qu'elle était top model. Son physique mis à part, elle ne m'avait pas plu les rares fois où je l'avais croisée, et ne me plaisait toujours pas. Mais, tandis que je regardais Cary, je me dis qu'elle lui faisait peut-être du bien.

Même si ses hématomes avaient disparu, il n'était pas encore complètement remis de la brutale agression dont il avait été victime. Une agression dont Nathan était à l'origine, et qui avait mis en branle la série d'événements qui avait abouti à ma rupture avec Gideon.

— Je me change et je file au gymnase, annonçai-je.

— Je reviens, entendis-je Cary dire à Tatiana derrière moi.

Je pénétrai dans ma chambre et lançai mon sac sur le lit. J'étais en train de fouiller dans le tiroir de ma commode quand Cary apparut sur le seuil.

— Comment te sens-tu ? lui demandai-je.

— Mieux, répondit-il, une lueur espiègle dans son beau regard vert. Et toi ?

— Mieux.

— Serait-ce lié à la folle nuit de débauche que tu as passée en compagnie d'un mystérieux inconnu ?

Je refermai le tiroir de la hanche.

— Comment se fait-il que tu entendes ce qui se passe dans ma chambre alors que moi, je n'entends jamais ce qui se passe dans la tienne ?

Il se tapota la tempe de l'index.

— C'est grâce à mon radar sexuel. J'en ai un, moi.

— Ça veut dire quoi ? Que je n'en ai pas, c'est ça ?

— Je crois plutôt que Cross a grillé tous tes circuits au cours d'un de vos marathons sexuels. L'endurance de ce type me stupéfie toujours autant. J'aimerais bien qu'il vire de bord et que ce soit *moi* qu'il mette sur les rotules.

Je lui lançai mon soutien-gorge de sport à la figure. Il l'attrapa au vol en riant.

— Alors ? reprit-il. C'était qui ?

Je me mordis la lèvre. Je détestais devoir mentir à la seule personne qui avait toujours été honnête avec moi, même quand cela faisait mal. Pourtant je n'avais pas le choix.

— Quelqu'un qui bosse au Crossfire.

Le sourire de Cary s'évanouit. Il entra dans la chambre et referma la porte derrière lui.

— Tu l'as rencontré et hop ! tu as décidé de le ramener ici pour qu'il te fasse ta fête toute la nuit ? Je croyais que tu avais un cours de krav maga après le boulot ?

— J'y suis allée. Il habite près d'ici et je suis tombée sur lui en rentrant. De fil en aiguille…

Il me tendit mon soutien-gorge.

— Je dois m'inquiéter ? demanda-t-il sans détour en me scrutant. Je croyais que tu avais tiré un trait sur les aventures sans lendemain.

— Ce n'est pas tout à fait exact, dis-je en me forçant à soutenir son regard. Je… on sort ensemble. Je dîne avec lui, ce soir.

— Tu me le présenteras ?

— Bien sûr. Pas ce soir, il m'a invitée chez lui.

Cary pinça les lèvres.

— Toi, tu me caches quelque chose. Allez, crache le morceau.

— Je t'ai vu embrasser Trey ce matin, dans la cuisine, biaisai-je.

— Oui. Et alors ?

— Comment ça va, vous deux ?

— Je ne me plains pas.

Aïe. Cary n'était pas du genre à lâcher facilement prise.

— J'ai parlé avec Brett, aujourd'hui, lâchai-je d'un ton faussement dégagé. Il m'a appelée au boulot. Et, non, ce n'est pas avec lui que j'ai passé la nuit.

— Qu'est-ce qu'il te voulait ?

Je retirai mes chaussures et allai dans la salle de bains pour me démaquiller. Il me suivit.

— Il doit venir à New York pour le lancement de la vidéo de *Golden*. Il m'a demandé d'y aller avec lui.

— Eva... commença-t-il du ton d'avertissement qu'emploient les parents pour s'adresser à un enfant capricieux.

— Et j'aimerais que tu m'accompagnes, l'interrompis-je.

Il en fut un instant déstabilisé.

— En tant que chaperon ? Tu n'as pas confiance en toi ?

Je regardai son reflet dans le miroir.

— Je n'ai pas l'intention de me remettre avec lui, Cary. De toute façon, on n'a jamais vraiment été ensemble, tu n'as donc pas à t'inquiéter. Je veux que tu viennes parce que je pense sincèrement que ça te plaira et que je ne tiens pas à ce que Brett se fasse des idées. Il est d'accord pour que nous y allions en tant qu'amis, mais je crois qu'il a besoin qu'on lui explique le concept. C'est plus prudent. Et plus honnête.

— Tu aurais dû dire non.

— J'ai essayé.

— Non, ça veut dire non, baby girl. Ce n'est pas sorcier !

— Tais-toi, dis-je en me frottant l'œil avec une lingette démaquillante. C'est déjà assez pénible d'avoir accepté par culpabilité ! Je te rappelle que, quand je suis allée voir les Six-Ninths en concert, tu n'as pas jugé bon de me prévenir que Brett était le chanteur du groupe. Alors garde tes leçons de morale pour toi !

D'autant que Gideon n'allait pas manquer d'en rajouter une couche...

— De quoi te sens-tu coupable vis-à-vis de Brett ? rétorqua Cary.

— Il s'est fait dérouiller à cause de moi !

— Faux ! Il s'est fait rectifier le portrait parce qu'il a embrassé une jolie fille sans réfléchir aux conséquences. Il aurait dû se douter que tu étais prise. Tu peux m'expliquer pourquoi tu es d'une humeur exécrable ?

— Je n'ai pas besoin que tu me fasses un sermon à propos de Brett, d'accord ? Je t'ai dit que je n'avais pas l'intention de renouer avec lui.

En fait, j'avais besoin de lui parler de ma relation avec Gideon et de mes soucis, mais ce n'était pas envisageable, ce qui ne faisait que perturber l'équilibre déjà précaire de ma vie. Je me sentais complètement seule et à la dérive.

— Ravi de l'entendre.

Je lui fis un aveu – le seul qui m'était autorisé – parce que j'avais la certitude qu'il ne me jugerait pas.

— Je suis toujours amoureuse de Gideon.

— Bien sûr que tu l'es, acquiesça-t-il simplement. Si ça t'intéresse, je suis certain que votre rupture le ronge autant que toi.

— Merci, Cary, dis-je en le serrant dans mes bras.

— De quoi donc ?

— D'être toi.

Il eut un rire narquois.

— Attention, je n'ai pas dit que tu devais l'attendre. Il a mal joué, il a perdu. Je ne crois pas que tu sois prête à coucher avec un autre type. Les plans cul, ce n'est pas ton truc, Eva. Tu es trop sentimentale. Tu sais que ça te démolit chaque fois.

— Et que ça ne marche jamais, acquiesçai-je en me tournant vers le lavabo pour achever de me démaquiller. Alors, tu m'accompagneras au lancement de la vidéo ?

— Promis.

— Tu veux venir avec Trey ou Tatiana ?

Il secoua la tête, se pencha vers le miroir et se recoiffa du bout des doigts.

— Non, ça ferait deux couples. Il vaut mieux que je sois le troisième larron. Il percutera mieux.

J'observai son reflet et lui souris.

— Je t'aime.

— Alors prends soin de toi, baby girl. C'est tout ce que je te demande.

Mon cadeau favori en cas de pendaison de crémaillère, c'est un service de verres à martini en cristal de Waterford. Un présent parfait : raffiné, utile et agréable. J'en avais offert à une copine de fac qui ne savait même pas ce qu'était le cristal de Waterford mais adorait les appletinis, et j'en avais offert à ma mère qui ne buvait pas de martini, mais adorait le Waterford. C'était un cadeau que je n'aurais pas rechigné à offrir à Gideon Cross, un homme qui avait plus d'argent qu'il n'était permis.

Pourtant, quand je frappai à sa porte, ce n'était pas un service en cristal que j'avais à la main.

Nerveuse, je me dandinai d'un pied sur l'autre et lissai ma robe de la paume. Je m'étais pomponnée en rentrant du gymnase. J'avais retravaillé ma nouvelle coupe de cheveux, avant d'appliquer fard à paupières gris cendré et rouge à lèvres rose pâle *kiss proof*, ensuite j'avais enfilé une petite robe noire aussi décolletée devant que dans le dos.

La jupe courte révélait mes jambes que mes Jimmy Choo à bouts ouverts faisaient paraître encore plus longues. Je portais les pendants d'oreilles en diamants que j'avais lors de notre premier rendez-vous ainsi que la bague que Gideon m'avait offerte, un bijou somptueux composé d'un entrelacs de liens dorés retenus par des X en diamants – les X symbolisant Gideon rassemblant les différents fils qui me composaient.

La porte s'ouvrit et je chancelai légèrement en découvrant l'homme le plus séduisant sur terre. Il devait être d'humeur sentimentale, lui aussi, car il avait revêtu le pull noir qu'il portait le premier soir où nous étions sortis ensemble. À la fois décontracté et élégant, il lui allait divinement. Il l'avait associé à un pantalon gris anthracite, et ses pieds étaient nus. Une flèche de désir me traversa.

— Seigneur, souffla-t-il, tu es superbe ! La prochaine fois, préviens-moi avant que j'ouvre la porte.

— Bonsoir, monsieur Noir Danger, répondis-je en souriant.

5

Gideon me tendit la main et ses lèvres s'incurvèrent sur un sourire dévastateur. Mes doigts effleuraient à peine le creux de sa paume qu'il m'attirait déjà à lui et pressait doucement sa bouche sur la mienne. La porte se referma derrière moi et il poussa le verrou, nous isolant du reste du monde.

J'agrippai doucement son pull.

— Tu as mis mon pull préféré, murmurai-je.

— Je sais.

Sans prévenir, il s'accroupit devant moi, me prit la main et la posa sur son épaule.

— Mets-toi à l'aise, mon ange. Tu n'auras pas besoin de ces talons tant que tu ne seras pas prête à coucher avec moi.

— Qui te dit que je ne suis pas déjà prête ?

— Mon petit doigt. Tu le sauras le moment venu.

Je fis passer le poids de mon corps d'un pied sur l'autre tandis que Gideon m'ôtait mes chaussures.

— Vraiment ? Et comment ?

Il leva vers moi son beau regard intense.

En dépit de sa posture soumise, il irradiait une autorité indéniable.

— Parce que j'enfoncerai mon sexe en toi.

Cette fois, le poids de mon corps bascula d'un pied sur l'autre pour une raison qui n'était pas seulement d'ordre pratique.

Il se redressa, me dominant à nouveau de toute sa hauteur, et me frôla la joue du bout des doigts.

— Que contient ce sac que tu as à la main ?

— Oh.

Je m'extirpai mentalement du brouillard sexuel qui m'emprisonnait.

— Un cadeau pour ton nouveau chez-toi.

Je regardai autour de moi. L'appartement était identique au mien ; il était beau et accueillant. Je m'étais plus ou moins attendue à un espace pratiquement nu et je découvris avec stupéfaction un lieu déjà habité. Un grand séjour uniquement éclairé à la bougie dont les flammes projetaient leur lueur dorée sur des meubles que je reconnus comme étant un mélange des miens et de ceux de Gideon.

Prise de court, je remarquai à peine qu'il me débarrassait de mon cadeau et de mon sac à main. Pieds nus, je m'avançai dans la pièce, les yeux rivés sur ma table basse et mes guéridons disposés devant et autour des fauteuils et du canapé de Gideon, mon étagère supportant ses objets familiers et des photos encadrées de nous deux, mes rideaux et ses luminaires.

Sur le mur, là où chez moi se trouvait mon écran plat, était accroché un immense poster de moi soufflant un baiser, version agrandie de la photo que je lui avais donnée pour qu'il la pose sur son bureau du Crossfire.

Je pivotai lentement sur moi-même, balayant lentement du regard ce décor incroyable. J'avais déjà éprouvé un choc similaire lorsque j'avais découvert que Gideon avait recréé dans son penthouse ma chambre à l'identique afin que j'aie un espace familier

71

où me réfugier quand notre relation devenait trop intense.

— Quand as-tu emménagé ?

J'adorais ce mélange de moderne et d'ancien. De ses choix judicieux résultait un espace élégant, harmonieux, qui... *nous* ressemblait.

— Pendant que Cary était à l'hôpital, répondit-il.

Je lui jetai un coup d'œil.

— Tu plaisantes ?

C'était justement au cours de cette semaine-là que Gideon s'était détaché de moi. Qu'il avait commencé à sortir avec Corinne et était devenu de plus en plus inaccessible.

Aménager cet appartement avait dû lui demander du temps.

— J'avais besoin d'être près de toi, avoua-t-il d'un air absent en jetant un coup d'œil à l'intérieur du sac. Je voulais être sûr de pouvoir t'atteindre rapidement. Avant que Nathan le fasse.

Cette révélation fut un choc. Alors même que je croyais que Gideon s'éloignait chaque jour davantage de moi, il se trouvait physiquement tout près de moi. Veillant sur ma sécurité.

— Quand je t'ai appelé de l'hôpital, dis-je, la gorge serrée, il y avait quelqu'un avec toi...

— C'était Raúl. Il supervisait l'emménagement. Il fallait que ce soit fait avant que Cary et toi rentriez de l'hôpital.

Il releva la tête.

— Des serviettes de toilette, mon ange ? s'enquit-il, amusé, en sortant du sac les serviettes ornées du logo brodé de son club de gym.

En les achetant au gymnase, j'imaginais son appartement comme une garçonnière dépourvue de tout confort et mon « cadeau » me paraissait à présent ridicule.

— Désolée, dis-je, encore ébranlée par la révélation qu'il venait de faire au sujet de son emménagement. Je ne pensais pas te trouver aussi confortablement installé.

Il tint les serviettes hors de ma portée quand je tendis la main pour les récupérer.

— Tes cadeaux me touchent toujours énormément. Dis-moi à quoi tu pensais quand tu les as achetées.

— Je voulais t'offrir quelque chose qui te ferait penser à moi.

— Je pense à toi chaque minute de chaque jour, murmura-t-il.

— Précision : qui te fasse penser à moi, trempée de sueur et brûlante de désir.

— Hmm… un fantasme que je m'autorise souvent.

Cet aveu fit resurgir le souvenir de Gideon se donnant du plaisir devant moi sous la douche. Aucun mot n'aurait pu décrire l'impact que cette vision avait eu sur moi.

— C'est à moi que tu penses quand tu te masturbes ?

— Je ne me masturbe pas.

— Pardon ? Je t'en prie, Gideon, tous les hommes le font !

Il m'attrapa la main, mêla ses doigts aux miens, et m'entraîna vers la cuisine d'où provenait un fumet divin.

— Allons discuter autour d'un verre de vin, veux-tu ?

— Tu as l'intention de me saouler pour abuser de moi ?

— Non.

Il me lâcha la main et posa les serviettes sur le comptoir.

— Je sais que le chemin le plus sûr pour conquérir ton cœur passe par la nourriture.

73

Je grimpai sur l'un des tabourets de bar identiques aux miens, touchée par ce don qu'il avait de me mettre à l'aise.

— Pour conquérir mon cœur ou pour conquérir autre chose ?

Il sourit en me servant un verre de la bouteille de vin déjà ouverte.

— Méfie-toi, Eva, dit-il, l'air sévère. Je vais finir par oublier mon intention de te séduire en bonne et due forme avant de te posséder sur tous les plans horizontaux de l'appartement.

Ma bouche se dessécha d'un coup. Et le regard dont il me gratifia lorsqu'il me tendit mon verre me fit tourner la tête et rougir en même temps.

— Avant de te connaître, murmura-t-il, je me caressais chaque fois que je prenais une douche. Cela faisait partie de mon rituel, comme de me laver les cheveux.

Je voulais bien le croire. Je connaissais assez Gideon pour savoir qu'il avait de gros besoins sexuels. Quand nous étions ensemble, il me faisait l'amour avant de dormir, le matin au réveil, et trouvait parfois le temps pour une petite partie de jambes en l'air dans la journée.

— Depuis que je te connais, ça ne m'est arrivé qu'une seule fois, poursuivit-il. Et tu étais présente.

J'immobilisai mon verre à mi-chemin de ma bouche.

— Vraiment ? dis-je.

— Vraiment.

Je bus une gorgée de vin, le temps de rassembler mes pensées.

— Pourquoi as-tu arrêté ? Ces dernières semaines... tu as dû être tenté.

L'ombre d'un sourire flotta sur ses lèvres.

— Te connaissant, je préfère épargner mes réserves.

Je posai mon verre et lui donnai une tape sur l'épaule.

— Tu essaies toujours de me faire passer pour une nymphomane !

— Tu adores le sexe, mon ange. Il n'y a aucun mal à cela. Tu es insatiable et j'adore ça. Tu es toujours partante.

Mes joues s'enflammèrent.

— Si tu veux tout savoir, je ne me suis pas touchée une seule fois pendant notre séparation. Je n'en ai même pas eu envie pour la bonne raison que nous n'étions pas ensemble, l'informai-je.

Il cala le coude sur le comptoir de granit noir et se pencha vers moi.

— Hmm.

— J'aime faire l'amour avec toi parce que tu es toi, Gideon, pas parce que je suis avide de sexe. C'est comme ça, prends-en ton parti… ou arrête de te doucher, conclus-je en glissant au bas de mon tabouret.

Je regagnai le séjour en essayant de chasser le malaise qui m'avait habitée toute la journée.

Gideon me ceintura par-derrière et m'immobilisa.

— Arrête, dit-il de ce ton un poil autoritaire qui m'excitait toujours autant.

Je tentai de me dégager de son étreinte.

— Arrête, Eva.

Je cessai de lutter, laissai mes bras retomber le long de mon corps, les poings serrés.

— Explique-moi ce qui t'arrive, demanda-t-il posément.

Je baissai la tête, ne sachant quoi répondre. Le silence se prolongea, puis Gideon me lâcha, me souleva dans ses bras et se dirigea vers le canapé. Il s'assit et m'installa sur ses genoux. Je me blottis contre lui.

Il appuya le menton sur mon crâne.

— Tu as envie qu'on se dispute, mon ange ?

— Non, marmonnai-je.

— Tant mieux. Moi non plus, déclara-t-il. Alors parlons un peu.

J'enfouis le nez au creux de son cou.

— Je t'aime.

— Je sais, murmura-t-il en rejetant la tête en arrière afin que je me serre plus étroitement contre lui.

— Et je ne suis pas une nymphomane.

— Le serais-tu que je ne vois pas en quoi ce serait un problème. Dieu sait que te faire l'amour est mon activité préférée. Pour être franc, si jamais tu voulais que je m'occupe de toi plus souvent, j'irais jusqu'à programmer dans mon emploi du temps des interludes sexuels.

Je lui mordis le cou en représailles. Il s'esclaffa, enroula une mèche de cheveux autour de sa main et me tira la tête en arrière. Le regard qu'il posa sur moi était à la fois tendre et sérieux.

— Ce n'est pas notre vie sexuelle qui te tracasse, devina-t-il. Il y a autre chose.

— Je ne sais pas ce que j'ai, avouai-je dans un soupir. Je me sens... déphasée.

Il resserra son étreinte. Mon corps épousait le sien à la perfection.

— L'appartement te plaît ? voulut-il savoir.

— Je l'adore.

— Bien, dit-il d'un ton satisfait. Il ne s'agit que d'un échantillon de ce que ça pourrait être, évidemment.

Je sentis les battements de mon cœur s'accélérer.

— Tu veux dire... de ce que pourrait être l'endroit où nous habiterions ensemble ?

— On repartira de zéro, évidemment.

Bien que touchée par sa déclaration, je ne pus m'empêcher de faire remarquer :

— C'était très risqué ce que tu as fait. Emménager ici, entrer et sortir. Rien que d'y penser, ça me rend nerveuse.

— Officiellement, quelqu'un loue cet appartement. Il n'y a donc rien d'anormal à ce que cet homme apporte ses meubles et rentre chez lui en empruntant le garage, comme tous les locataires qui ont une voiture. Quand je me fais passer pour lui, je m'habille différemment, j'emprunte l'escalier et je vérifie les caméras de sécurité pour éviter de croiser qui que ce soit.

Une telle quantité de précautions me donnait le tournis. Gideon savait ce qu'il faisait, lui qui était parvenu à éliminer Nathan sans laisser de trace.

— C'est beaucoup de complications et de frais. Pour moi. Je... je ne sais pas quoi dire.

— Dis que tu as l'intention de vivre avec moi.

Une bouffée de bonheur me traversa, que je savourai à sa juste valeur.

— Tu as prévu une date pour ce nouveau départ ? risquai-je.

— Dès que nous pourrons annoncer sans risque que nous sommes ensemble, dit-il en exerçant une légère pression sur ma cuisse.

Je posai la main sur la sienne. Tant de choses s'opposaient à ce que nous vivions ensemble : le traumatisme que nos passés respectifs avaient laissé en nous, mon père, qui n'aimait pas les riches et pensait que Gideon me trompait, et moi, parce que j'aimais mon appartement et que je considérais que prendre un nouveau départ à New York signifiait que je devais me débrouiller par mes propres moyens.

Je choisis cependant d'aborder le point que j'estimais le plus épineux de tous.

— Et Cary ?

— Il y a un petit appartement pour les invités, juste à côté de mon penthouse.

Je le dévisageai.

— Tu ferais ça pour Cary ?

— Non, je le ferais pour toi.

— Gideon, je...

Je m'interrompis, à court de mots, abasourdie, et sentis quelque chose se transformer en moi.

— Ce n'est pas l'appartement qui te tracasse, observa Gideon. Je sens que tu as un souci.

Je jugeai plus prudent de ne pas lui parler tout de suite de Brett.

— Je dois sortir avec des copines, samedi. Une soirée entre filles.

Il se figea. Quelqu'un qui ne l'aurait pas connu aussi bien que moi n'aurait sans doute pas perçu cette soudaine, quoique subtile tension, mais elle ne m'échappa pas.

— Une soirée entre filles à faire quoi, au juste ?

— À danser. À boire. Les trucs classiques, quoi.

— À draguer ?

— Non.

Je m'humectai les lèvres, troublée par ce brusque changement d'humeur.

— Nous sommes toutes en couple, crus-je bon de préciser. Enfin, je crois. Je ne sais pas si la colocataire de Megumi est avec quelqu'un, mais Megumi l'est, et tu sais que Shawna est toquée de son chef cuisinier.

— Je me chargerai de tout organiser, déclara-t-il d'un ton péremptoire. Voiture, chauffeur, sécurité. Si vous vous cantonnez au circuit des clubs que je possède, votre garde du corps restera dans la voiture. Et si vous allez ailleurs, il vous accompagnera.

— D'accord, bredouillai-je, saisie par son sérieux.

La minuterie du four retentit.

D'un mouvement fluide, Gideon passa de la position assise à la position debout. Les yeux écarquillés, je nouai les bras autour de son cou tandis qu'il gagnait la cuisine.

— Je suis toujours sidérée par ta force, avouai-je.

— Tu es facile à impressionner, observa-t-il en me juchant sur un tabouret de bar.

Il déposa un baiser sur mes lèvres avant de se diriger vers le four.

— C'est toi qui as cuisiné ?

— Non. Arnoldo m'a fait livrer des lasagnes à réchauffer et une salade.

— J'en ai l'eau à la bouche !

Je savais, pour avoir déjà dîné dans le restaurant du célèbre chef Arnoldo Ricci, que ce serait un délice.

Je m'emparai de mon verre et gâchai le divin nectar en le vidant d'un trait pour me donner du courage. Je ne pouvais plus repousser le moment de lui dire ce qu'il n'avait pas envie d'entendre. Je me jetai à l'eau.

— Brett m'a appelée au boulot, ce matin.

L'espace d'une minute, je crus qu'il ne m'avait pas entendue. Il enfila une manique, ouvrit le four et sortit les lasagnes sans me regarder. Ce ne fut qu'après avoir posé le plat sur la cuisinière qu'il se tourna vers moi. Je sus alors qu'il m'avait parfaitement entendue.

Il se débarrassa de la manique, attrapa la bouteille de vin et se planta devant moi. Calmement, il remplit mon verre avant de lâcher :

— Je suppose qu'il veut te voir quand il viendra à New York la semaine prochaine.

Le temps de reprendre mon souffle et je lançai d'un ton accusateur :

— Tu savais qu'il allait revenir !

— Évidemment.

Parce que Brett avait signé chez Vidal Records ou parce que Gideon me surveillait ? Les deux raisons étaient aussi plausibles l'une que l'autre.

— Tu as accepté de le voir ? demanda-t-il d'une voix dangereusement calme.

M'efforçant d'ignorer les tressaillements nerveux au creux de mon estomac, je soutins son regard et répondis :

— Oui. À l'occasion du lancement de la nouvelle vidéo des Six-Ninths. Cary m'accompagnera.

Il se contenta de hocher la tête, ce qui ne fit qu'accroître mon anxiété. J'étais incapable de dire ce qu'il ressentait.

Je quittai mon tabouret et le rejoignis.

— Je vais annuler, proposai-je spontanément. Je n'avais pas vraiment envie d'y aller, de toute façon.

— C'est bon, murmura-t-il en me berçant tendrement. C'est bien fait pour moi. Je t'ai brisé le cœur.

— Ce n'est pas pour ça que j'ai accepté !

Il écarta mes cheveux de mon visage avec une douceur qui me fit monter les larmes aux yeux.

— On ne peut pas faire comme si ces dernières semaines n'avaient pas existé, Eva. Je t'ai blessée et tu souffres encore.

Je réalisai alors qu'il avait raison. Je n'étais pas prête à reprendre le cours de notre histoire comme s'il ne s'était rien passé. Une part de moi lui en voulait toujours et il l'avait senti.

— Quelles qu'aient été mes raisons, reprit-il, je n'avais pas le droit de t'abandonner, de te faire du mal, puis de m'attendre que tu me pardonnes du jour au lendemain.

— Tu as tué un homme pour moi, Gideon !

— Tu ne me dois rien, répliqua-t-il. Mon amour pour toi ne t'oblige à rien.

Il avait beau me prouver qu'il m'aimait à travers ses actes, il me le disait si rarement que j'avais l'impression de recevoir une balle en plein cœur chaque fois qu'il s'y risquait.

— Je ne veux pas te faire de mal, Gideon, dis-je en me radoucissant.

— Alors ne m'en fais pas, souffla-t-il avant de m'embrasser avec une tendresse infinie. Si on passait à table avant que cela refroidisse ?

J'enfilai un T-shirt estampé du logo de Cross Industries et un bas de pyjama de Gideon auquel je fis un revers. Après avoir disposé des bougies sur la table basse, nous nous assîmes en tailleur. Gideon garda mon pull préféré, mais troqua son élégant pantalon gris pour un pantalon de coton noir.

Tout en dégustant les lasagnes, je lui racontai ma journée.

— Mark rassemble son courage pour demander son compagnon en mariage.

— Ils sont ensemble depuis un moment, si je me souviens bien.

— Depuis la fac.

Gideon eut un sourire en coin.

— J'imagine que ce n'est pas une demande facile à formuler. Même si on est sûr de la réponse.

Je baissai les yeux sur mon assiette.

— Corinne était nerveuse quand elle t'a fait sa demande ?

— Eva !

Il laissa le silence se prolonger jusqu'à ce que je me décide à lever les yeux.

— Nous n'allons pas parler de cela.

— Pourquoi ? répliquai-je.

— Parce que ça n'a aucun intérêt.

Je le scrutai.

— Que ressentirais-tu si tu savais que j'avais un jour dit oui à quelqu'un ? Simple hypothèse.

Il me décocha un regard agacé.

— Ce serait différent parce que tu ne dirais pas oui à moins que le type en question ne signifie vraiment quelque chose pour toi. Ce que j'ai éprouvé à l'époque, c'était... de la panique. Une panique qui ne m'a pas quitté jusqu'à ce que Corinne rompe.

— Tu lui as offert une bague ?

Imaginer Gideon en train d'acheter une bague de fiançailles pour une autre que moi me fit mal. Je baissai les yeux pour contempler celle qu'il m'avait offerte.

— Rien de comparable à celle-ci, répondit-il calmement.

Je fermai le poing.

Gideon posa sa main sur la mienne.

— J'ai acheté la bague de Corinne dans la première bijouterie venue. Je n'avais aucune idée de ce que je voulais, alors j'ai choisi celle qui ressemblait le plus à celle que portait sa mère. Des circonstances bien différentes à celles qui ont présidé au choix de la tienne, tu ne crois pas ?

— Si.

Je n'avais pas dessiné la bague que portait Gideon, mais j'avais écumé six bijouteries avant de trouver ce que je cherchais. Un anneau de platine serti de diamants noirs dont l'élégance toute masculine et l'audace étaient à son image, me semblait-il.

— Excuse-moi, soufflai-je. Je suis nulle.

Il porta ma main à ses lèvres, y déposa un baiser.

— Ça m'arrive aussi, à l'occasion.

Sa réponse m'arracha un sourire.

— Mark et Steven sont faits l'un pour l'autre, mais Mark est persuadé que les hommes ont envie de se marier sur un coup de tête et que l'envie leur passe si elle ne se concrétise pas rapidement.

— Je pense qu'il s'agit davantage de choisir le bon partenaire que le bon moment.

— Je croise les doigts pour eux, dis-je avant de boire une gorgée de vin. Tu veux regarder la télé ?

Gideon s'adossa contre le bas du canapé.

— Du moment que je suis avec toi, peu m'importe.

Nous débarrassâmes ensemble. Dans la cuisine, Gideon me tendit une assiette qu'il venait de rincer pour que je la range dans le lave-vaisselle, mais à la dernière seconde il me saisit la main et reposa l'assiette sur le comptoir. Me prenant alors par la taille, il nous entraîna dans une danse improvisée. Depuis le salon, une mélodie à laquelle se mêlait une envoûtante voix féminine me parvint.

— Qui est-ce ? demandai-je, le souffle coupé, comme chaque fois que le corps musclé de Gideon se pressait contre le mien.

Le désir qui couvait toujours entre nous s'embrasa. Je vibrais de partout, comme pour me préparer à ses caresses, tandis qu'un nœud d'impatience se formait au creux de mon estomac.

— Aucune idée, répondit-il en contournant l'îlot central pour gagner le séjour.

Je le laissai me guider, ravie qu'une même passion de la musique nous unisse, flattée par le plaisir mani-feste qu'il prenait à être avec moi. Un plaisir identique pétillait en moi et rendait mes pas si légers qu'il me semblait que nous glissions sur le sol. Comme nous nous rapprochions des enceintes de la chaîne hi-fi, je saisis les mots « noir danger » parmi les paroles, et en trébuchai de surprise.

— Trop de vin, mon ange ? me taquina Gideon en resserrant son étreinte.

Mais j'étais captivée par la musique. Par la souffrance qu'exprimait la chanteuse. Elle parlait d'une relation tourmentée qui lui donnait l'impression d'être amoureuse d'un fantôme. Des paroles qui me ramenèrent aux jours où je croyais avoir définitivement perdu Gideon. Mon cœur se serra.

Je levai les yeux. Il me contemplait d'un regard sombre, étincelant.

— Tu avais l'air tellement heureuse quand tu dansais avec ton papa, murmura-t-il.

Il avait envie de partager avec moi ce genre de souvenirs complices, devinai-je.

— Autant que je le suis maintenant, assurai-je, les larmes aux yeux, émue par ce désir que je lisais dans son regard, et que je connaissais si intimement.

Si les âmes pouvaient s'accoupler avec des souhaits, les nôtres seraient inextricablement enlacées.

Refermant la main sur sa nuque, j'attirai son visage à moi. Quand nos lèvres entrèrent en contact, il s'immobilisa et me serra si fort que mes pieds quittèrent le sol.

Contrairement à la chanteuse au cœur brisé, je n'étais pas amoureuse d'un fantôme. L'homme que j'aimais était de chair et de sang. Il lui arrivait de commettre des erreurs, mais il en tirait les leçons. Il faisait tout ce qui était en son pouvoir pour s'améliorer parce qu'il souhaitait autant que moi que notre histoire fonctionne.

— Je ne suis jamais aussi heureuse que lorsque je suis avec toi, murmurai-je.

— Eva, soupira-t-il avant de reprendre mes lèvres en un baiser fougueux.

— Je parie que c'est le gamin qui a fait le coup, déclarai-je.

Gideon traçait des cercles du bout de l'index autour de mon nombril.

— Ce serait tordu, quand même.

Allongés sur le canapé, nous regardions mon émission d'enquêtes criminelles préférée. Gideon était plaqué contre mon dos, le menton calé sur mon épaule, les jambes mêlées aux miennes.

— C'est toujours comme ça, expliquai-je. Il faut que la révélation crée un choc chez le téléspectateur.

— Moi, je pencherais plutôt pour la grand-mère.

— Parce que selon toi, la grand-mère, ce serait moins tordu que le gamin ? m'exclamai-je en me dévissant le cou pour le regarder.

Il sourit et m'embrassa sur la joue.

— On parie que j'ai raison ?

— Je ne parie jamais.

— Oh, allez ! me cajola-t-il en écartant les doigts sur mon ventre pour me retenir tandis qu'il se hissait sur le coude pour me regarder.

— Pas question.

Je sentais son sexe contre mes fesses. Il n'était pas en érection, mais Gideon n'avait pas besoin d'être prêt à passer à l'action pour retenir mon attention. Curieuse, je glissai la main entre nous et la refermai sur lui.

Il durcit instantanément.

— Besoin de contact humain, mon ange ? s'enquit-il en arquant un sourcil.

J'exerçai une pression légère.

— Disons que je me demande ce qui retient mon nouveau voisin de me faire des avances...

— Peut-être qu'il ne veut pas aller trop vite pour ne pas t'effaroucher, suggéra Gideon.

— Tu crois ?

Il m'effleura la tempe du bout du nez.

— S'il a un tant soit peu de cervelle, il saura faire en sorte que tu ne partes pas.

— Je devrais peut-être faire le premier pas. Seulement, il risque de me prendre pour une fille facile.

— Il sera bien trop occupé à penser à sa chance pour se dire une chose pareille.

— Ma foi, dans ce cas... soufflai-je en me retournant pour lui faire face. Bonsoir, voisin, comment ça va ?

Gideon suivit du bout du doigt la ligne de mon sourcil.

— Bonsoir, voisine. La vue est prodigieuse, ici, vous ne trouvez pas ?

— Si, et les locataires sont plutôt sympas.

— En effet. Une de mes voisines m'a offert des serviettes, j'ai trouvé cela charmant.

Je lui flanquai une tape sur l'épaule.

— Bon, tu te décides à me sucer la pomme, oui ou non ?

— À te sucer la pomme ?

Gideon rejeta la tête en arrière et éclata d'un rire franc et chaleureux qui me réchauffa le cœur. Il riait si rarement.

Je glissai les mains sous son pull et déposai un baiser sur son menton.

— Ça veut dire non, c'est ça ?

— Mon ange, je suis disposé à sucer n'importe quelle partie de ton corps dès lors que tu m'y autorises.

— Commence par là, suggérai-je en lui offrant ma bouche.

Il fit courir la pointe de sa langue entre mes lèvres, puis la plongea dans ma bouche.

Je me plaquai contre lui et gémis quand il bascula sur moi. La jambe repliée sur sa hanche, je laissai mes mains remonter le long de son dos. J'attrapai sa lèvre inférieure entre mes dents et en effleurai la pulpe du bout de la langue.

Gideon gronda, et c'était si érotique que je me sentis devenir toute moite.

Je creusai les reins lorsque sa main s'insinua sous mon T-shirt pour capturer mon sein nu dont il fit rouler la pointe entre le pouce et l'index.

— Tu es si douce, murmura-t-il, déposant un baiser sur ma tempe avant d'enfouir le visage dans mes cheveux. J'adore te caresser.

Je glissai les mains sous l'élastique de son pantalon, les refermai sur ses fesses nues. Sa chaleur, le parfum de sa peau m'enivraient.

— Tu es parfait, soupirai-je. Un rêve.

— Tu es *mon* rêve...

Il captura mes lèvres et je me cramponnai à lui, l'entourai de mes bras et de mes jambes, les doigts enfouis dans ses cheveux.

Le monde entier se réduisait à lui... à son corps sur le mien... à sa voix rauque qui me murmurait à l'oreille :

— J'aime que tu me désires autant... Je ne supporterais pas que ce soit à sens unique.

— Je suis avec toi, chuchotai-je avant de l'embrasser avec fièvre. Toujours.

Gideon m'emprisonna la nuque de la main tandis que l'autre me prenait la taille. Se hissant au-dessus de moi, il fit glisser son sexe sur ma fente d'une ondulation des hanches. J'étouffai un cri et plantai les ongles dans la chair ferme de ses fesses.

Je gémis :

— Oh, oui ! C'est si bon.

— Ce serait encore meilleur si j'étais en toi.

Je lui mordis le lobe de l'oreille.

— Essaierais-tu de m'entraîner sur la voie de la débauche ?

— On n'a pas besoin d'aller si loin, répondit-il en me suçant doucement la gorge, provoquant un spasme intime. On peut très bien faire ça ici. Je te promets que tu vas adorer.

— Je ne sais pas. J'ai beaucoup changé. Je ne suis plus celle que tu as connue.

Il tira sur mon pantalon. J'émis un petit cri de protestation et me tortillai. Ma peau était brûlante là où il l'avait touchée, mon corps s'éveillait à ses exigences.

— Chut. Si ça ne te plaît pas une fois que je serai en toi, je me retirerai, je te le promets.

— Une réplique aussi nulle a-t-elle jamais convaincu qui que ce soit ?

— Je ne te sers pas de répliques, Eva. Je suis sincère.

Je lui agrippai les fesses des deux mains et me frottai contre lui, sachant pertinemment qu'il n'avait pas besoin de répliques. Il n'avait même pas besoin de lever le petit doigt pour avoir toutes les femmes qu'il voulait.

Heureusement, il ne voulait que moi.

— Je parie que tu dis ça à toutes les femmes.

— Quelles femmes ?

— Tu as une réputation, figure-toi.

— Mais c'est toi qui portes ma bague, me rappela-t-il. Et tu sais que ma vie a commencé le jour où je t'ai rencontrée.

Ces mots atteignirent leur but.

— D'accord, tu as gagné, soufflai-je. Je t'autorise à entrer.

Son sourire illumina ses traits, en chassant les ombres.

— Je suis vraiment fou de toi.

Je lui rendis son sourire.

— Je sais.

6

Je me réveillai en nage, le cœur battant, le souffle court. Je luttai un instant pour m'extirper des griffes du sommeil.

— Dégage !

Gideon.

— Ne me touche pas, je te dis !

Repoussant vivement les couvertures, je bondis hors du grand lit, courus jusqu'à la chambre d'amis, cherchai l'interrupteur à tâtons et l'enfonçai du plat de la main. Un flot de lumière inonda la pièce, révélant Gideon qui se contorsionnait sur le lit, les jambes entortillées dans le drap.

— Arrête ! Ah, non...

Son dos se décolla du matelas comme il se cambrait et ses poings se refermèrent sur le drap.

— Ça fait mal !

— Gideon !

Il sursauta violemment. Je me précipitai à son chevet. Il avait le visage en feu, le corps trempé de sueur. Je posai la main sur son torse.

— Ne me touche pas ! siffla-t-il.

Il m'attrapa le poignet et serra si fort que je poussai un cri de douleur.

Il avait les yeux ouverts, mais son regard était vitreux. Il était toujours piégé dans son cauchemar.

— Gideon ! criai-je, luttant pour me dégager.

Il se redressa. Il respirait très fort et son regard était hagard.

— Eva.

Il me lâcha comme si je l'avais brûlé, écarta ses cheveux de son visage et sortit du lit.

— Seigneur, Eva... Je t'ai fait mal ?

Tout en massant mon poignet endolori, je secouai la tête.

— Montre-moi, articula-t-il en tendant vers moi une main tremblante.

Je me réfugiai dans ses bras et l'étreignis de toutes mes forces, la joue plaquée contre son torse.

— Mon ange, fit-il en se cramponnant à moi, tremblant de tous ses membres. Pardonne-moi.

— Chut, mon amour. Ce n'est rien, tout va bien.

— Laisse-moi te serrer dans mes bras, murmura-t-il en m'entraînant avec lui sur le sol. Ne me lâche pas.

— Jamais, soufflai-je contre sa peau. Jamais.

Je fis couler un bain et entrai dans la baignoire d'angle avec lui. Assise derrière lui sur la plus haute marche, je lui lavai les cheveux, puis savonnai son corps que recouvrait une pellicule de sueur. L'eau chaude avait calmé ses tremblements, mais ne fut d'aucune utilité contre la sombre désolation de son regard.

— Tu as déjà parlé de tes cauchemars à quelqu'un ? demandai-je en pressant une éponge au-dessus de ses épaules pour les asperger d'eau tiède.

Il secoua la tête.

— Il est temps de le faire, dis-je doucement. Tu sais que je peux tout entendre.

Un long moment s'écoula avant qu'il se décide à parler.

— Eva, quand tu fais des cauchemars... est-ce que tu revis des événements qui se sont vraiment produits ? Ou est-ce que ton inconscient les modifie ?

— Ce sont surtout des souvenirs. Très réalistes. Et toi ?

— Ce sont parfois des souvenirs. Parfois c'est différent. Comme des sortes de variations.

Je réfléchis à sa réponse, regrettant de ne pas avoir l'expérience et le savoir nécessaires pour l'aider vraiment. Je ne pouvais que l'écouter. J'espérai que ce serait suffisant parce que ses cauchemars me laminaient aussi sûrement qu'ils le laminaient lui.

— En mieux ? Ou en pire ?

— Je me défends, répondit-il à voix basse.

— Et il arrive quand même à te faire mal ?

— Oui, il gagne, mais je résiste aussi longtemps que je peux.

Je replongeai l'éponge dans la baignoire et fis ruisseler l'eau sur ses épaules, m'appliquant à maintenir un rythme régulier et apaisant.

— Tu ne devrais pas te juger toi-même. Tu n'étais qu'un enfant.

— Toi aussi.

Je fermai les yeux, mal à l'aise à la pensée que Gideon avait vu les photos et les vidéos que Nathan avait prises de moi.

— Nathan était un sadique, lui rappelai-je. Résister à la douleur physique est un instinct. Ça n'a rien à voir avec le courage.

— J'aurais préféré que ça me fasse davantage mal, répliqua-t-il. Je ne supporte pas qu'il ait réussi à me faire aimer ce qu'il me faisait.

— Tu n'aimais pas ça. Tu ressentais du plaisir, ce n'est pas la même chose. Le corps réagit spontanément,

Gideon, même lorsque nous ne le voulons pas de manière consciente.

Je l'entourai de mes bras et posai le menton sur sa tête.

— C'était l'assistant de ton thérapeute. Quelqu'un en qui tu étais censé avoir confiance. Il disposait de toutes les armes psychologiques nécessaires pour t'amener à croire ce qu'il voulait.

— Tu ne comprends pas.

— Alors aide-moi à comprendre.

— Il m'a... séduit. Et je me suis laissé séduire. Il ne pouvait pas m'amener à désirer ce qu'il désirait, mais il a fait en sorte que je sois incapable de lui résister.

— Tu as peur d'être bisexuel ? Ça ne me choquerait pas, tu sais.

— Non.

Il tourna la tête et effleura mes lèvres d'un baiser tout en sortant les mains de l'eau pour nouer ses doigts aux miens.

— Je n'ai jamais été physiquement attiré par un homme. Mais savoir que tu m'accepterais même si j'étais... Je t'aime tellement que ça fait mal, Eva.

— Mon amour.

Je répondis doucement à son baiser. Nos lèvres s'entrouvrirent et se soudèrent délicieusement.

— Je veux juste que tu sois heureux, murmurai-je un instant plus tard. De préférence avec moi. Et je veux vraiment que tu cesses de te faire souffrir à cause de ce qu'on t'a infligé. Tu as été violé. Tu étais une victime et maintenant, tu es un survivant. Il n'y a pas de honte à cela.

Il se retourna et m'entraîna plus profondément dans l'eau. Je m'installai à côté de lui, la main sur sa cuisse.

— Est-ce qu'on peut parler d'un truc ? D'un truc sexuel ?

— Toujours.

— Tu m'as dit un jour que tu n'étais pas porté sur le sexe anal...

Je le sentis se raidir.

— Pourtant, poursuivis-je, tu as... on a...

— J'ai mis les doigts et la langue en toi, acheva-t-il à ma place en me dévisageant, sa tension cédant la place à une calme autorité. Et ça t'a plu.

— Et toi ? risquai-je avant que le courage m'abandonne.

Il se mit à respirer plus fort. Ses joues rougies par l'eau chaude étaient d'autant plus visibles que ses cheveux étaient rabattus en arrière.

J'attendis. Un long moment. Et je finis par murmurer, persuadée qu'il ne me répondrait pas :

— J'aimerais te donner cela, Gideon. Si tu veux.

— Mon ange, dit-il en fermant les yeux.

J'insinuai la main entre ses cuisses, soulevai ses testicules et fis glisser doucement le majeur sur son anus. Il sursauta et serra si vivement les jambes que l'eau affleura le rebord de la baignoire. Contre mon avant-bras, son sexe avait durci de manière impressionnante.

Je dégageai ma main, enserrai son érection et entamai un lent mouvement de va-et-vient. Je collai ma bouche sur la sienne pour absorber son gémissement.

— Je ferai tout pour toi, chuchotai-je. Il n'y a aucune limite entre nous. Aucun souvenir. Rien que toi et moi. Et l'amour.

Sa langue plongea dans ma bouche pour se livrer à une exploration avide et teintée de fureur. Sa main se crispa sur ma taille tandis que l'autre recouvrait la mienne pour l'inciter à serrer plus fort.

En réponse au mouvement de ma main, des vaguelettes vinrent lécher le bord de la baignoire en un doux clapotis.

— Ton plaisir m'appartient, murmurai-je contre ses lèvres. Je le prendrai si tu ne veux pas me le donner.

Un son rauque vibra dans sa gorge et sa tête bascula en arrière.

— Fais-moi jouir.

— De toutes les façons que tu voudras, lui promis-je.

— Mets ta cravate bleue. Celle qui est assortie à tes yeux.

Assise en tailleur au pied du grand lit, ma tasse de café à la main, j'observais le dressing au milieu duquel se tenait Gideon.

Il tourna la tête vers moi et me gratifia d'un sourire indulgent.

— J'adore tes yeux, avouai-je avec un haussement d'épaules nonchalant. Ils sont magnifiques.

Il attrapa ladite cravate et revint dans la chambre, un costume gris clair drapé sur l'avant-bras. Il ne portait qu'un caleçon noir, et j'en profitai pour admirer une fois de plus ses muscles fermes et bien dessinés.

— C'est troublant la façon dont nos pensées se rejoignent, commenta-t-il. Figure-toi que j'ai choisi ce costume parce qu'il me fait penser à la couleur de tes yeux.

Je souris, dépliai les jambes et me levai.

Gideon déposa ses vêtements sur le lit et s'approcha de moi. Il encadra mon visage de ses mains, ses pouces me caressant les sourcils. Mon cœur se mit à battre à grands coups sourds.

— Tes yeux d'un gris de tempête dont l'expressivité me bouleverse, souffla-t-il.

— Des yeux qui te donnent un avantage injuste. Tu lis en moi comme dans un livre ouvert alors que tu as le visage le plus indéchiffrable que je connaisse.

— Et pourtant, je ne peux rien te cacher, assura-t-il en déposant un baiser sur mon front.

— Que tu dis.

Il entreprit de s'habiller, et j'ajoutai :

— Tu sais quoi ? J'aimerais que tu fasses quelque chose pour moi.

— Tout ce que tu veux.

— Si tu dois sortir accompagné, tant qu'on est condamnés à se cacher, emmène Ireland.

Il interrompit le boutonnage de sa chemise.

— Ma sœur n'a que dix-sept ans, Eva.

— Et alors ? C'est une belle jeune fille élégante, et elle t'adore. Elle serait très fière que son grand frère la sorte.

Il soupira et enfila son pantalon.

— Elle s'ennuierait à mourir aux rares événements auxquels elle serait en âge d'assister.

— Tu avais dit qu'un dîner chez moi l'ennuierait à mourir et tu avais tort.

— Tu étais là, rétorqua-t-il. C'est grâce à toi qu'elle a passé un bon moment.

— Tu viens de dire que tu étais disposé à faire tout ce que je voulais, lui rappelai-je avant d'avaler une gorgée de café.

— Ça ne me dérange pas de sortir seul, Eva. Et je t'ai juré que je ne verrais plus Corinne.

Je le fixai sans mot dire par-dessus le rebord de ma tasse.

Gideon fourra les pans de sa chemise dans son pantalon.

— D'accord, soupira-t-il.

— Merci.

— Tu pourrais cesser de sourire comme le chat du Cheshire ?

— Je pourrais.

Il s'immobilisa et fixa, les yeux étrécis, mes jambes nues entre les pans de mon peignoir entrouvert.

— Ne t'excite pas, champion. J'ai déjà donné, ce matin.

— Tu as un passeport ? demanda-t-il.

— Oui. Pourquoi ?

Il eut un bref hochement de tête avant de s'emparer de ma cravate préférée.

— Tu vas en avoir besoin.

— Pourquoi ? répétai-je, gagnée par l'excitation.

— Pour voyager.

— Où ça ?

— Quelque part, répondit-il, le regard espiègle, en nouant habilement sa cravate.

— Tu as l'intention de m'expédier en terre inconnue ?

— Ça ne me déplairait pas, reconnut-il. Toi et moi, nus sur une île déserte où je pourrais te fourrer quand je voudrais...

Je posai la main sur ma hanche.

— Bronzée, les jambes écartées...

Il éclata de rire et mes orteils plongèrent dans le tapis.

— Je veux te voir ce soir, dit-il en enfilant son gilet.

— Tu ne veux pas me voir, rectifiai-je, tu veux juste me posséder de nouveau.

— Tu n'as pas arrêté de me dire que tu voulais que je continue.

J'allai poser ma tasse sur la table de nuit avec un ricanement et me débarrassai de mon peignoir. Entièrement nue, je traversai la pièce et l'évitai quand il tendit la main vers moi. Je venais d'ouvrir le tiroir de la commode pour choisir l'un des ensembles de lingerie Carine Gilson qu'il y conservait pour moi quand il se matérialisa derrière moi, glissa les mains sous mes bras et les plaqua sur mes seins.

— Je peux te le rappeler, si tu veux, ronronna-t-il.

— Tu n'es pas censé travailler ? Parce que moi, si.

Gideon se pressa contre mon dos.

— Viens travailler avec moi.

— Pour te préparer le café en attendant que tu sois disposé à me baiser ?

— Je suis sérieux, Eva.

— Moi aussi.

Je pivotai si brusquement vers lui que mon sac à main glissa de la commode et tomba par terre.

— J'ai un travail que j'adore.

— Je sais aussi que tu es douée, répliqua-t-il en posant les mains sur mes épaules. Viens déployer ton talent chez moi.

— Je ne peux pas, pour la même raison que j'ai refusé l'aide de mon beau-père. Je veux réussir par moi-même.

— Je sais. Et je ne t'en respecte que davantage, assura-t-il en me caressant les bras. Moi aussi, j'ai démarré en bas de l'échelle, avec le nom de mon père qui me collait aux basques et me tirait vers le bas. Je ne te ne ménagerais pas si tu travaillais pour moi. Tu mériterais chaque dollar gagné, crois-moi.

Je jugulai l'élan de sympathie qui m'avait assaillie en entendant Gideon évoquer le tort que lui avait causé la réputation de son père, un escroc de la finance qui avait préféré mettre fin à ses jours plutôt que d'aller en prison.

— Tu sais très bien que tout le monde dira que je n'ai décroché ce poste que parce que tu couches avec moi !

— Tais-toi. Tu es de mauvaise humeur, mais ça ne t'autorise pas à parler de nous de cette façon.

Je le repoussai.

— C'est comme ça que tout le monde en parlera !

— Tu as pris un abonnement au Cross Trainer alors que tu en as déjà un à l'Équinoxe et que tu suis des cours de krav maga. Tu peux m'expliquer pourquoi ?

Je lui tournai le dos pour enfiler mon slip, histoire de ne pas me disputer avec lui fesses nues.

— C'est différent.

— Pas du tout.

Je lui fis de nouveau face et sentis un objet tombé de mon sac se briser sous mon talon, ce qui accrut mon irritation.

— Waters Field & Leaman n'est pas en compétition avec Cross Industries ! Tu fais toi-même appel aux services de l'agence.

— Tu penses que tu ne seras jamais amenée à travailler pour l'un de mes concurrents ?

Je le regardai un instant avant de répondre. Il avait une allure folle et j'avais du mal à rassembler mes pensées. Parce qu'il incarnait tout ce dont j'avais toujours rêvé, il m'était pratiquement impossible de lui refuser quoi que ce soit.

— Le problème n'est pas là. Je ne serais pas heureuse, Gideon, répondis-je avec honnêteté.

— Viens là, dit-il en écartant les bras.

Il les referma sur moi quand je lui obéis et murmura contre ma tempe :

— Un jour, le *Cross* de Cross Industries ne représentera pas que moi.

— Je préférerais qu'on n'aborde pas ce sujet maintenant.

— Une dernière chose : si tu y tiens, rien ne t'empêche de présenter ta candidature comme n'importe qui d'autre. Je n'interviendrai pas. Si tu obtiens le poste, tu ne travailleras pas au même étage que moi et tu graviras les échelons sans que je m'en mêle. Juré.

— C'est vraiment important pour toi.

Ce n'était pas une question.

— Évidemment que ça l'est. Nous travaillons dur, toi et moi, pour construire un avenir commun. C'est une étape naturelle dans cette direction.

Je hochai la tête sans conviction.

— J'ai besoin d'être indépendante.

— N'oublie pas l'essentiel, Eva. Les gens te jugeront sur ta compétence et ton talent.

— Il faut que je me prépare si je ne veux pas arriver en retard.

Gideon me scruta un instant, puis m'embrassa tendrement.

Quand il me relâcha, je me baissai pour ramasser mon sac. Je découvris alors que c'était mon poudrier que j'avais écrasé. Mais ce ne fut pas cela qui me glaça. Non, ce fut le fil électrique qui jaillissait du boîtier brisé.

Gideon s'accroupit pour m'aider. Je le regardai.

— Qu'est-ce que c'est que ce truc ?

Il me prit le poudrier des mains et cassa davantage le boîtier, révélant une micropuce prolongée par une petite antenne.

— Un mouchard, peut-être. Ou un traceur.

Je le fixai, horrifiée. Mon Dieu, la police !

— L'appartement est équipé de brouilleurs, répondit-il, ce qui me choqua encore plus. Et, non, aucun juge n'aurait jamais autorisé ta mise sur écoute. Rien ne justifie qu'on te surveille.

Je m'assis sur le sol, prise de nausée.

— Je demanderai à Angus d'y jeter un coup d'œil, dit-il en écartant les cheveux de mon visage. Tu crois que ça pourrait venir de ta mère ?

Je lui jetai un regard désespéré.

— Eva...

Je levai la main pour le faire taire, attrapai mon portable de l'autre et appelai Clancy, le garde du corps de mon beau-père.

— C'est vous qui avez placé un mouchard dans mon poudrier ? demandai-je sans détour dès qu'il décrocha.

Un silence, puis :

— Un traceur, pas un mouchard. Oui, c'est moi.

— Putain, Clancy !

— C'est mon job, mademoiselle Tramell.

— Un job pourri ! répliquai-je.

Clancy était tout en muscles, le cheveu ras, l'air dangereux. Mais je n'avais pas peur de lui.

— Pourquoi avez-vous fait un truc pareil ?

— Assurer votre sécurité est devenu problématique quand Nathan Barker a refait surface. Il était difficile à pister et j'ai été obligé de placer un traceur sur vous deux. J'ai désactivé le vôtre dès que sa mort a été officiellement confirmée.

Je fermai les yeux.

— Ce n'est pas le traceur qui me pose problème. C'est le fait de me tenir dans l'ignorance que je ne supporte pas. Je me sens violée, Clancy.

— Je ne vous le reproche pas, mais Mme Stanton ne voulait pas vous inquiéter.

— Je suis une adulte. C'est à moi de décider si je dois m'inquiéter ou pas ! aboyai-je en regardant Gideon droit dans les yeux, car cette remarque valait aussi pour lui.

Son haussement de sourcils m'apprit qu'il avait capté le message.

— Je n'ai rien à objecter à cela, répondit Clancy d'un ton bourru.

— Vous me devez une faveur, Clancy, déclarai-je, sachant déjà de quelle façon je le ferais payer. Une faveur que vous n'aurez pas le droit de me refuser.

— Vous savez où me joindre.

Je coupai la communication et adressai un texto à ma mère.

Il faut qu'on parle.

Mes épaules s'affaissèrent ; j'étais déçue et abattue.

— Mon ange.

D'un regard, je prévins Gideon que ce n'était pas le moment de m'amadouer.

— N'essaie pas de chercher des excuses – que ce soit pour toi ou pour elle.

Son regard était tendre et soucieux, mais sa mâchoire crispée disait qu'il ne se tairait pas.

— J'étais là quand tu as appris que Nathan était à New York. J'ai vu ton expression. Tu ne peux pas reprocher à ceux qui t'aiment d'avoir fait tout ce qui était en leur pouvoir pour te protéger.

L'argument fit d'autant plus mouche que je ne pouvais nier que j'étais heureuse de ne pas avoir entendu parler de Nathan avant d'apprendre sa mort. Mais je ne voulais pas être maintenue dans un cocon. Les mauvaises nouvelles ne sont jamais agréables, elles font partie de la vie.

Je saisis la main de Gideon et la serrai fort.

— Moi aussi, je veux te protéger, murmurai-je.

— J'ai réglé leur compte à mes démons.

— Et aux miens.

Pourtant nous faisions toujours lit à part.

— Je veux que tu retournes chez le Dr Petersen, déclarai-je posément.

— J'y suis allé mardi.

— Ah bon ? m'étonnai-je, incapable de dissimuler ma surprise.

— Oui. Je n'ai raté qu'un seul rendez-vous.

Le soir où il avait tué Nathan...

Il me caressait la main.

— Il n'y a plus que nous deux, maintenant, ajouta-t-il comme s'il devinait mes pensées.

J'avais très envie d'y croire.

J'allai au boulot en traînant des pieds, ce qui n'augurait rien de bon pour la suite de la journée. Heureusement, on était vendredi et j'allais pouvoir flemmarder pendant le week-end – ce qui serait probablement nécessaire le dimanche matin si j'avais un peu trop fait la fête la veille. Je ne m'étais pas défoulée avec des copines depuis une éternité et quelques verres d'alcool me feraient le plus grand bien.

En l'espace de deux jours, j'avais appris que mon amant avait tué l'homme qui m'avait violée, qu'un de mes ex avait l'intention de me remettre dans son lit, qu'une des ex de mon amant avait l'intention de salir sa réputation dans les médias et que ma mère m'avait munie d'une puce électronique comme un foutu chien.

Franchement, j'avais eu plus que ma dose.

— Prête pour demain soir ? lança Megumi à mon arrivée.

— Bien sûr. Ma copine Shawna m'a envoyé un message pour confirmer qu'elle venait. Et je nous ai déniché une limousine, ajoutai-je avec un grand sourire. Le modèle spécial club qui donne accès à tous les carrés VIP !

— Tu plaisantes ? s'écria-t-elle, incapable de dissimuler son excitation. Ça doit coûter une fortune !

— Pas un sou. C'est un copain qui me fait une fleur.

— Une orchidée de luxe, alors. Ça va être génial ! Tu me raconteras ça en détail à midi.

— Promis… à condition que tu me racontes comment s'est passé ton déjeuner d'hier.

— Quand je te disais que je ne sais plus sur quel pied danser avec ce type. « On est juste ensemble pour le fun », le singea-t-elle, et après, il se pointe ici. Franchement, si je sortais avec un mec rien que pour l'éclate, je ne débarquerais pas à son bureau à l'improviste pour l'inviter à déjeuner.

— Les mecs, soupirai-je par solidarité, bien que secrètement heureuse de pouvoir considérer l'un d'entre eux comme *mien*.

Je gagnai mon bureau. À peine avais-je posé les yeux sur les photos encadrées de Gideon et moi qu'une violente envie de l'appeler me saisit. Dix minutes plus tard, j'avais demandé à Angus d'acheter dix roses Black Magic et de les lui faire livrer accompagnées du message suivant :

Tu m'as envoûtée.
Je n'arrête pas de penser à toi.

Mark s'encadra sur le seuil de mon bureau alors que je me déconnectais d'Internet. Je vis tout de suite qu'il n'était pas dans une forme éblouissante.

— Café ? proposai-je.

Il acquiesça et nous gagnâmes la salle de repos.

— Shawna est venue, hier soir, m'apprit-il. Il paraît que vous sortez ensemble demain ?

— Oui. Ça ne te dérange pas, j'espère ?

— Quoi donc ?

— Que je sois copine avec ta belle-sœur.

— Ah, ça... Bien sûr que non. C'est super, répondit-il en passant la main dans ses cheveux. Vraiment.

— Tant mieux. On devrait passer un bon moment. J'ai hâte d'y être.

— Elle aussi.

Il attrapa deux dosettes de café pendant que je m'emparais de deux mugs sur une étagère.

— Elle a aussi hâte que Doug rentre. Elle a la très nette impression qu'il va lui faire sa demande, continua-t-il.

— C'est fabuleux ! Deux mariages dans la famille la même année. À moins que tu n'aies l'intention de prolonger tes fiançailles... ?

Il me tendit la première tasse de café et alla chercher la crème dans le frigo.

— Ce mariage-là n'aura pas lieu, Eva, dit-il d'un ton accablé.

Je me tournai vers lui, mais ne pus voir son expression car il avait baissé la tête.

— Tu lui as fait ta demande ?

— Non. Hier, il a demandé à Shawna si Doug et elle avaient l'intention d'avoir des enfants tout de suite, étant donné qu'elle suit encore des études à mi-temps. Elle lui a répondu que non, et il lui a répliqué que le mariage était destiné à ceux qui souhaitaient fonder une famille, qu'autrement il valait mieux se contenter de vivre ensemble. C'était presque mot pour mot le discours que je lui avais servi il y a quatre ans.

Je versai la crème dans mon café.

— Mark, tu ne connaîtras la réponse de Steven que lorsque tu lui auras posé la question.

— J'ai peur, avoua-t-il, le regard rivé sur sa tasse fumante. Je veux davantage que ce qu'on a déjà, mais je ne veux pas le perdre non plus. S'il refuse et qu'il réalise qu'on n'envisage pas notre relation de la même façon...

— Ne mets pas la charrue avant les bœufs, Mark.

— Et si je ne supporte pas un refus de sa part ?

Ah... Je pouvais comprendre que ça le tracasse.

— Et l'incertitude dans laquelle tu te trouves en ce moment, tu supportes ?

Il secoua la tête.

— Alors dis-lui tout ce que tu m'as dit, déclarai-je d'un ton sévère.

— Je suis désolé de t'embêter avec tout ça. Mais tu es toujours de bon conseil.

— Je crois plutôt que tu sais que tu as besoin d'un bon coup de pied aux fesses pour te décider à faire ta demande et que tu sais que j'adore en donner !

Ma plaisanterie eut le don de le dérider.

— Je crois qu'il vaut mieux éviter de travailler sur la campagne de l'avocat spécialiste des divorces, aujourd'hui.

— Et si on planchait sur celle de la compagnie aérienne ? suggérai-je. J'ai quelques idées à te soumettre.

— Bonne idée. Au boulot, ma belle !

Nous passâmes la matinée à cogiter sur cette campagne et les progrès que nous réalisâmes me dopèrent. J'avais à cœur de maintenir Mark en mode travail intensif pour lui éviter de broyer du noir. Je considérais le travail comme la panacée et ne tardai guère à constater que c'était aussi le cas pour lui.

Nous venions de terminer et j'étais allée déposer ma tablette dans mon bureau quand j'aperçus un courrier interne dans ma corbeille. Mon cœur s'emballa et mes mains tremblaient un peu quand je défis la cordelette. Le bristol que contenait l'enveloppe glissa.

> *C'est toi la magicienne.*
> *Tu exauces les rêves.*
> *X*

Je plaquai la carte contre ma poitrine, regrettant que ce ne soit pas celui qui avait tracé ces mots. J'étais en train de me dire que j'allais répandre des pétales de rose sur notre lit quand la sonnerie du téléphone retentit. Je ne fus pas surprise d'entendre la voix un peu haletante de ma mère à l'autre bout de la ligne.

— Eva, Clancy m'a parlé de ton appel. Je t'en prie, ne t'énerve pas. Il faut que tu comprennes...

— Je comprends très bien, coupai-je en rangeant le précieux message de Gideon dans mon sac. Que les choses soient claires : Nathan ne peut plus servir de prétexte à tes agissements. Si tu as fait placer d'autres traceurs dans mes affaires, tu ferais mieux de le dire tout de suite. Parce que je te promets que, si je trouve quoi que ce soit, je ne t'adresserai plus la parole.

Elle soupira.

— Je préférerais te parler de vive voix, Eva. J'emmène Cary déjeuner et je peux rester chez toi jusqu'à ton retour.

— Entendu.

L'irritation que j'avais ressentie dès que j'avais entendu sa voix se dissipa aussi vite qu'elle était apparue. J'adorais que ma mère traite Cary comme le frère qu'il était pour moi. Elle lui offrait l'amour maternel qu'il n'avait jamais eu. Et ils étaient l'un et l'autre tellement soucieux de leur apparence – et branchés mode – qu'ils s'entendaient à merveille.

— Je t'aime, Eva. Plus que tout au monde.

— Je sais, maman. Moi aussi, je t'aime.

Un signal d'appel en provenance de l'accueil me parvint et je dus raccrocher pour le prendre.

— Eva, chuchota Megumi, la fille qui est déjà venue une fois et que tu ne voulais pas voir est là. Qu'est-ce que je fais ?

Je fronçai les sourcils et me triturai les méninges pour tâcher de deviner de qui elle parlait.

— Magdalene Perez ?

— C'est ça.

— Ne fais rien, j'arrive, répondis-je en me levant.

Contrairement à la dernière fois où l'amie de Gideon – qui rêvait d'être bien plus qu'une amie – était venue me voir, j'étais prête à l'affronter.

— J'aurai le droit d'assister au show ? risqua Megumi.

— La performance sera de courte durée, crois-moi.

Un sursaut de vanité m'incita à me remaquiller avant de gagner l'accueil. Repenser au message de Gideon me mit en joie, et je souriais lorsque je rejoignis Magdalene dans la salle d'attente. Elle se leva à mon approche, si éblouissante que je ne pus m'empêcher de l'admirer.

La première fois que je l'avais vue, ses cheveux bruns étaient longs et lisses comme ceux de Corinne Giroux. Elle arborait aujourd'hui une coupe à la Louise Brooks qui mettait en valeur la beauté exotique de ses traits. Elle portait un pantalon crème et un bustier noir orné d'un nœud au niveau de la hanche. Un rang de perles assortis à ses boucles d'oreilles ajoutait à son élégance.

— Magdalene, la saluai-je en lui faisant signe de se rasseoir avant de prendre place dans le fauteuil qui lui faisait face. Qu'est-ce qui t'amène ?

— Excuse-moi de passer à l'improviste. Je suis venue voir Gideon et je me suis dit que je pouvais en profiter pour te poser une question.

— Je t'écoute.

Je croisai les jambes et lissai ma jupe sur mes cuisses. Je lui en voulais d'être en mesure de passer ouvertement du temps avec l'homme que j'aimais alors que je ne le pouvais pas.

— Une journaliste m'a rendu visite à mon bureau pour m'interroger à propos de Gideon.

Mes doigts se crispèrent sur les accoudoirs du fauteuil.

— Deanna Johnson ? Tu n'as pas répondu, j'espère ?

— Bien sûr que non, rétorqua Magdalene en se penchant en avant, les coudes appuyés sur les genoux. Elle t'a déjà contactée, devina-t-elle, et son regard s'assombrit.

— Disons qu'elle a essayé.

— C'est son genre de femme, dit-elle, guettant ma réaction.

— J'ai remarqué, oui.

— Le genre avec qui il ne reste jamais longtemps, ajouta-t-elle avec un sourire contrit. Il a dit à Corinne qu'il valait mieux qu'ils demeurent des amis lointains plutôt que proches. Je suppose que tu le sais déjà.

— Comment le saurais-je ?

— Tu sais y faire, j'en suis sûre, répondit Magdalene d'un air à la fois amusé et entendu.

Curieusement, je me sentais à l'aise avec elle. Peut-être parce qu'elle semblait très détendue, ce qui n'était pas le cas lors de nos précédentes rencontres.

— Tu me parais en forme, observai-je.

— Je vais mieux. J'avais une relation qui m'était néfaste et, maintenant que cet homme a disparu de ma vie, je suis plus équilibrée. J'ai rencontré quelqu'un, ajouta-t-elle en se redressant.

— Félicitations.

Dans ce domaine, je lui souhaitais tout le bonheur du monde. Christopher Vidal, le demi-frère de Gideon, s'était servi d'elle de façon ignoble. Elle ignorait que j'étais au courant.

— J'espère que tu seras heureuse.

— Moi aussi. Gage est très différent de Gideon. C'est un de ces artistes qui ont la tête dans les nuages. Bon, je ne te retiendrai pas plus longtemps, dit-elle en se levant. J'étais inquiète à cause de cette journaliste et je préférais en discuter avec toi.

— Je crois que ce qui t'inquiétait, c'était que je lui parle de Gideon, rectifiai-je.

Elle ne me contredit pas.

— Au revoir, Eva.

— Au revoir.

Je la regardai traverser le hall et franchir la porte vitrée.

— Ça ne s'est pas mal passé, apparemment, commenta Megumi en me rejoignant. Elle n'a ni craché ni sorti les griffes.

— Reste à savoir combien de temps ça va durer.

— Prête à aller manger ?

— Je meurs de faim !

Quand j'entrai dans mon appartement, cinq heures et demie plus tard, je fus accueillie par Cary, ma mère et une éblouissante robe de soirée Nina Ricci étalée sur le canapé.

— Elle est sublime, non ? s'extasia ma mère.

Elle aussi était sublime dans sa robe à manches courtes années 1950 imprimée de minuscules cerises.

Ses boucles blondes encadraient son beau visage. Je devais lui reconnaître ce talent : sur elle, n'importe quel vêtement devenait glamour.

On m'avait dit et répété ma vie durant que j'étais son portrait craché, mais j'avais les yeux gris de mon père et non ses yeux bleus myosotis et mes courbes prononcées venaient aussi du côté Reyes. Mes fesses rondes ne disparaîtraient jamais quand bien même je suerais sang et eau au gymnase, et je ne pouvais me dispenser de soutien-gorge. Je n'en revenais toujours pas que Gideon trouve mon corps aussi irrésistible, lui qui n'était sorti qu'avec de grandes brunes filiformes.

— En quel honneur ? demandai-je en posant mon sac sur un des tabourets du bar.

— Une levée de fonds pour un refuge. Jeudi en huit.

J'interrogeai Cary du regard afin de savoir si je pouvais compter sur lui pour m'escorter. Il hocha la tête et je haussai les épaules.

— D'accord.

Le visage de ma mère s'illumina d'un sourire. C'était pour moi qu'elle apportait son soutien à des œuvres de charité dont les bénéfices allaient aux femmes et aux enfants victimes d'abus sexuels. Quand il s'agissait de dîners ou de spectacles, elle prenait toujours des places pour Cary et moi.

— Un verre de vin ? me proposa ce dernier, toujours sensible à mon humeur.

Je lui adressai un sourire reconnaissant.

— Avec plaisir.

Il se dirigea vers la cuisine et ma mère glissa jusqu'à moi sur d'élégants escarpins à semelles rouges pour me serrer dans ses bras.

— Tu as eu une bonne journée ?

— Bizarre, plutôt, fis-je en lui rendant son étreinte. Je ne suis pas fâchée qu'elle soit terminée.

— Tu as des projets pour le week-end ?

Elle s'écarta pour me scruter d'un regard soucieux.

— Quelques-uns, répondis-je, aussitôt sur le qui-vive.

— D'après Cary, tu vois quelqu'un. De qui s'agit-il ? Que fait-il dans la vie ?

— Maman, soupirai-je avant d'ajouter sans détour : C'est bon ? On a remis les compteurs à zéro ou tu as encore des choses à m'avouer ?

Elle commença à s'agiter, se triturant les doigts.

— Eva, tu ne pourras pas comprendre ce que je ressens tant que tu n'auras pas d'enfant. C'est terrifiant. Et quand on a la certitude qu'ils sont en danger...

— Maman !

— Des dangers d'autant plus nombreux que tu es une très jolie jeune femme, continua-t-elle. Tu côtoies des hommes influents. Ce n'est pas toujours un gage de sécurité...

— Où sont-ils cachés, maman ?

— Tu n'es pas obligée de me parler sur ce ton. J'ai juste essayé de...

— Tu ferais peut-être mieux de partir, l'interrompis-je d'un ton glacial.

— Dans ta Rolex, lâcha-t-elle.

Sa révélation me fit l'effet d'une gifle.

Je vacillai et posai la main sur ma montre, cadeau de Stanton et de ma mère pour mon diplôme de fin d'études. J'entretenais l'idée bêtement sentimentale de la transmettre à ma fille si j'avais un jour la chance d'en avoir une.

— Tu te moques de moi ? explosai-je en détachant le fermoir de la montre qui tomba sur le tapis. Cette fois, tu as dépassé les bornes !

Ce cadeau n'en avait jamais été un. Ce n'était pas une montre, mais un bracelet électronique.

Elle rougit.

— Eva, tu prends les choses trop à cœur. Ce n'est pas...

— Trop à cœur ? Non, mais tu t'entends ? Je rêve ! Je suis à ça, dis-je en approchant de son visage mon pouce et mon index pressés l'un contre l'autre, d'appeler la police. Et je me demande si je ne vais pas porter plainte contre toi pour atteinte à la vie privée.

— Je suis ta mère ! dit-elle d'un ton qui s'acheva sur une note suppliante. C'est mon rôle de veiller sur toi.

— Je suis une femme adulte de vingt-quatre ans, rétorquai-je. Légalement, c'est à moi de veiller sur moi.

— Eva Lauren...

— Arrête ! S'il te plaît, tais-toi. Je vais partir parce que je suis tellement furieuse que je ne supporte même pas de te regarder. Ni de t'entendre, à moins que tu ne sois prête à me faire des excuses sincères.

Tant que tu ne reconnaîtras pas tes torts, je ne te ferai pas confiance.

J'allai chercher mon sac et mon regard croisa celui de Cary comme il apparaissait avec un plateau sur lequel étaient posés deux verres de vin.

— Je reviens plus tard.

— Tu ne peux pas t'en aller comme ça ! s'écria ma mère d'un ton frisant l'hystérie.

Je n'étais pas d'humeur à encaisser une de ses scènes. Vraiment pas.

— C'est pourtant ce que je fais, marmonnai-je.

Un traceur dans ma Rolex ! Cela me faisait mal rien que d'y penser. Ce cadeau signifiait tant à mes yeux. Désormais, il n'avait plus aucun sens.

— Laissez-la partir, Monica, conseilla Cary d'un ton apaisant.

Il savait gérer l'hystérie mieux que personne. C'était moche de ma part de le planter là avec ma mère, mais je ne pouvais pas rester. Si j'allais dans ma chambre, elle pleurerait et supplierait à ma porte jusqu'à ce que j'en sois malade. Je ne supportais pas de la voir dans cet état, et encore moins d'en être responsable.

Je sortis et me dépêchai d'entrer chez Gideon avant d'éclater en sanglots et surtout avant que ma mère se lance à mes trousses.

Je n'avais pas d'autre endroit où aller. Je ne pouvais pas sortir dans la rue alors que j'étais au bord des larmes. Ma mère n'était pas la seule à me surveiller. Il était possible que la police en fasse autant, ainsi que Deanna Johnson, et peut-être même quelques paparazzis.

Je m'affalai sur le canapé et donnai libre cours à mes larmes.

7

— Mon ange.

La voix de Gideon et la douceur de ses mains me tirèrent du sommeil. Je grommelai une protestation quand il me fit basculer sur le flanc, puis je sentis la chaleur de son corps dans mon dos. Il m'enlaça et m'attira plus près.

Étroitement serrée contre lui, la joue posée sur son bras, je sombrai de nouveau dans le sommeil.

Quand je me réveillai, j'eus l'impression que plusieurs jours s'étaient écoulés. Je gardai les paupières fermées, savourant la présence de Gideon à mon côté. Au bout d'un moment, je décidai que dormir plus longtemps ne ferait que chambouler davantage mon horloge biologique. Nous nous étions couchés tard et levés très tôt depuis que nous étions à nouveau ensemble et je commençais à en ressentir les effets.

— Tu as pleuré, murmura-t-il en enfouissant le visage dans mes cheveux. Qu'est-ce qui ne va pas ?

Je me blottis contre lui avant de lui raconter l'histoire de la montre.

— J'ai peut-être réagi de façon excessive, conclus-je. J'étais fatiguée et je m'emporte facilement dans ces cas-là. Ça m'a vraiment blessée. Ce cadeau représentait tellement pour moi, tu comprends ?

— Oui, répondit-il, ses doigts traçant des cercles sur mon ventre à travers la soie de mon chemiser. Je suis désolé pour toi.

Je levai les yeux vers la fenêtre et découvris que la nuit était tombée.

— Quelle heure est-il ?

— Un peu plus de 20 heures.

— À quelle heure es-tu arrivé ?

— Vers 18 h 30.

Je me tortillai pour lui faire face.

— C'est tôt pour toi.

— Je savais que tu étais rentrée et je n'ai pas pu résister. Je ne pense qu'à te voir depuis que j'ai reçu tes fleurs.

— Elles t'ont plu ?

— J'avoue que lire ton message rédigé de la main d'Angus a constitué une expérience... troublante, dit-il en souriant.

— Je me suis efforcée d'être prudente.

Il déposa un baiser sur le bout de mon nez.

— Ce qui ne t'a pas empêchée de me gâter.

— J'aime bien. Je vais tellement te gâter qu'aucune femme ne voudra plus jamais de toi.

Il effleura mes lèvres.

— Il a suffi que je te regarde pour que je sois définitivement perdu pour elles.

— Tu essaies encore d'obtenir mes faveurs avec des compliments.

Le simple fait d'être avec Gideon et de savoir qu'il ne s'intéressait qu'à moi suffisait à chasser mes idées noires.

— Zut, grillé !

Son regard s'assombrit quand je lui mordis le pouce.

— J'avoue tout. J'avoue que j'ai envie de me glisser dans ta petite chatte brûlante. Je n'ai pensé qu'à ça toute la journée. J'en ai envie maintenant, tout de suite, mais on attendra que tu te sentes mieux.

— Je crois que je me sentirais mieux si tu m'embrassais.

— Où veux-tu que je t'embrasse ?

— Partout.

Je savais que je pourrais m'habituer à avoir Gideon pour moi toute seule. Je savais que c'était ce que je voulais. Et je savais aussi que c'était impossible.

Il était lié à quantité de gens, de projets et d'engagements. Si les mariages successifs de ma mère avec des magnats de la finance m'avaient appris une chose, c'était que les épouses de ces hommes-là ne sont jamais que leurs maîtresses, car ils sont mariés avec leur travail. Si un homme devient le numéro un dans le domaine qu'il a choisi, il y a souvent une bonne raison à cela : c'est qu'il s'y consacre corps et âme. La femme d'un tel homme doit se contenter des miettes.

Gideon glissa une mèche de cheveux derrière mon oreille.

— C'est ce que je veux. Rentrer à la maison pour te retrouver.

Cette façon qu'il avait de lire dans mes pensées me surprenait toujours autant.

— Tu aurais peut-être préféré me trouver pieds nus dans la cuisine.

— Je n'ai rien contre, te trouver nue au lit serait encore mieux.

— Je suis bonne cuisinière, mais tu ne m'aimes que pour mon corps !

Il sourit.

— C'est le délicieux emballage qui enrobe le tout que j'aime.

— Je te le montrerai si tu me montres le tien.

— Avec plaisir, dit-il en me caressant la joue. D'abord, je veux que tu oublies ce qui s'est passé avec ta mère.

— Je m'en remettrai.

— Eva.

À en juger par son ton, il ne se contenterait pas de cette simple réponse.

— Je lui pardonnerai, soupirai-je. Comme toujours. Je n'ai pas vraiment le choix parce que je l'aime et qu'elle croit agir dans mon intérêt, même si elle se trompe. Mais là, avec cette histoire de montre...

— Continue.

— Ça a brisé quelque chose dans notre relation. Et même si je parviens à tourner la page, il y aura toujours une fêlure. C'est ça qui fait le plus mal, en fait.

Gideon demeura silencieux un long moment, la main posée sur ma hanche, l'autre me caressant tendrement les cheveux.

— Moi aussi, j'ai brisé quelque chose dans notre relation, dit-il finalement d'un ton grave. J'ai peur que cela reste à jamais entre nous.

La tristesse de son regard me transperça.

— Laisse-moi me lever.

Il me libéra à contrecœur et me regarda d'un air méfiant. Une fois debout, j'hésitai un instant à tirer sur la fermeture de ma jupe.

— J'ai compris à quel point c'est douloureux de te perdre, Gideon. Si tu me repousses, je risque de paniquer, alors essaie de faire attention. De mon côté, je m'efforcerai d'avoir confiance en ton amour.

Il hocha la tête, mais je vis dans son regard que le remords le rongeait.

— Magdalene est passée me voir aujourd'hui, enchaînai-je pour détourner ses pensées de la faille qui persistait entre nous.

Il se raidit.

— Je lui avais demandé de s'abstenir.

— Ça ne m'a pas dérangée. Elle craignait sans doute que je t'en veuille, mais je crois qu'elle a réalisé que je t'aimais trop pour te nuire.

Il se redressa quand je laissai ma jupe glisser le long de mes jambes. Je portais un porte-jarretelles et des bas. Il leva vers moi un regard empreint d'admiration. Je m'assis à califourchon sur ses cuisses et nouai les bras autour de son cou. Son souffle tiède, à travers la soie de mon chemiser, m'échauffa le sang.

J'enfouis les mains dans ses cheveux et frottai doucement ma joue contre la sienne.

— Arrête de te tracasser pour nous. On ferait mieux de s'inquiéter de ce que mijote Deanna Johnson. À ton avis, qu'est-ce qu'elle pourrait déterrer à ton sujet ?

Il rejeta la tête en arrière et plissa les yeux.

— C'est mon problème, Eva. C'est à moi de m'en occuper.

— Je pense qu'elle espère trouver quelque chose de bien croustillant. Te traiter de play-boy sans cœur ne lui suffira pas.

— Ne t'inquiète pas. La seule chose qui pourrait me déranger venant d'elle, ce serait qu'elle te balance mon passé à la figure.

— Tu es trop confiant, répliquai-je en déboutonnant son gilet.

Je défis sa cravate et la posai sur le dossier du canapé.

— Tu as l'intention de lui parler ? m'enquis-je.

— J'ai l'intention de l'ignorer.

— Tu crois vraiment que c'est la bonne méthode ? risquai-je en m'attaquant à sa chemise.

— Elle cherche à attirer mon attention. Je ne lui ferai pas ce plaisir.

— Elle trouvera un autre moyen.

Sans me quitter des yeux, il se laissa aller contre le dossier du canapé.

— La seule façon pour une femme d'attirer mon attention, c'est d'être toi, Eva.

Je l'embrassai tout en sortant sa chemise de son pantalon. Il se redressa pour m'y aider.

— J'aimerais que tu m'expliques ce qui s'est passé avec Deanna, murmurai-je. Pourquoi est-elle autant remontée contre toi ?

Il soupira.

— Cette femme était une erreur. Elle était très amoureuse, et j'ai pour règle d'éviter de revoir les femmes trop possessives.

— Ce qui ne fait absolument pas de toi un salaud.

— Je ne peux pas changer le passé, dit-il froidement.

Il était gêné. Gideon pouvait se montrer aussi odieux que n'importe quel homme, mais il n'en tirait jamais fierté.

— Anne Lucas risquait de me coller d'un peu trop près à une soirée à laquelle Deanna assistait pour des raisons professionnelles et je me suis servi d'elle pour tenir Anne à distance. J'ai eu des remords après coup et je n'ai pas très bien géré la situation.

— Je vois, dis-je en écartant les pans de sa chemise.

Je me souvenais de la réaction qu'il avait eue la première fois que nous avions fait l'amour et j'imaginai sans peine de quelle façon il avait traité Deanna. Avec moi, il s'était montré si distant que j'avais eu l'impression d'avoir été utilisée et d'être soudain devenue inutile à ses yeux. Il avait ensuite lutté pour me reconquérir. Deanna n'avait pas eu cette chance.

— Tu ne veux pas qu'elle se fasse des idées si tu acceptes de la rencontrer, résumai-je.

— Je n'ai pas dû lui adresser plus de dix mots, en tout et pour tout.

— Tu as été odieux avec moi. Ça ne m'a pas empêchée de tomber amoureuse de toi.

Mes mains caressèrent tendrement son torse, puis suivirent la ligne soyeuse qui disparaissait sous la ceinture de son pantalon. Ses abdominaux frémirent au contact de mes doigts et son souffle s'accéléra.

Mes pouces encerclèrent les pointes minuscules de ses tétons et j'épiai sa réaction, avide de le voir succomber au plaisir subtil de cette caresse. Je pressai la bouche à la base de son cou, sentis son pouls s'accélérer sous mes lèvres et humai avec délices le parfum de sa peau. Je ne me lassais pas de savourer son corps, d'autant que mon tour viendrait.

Sa main se crispa dans mes cheveux.

— Eva !

— J'adore la façon dont tu réagis à mes caresses, soufflai-je, troublée d'avoir un spécimen aussi viril à ma merci. J'aime que tu sois incapable de me résister.

— Je ne pourrais pas, dit-il en lissant mes cheveux entre ses doigts. Tu me caresses comme si tu me vénérais.

— C'est le cas.

— Je le sens dans tes mains... ta bouche. La façon dont tu me regardes.

— Je n'ai jamais rien désiré plus ardemment que toi.

Je promenai les mains sur sa poitrine, me délectant de ses pectoraux, de ses muscles, tel un connaisseur admirant une œuvre d'art exceptionnelle.

— On va faire un jeu, annonçai-je.

Sa langue glissa sensuellement sur mes lèvres, déclenchant un spasme au niveau de mon entrejambe. Il s'en aperçut. Je le sus à la lueur qui s'alluma dans son regard.

— Tout dépend des règles du jeu.

— Ce soir, tu m'appartiens, champion.

— Je t'appartiens toujours.

Je déboutonnai mon chemisier et m'en débarrassai, révélant le soutien-gorge de dentelle blanche assorti à mon string.

— Mon ange, souffla-t-il en me dévorant d'un regard si brûlant qu'il me transperça.

Il tendit les mains vers moi, mais je lui attrapai les poignets pour les immobiliser.

— Règle n° 1 : je vais te sucer, te caresser et te titiller toute la nuit. Te faire jouir jusqu'à ce que tu n'y voies plus clair.

Je posai la main sur son sexe et le massai doucement.

— Règle n° 2 : tu te contentes de te laisser faire.

— Je n'ai pas le droit de te toucher ?

— Non.

— Alors, ça, pas question, déclara-t-il d'un ton catégorique.

Je fis la moue.

— S'il te plaît, dis oui...

— Te faire jouir représente quatre-vingt-dix-neuf pour cent de mon plaisir, mon ange.

— Peut-être, mais je suis tellement occupée à jouir que je ne peux même pas profiter de toi ! me plaignis-je. Pour une fois, juste une, je te supplie d'être égoïste. Je veux que tu te lâches, que tu sois comme un animal et que tu jouisses juste parce que c'est bon et que tu en as envie.

— Impossible. J'ai besoin de partager avec toi.

— Je savais que tu dirais ça.

Parce que je lui avais expliqué un jour qu'être utilisée par un homme pour son seul plaisir agissait sur moi comme un puissant répulsif. J'avais besoin de me sentir aimée et désirée. Pas comme un corps de femme interchangeable, mais en tant qu'Eva, un individu à part entière qui avait besoin d'affection et pas seulement de sexe.

— C'est mon jeu, et c'est moi qui dicte les règles.

— Je n'ai pas dit que j'étais prêt à jouer.

— Écoute-moi bien.

Il poussa un long soupir.

— Je ne peux pas faire ça, Eva.

— Tu l'as bien fait avec d'autres, contrai-je.

— Je n'étais pas amoureux d'elles !

Je fondis complètement. Ce fut plus fort que moi.

— Mon amour... J'en ai envie, chuchotai-je. Vraiment envie.

— Aide-moi à comprendre, fit-il, agacé.

— Je n'entends pas les battements de ton cœur quand je cherche mon souffle. Je ne te sens pas trembler quand je tremble aussi. Je ne peux pas goûter à ta peau quand j'ai la bouche sèche à force de te supplier d'avoir pitié de moi.

Son beau visage s'adoucit.

— Je perds la tête chaque fois que je jouis en toi. Ça ne te suffit pas ?

— Non. Tu m'as dit que j'étais ton rêve érotique devenu réalité. Tu ne me feras pas croire que dans tous tes rêves tu te contentes de faire jouir ta partenaire. Et les fellations ? Et les caresses manuelles ? Tu adores ma poitrine. Tu n'aimerais pas te masturber entre mes seins et te répandre sur moi ?

— Eva !

Je sentis son sexe durcir sous ma main.

Lui frôlant les lèvres des miennes, j'ouvris sa braguette en un tournemain.

— Je veux être ton fantasme le plus torride. Ton souvenir inavouable.

— Tu es déjà tout ce que je veux que tu sois, répliqua-t-il, buté.

— Vraiment ? demandai-je en faisant courir mes doigts le long de ses côtes.

Sa respiration devint sifflante et je me mordis la lèvre inférieure.

— Alors accepte pour moi, insistai-je. J'adore ce moment où tu es emporté par tes sens, une fois que tu t'es bien occupé de moi. Quand tu changes de rythme et que le désir te domine. Je sais que dans ces moments-là, tu ne penses plus qu'à toi, à tes sensations et au plaisir vers lequel tu tends de tout ton être. C'est tellement jouissif de te mettre dans cet état. Je voudrais ne ressentir que cela pendant toute une nuit.

Ses mains se contractèrent sur mes cuisses.

— À une condition.

— Laquelle ?

— Cette nuit est la tienne, et le week-end prochain, on jouera selon mes règles.

— Attends, m'insurgeai-je, moi, j'ai droit à une nuit et toi à tout un week-end ?

— Hum… tout un week-end exclusivement consacré à ton plaisir.

— Tu es dur en affaires.

Il me gratifia d'un sourire étincelant.

— C'est ma marque de fabrique.

— *Notre maman dit que papa est une machine sexuelle.*

Gideon, assis par terre à côté de moi, coula vers moi un œil amusé et me sourit.

— Ta jolie tête est encombrée d'un étrange florilège de répliques cinématographiques, mon ange.

J'approchai ma bouteille d'eau de mes lèvres et en avalai une gorgée avant de balancer la réplique suivante tirée d'*Un flic à la maternelle*.

— *Mon papa est gynécologue, il regarde des vagins toute la journée.*

Son rire me fit un plaisir fou. Ses yeux brillaient et je ne l'avais jamais vu aussi détendu. Cela tenait sans doute à l'impitoyable fellation que je lui avais infligée sur le canapé, suivie de la lente et savonneuse caresse manuelle dont je l'avais régalé ensuite sous la douche. Mais c'était surtout grâce à moi, je le savais.

Quand j'étais de bonne humeur, il l'était aussi. J'étais stupéfaite d'avoir autant d'influence sur un homme comme Gideon. Il était une force de la nature. Sa maîtrise de lui avait quelque chose de magnétique, elle était telle que tous ceux qui l'entouraient se trouvaient rejetés dans l'ombre. J'en étais le témoin chaque jour. Elle m'éblouissait, mais le charme et la tendresse qu'il manifestait dans l'intimité m'émouvaient profondément.

— Tu trouveras ça moins drôle quand tes enfants diront ce genre de trucs à leur institutrice.

— Vu que l'info viendra forcément de toi, je saurai à qui donner la fessée.

Il reporta son attention sur le film, l'air détaché. Gideon avait toujours vécu en solitaire. Pourtant, il m'avait si complètement acceptée dans sa vie qu'il était capable d'imaginer un avenir auquel je n'osais penser. J'avais tellement peur de m'engager que je ne pouvais qu'envisager une rupture à laquelle je serais incapable de survivre.

Il finit par remarquer mon silence et me tapota le genou.

— Tu as encore faim ?

Je gardai les yeux rivés sur les emballages de plats chinois disposés autour du bouquet de roses que j'avais offert à Gideon et qu'il avait rapporté afin qu'on en profite pendant le week-end.

— Seulement de toi, répondis-je en posant la main sur le haut de sa cuisse.

Son sexe tendait le tissu du caleçon que je l'avais autorisé à porter pour le dîner.

— Tu es une femme dangereuse, murmura-t-il en inclinant la tête vers moi.

Je m'emparai de sa bouche, emprisonnai sa lèvre inférieure pour l'aspirer sensuellement.

— J'y suis obligée si je veux me maintenir à ton niveau, monsieur Noir Danger.

Il sourit.

— Il faut que je rappelle Cary, soupirai-je. Je dois m'assurer que ma mère est partie.

— Tu te sens plus apaisée ?

— Oui, dis-je en appuyant la tête sur son épaule. Rien de tel qu'une cure de Gideon pour voir la vie en rose.

— Est-ce que je t'ai dit que je consulte à domicile ? Vingt-quatre heures sur vingt-quatre.

Je plantai les dents dans son biceps.

— Une fois ce coup de fil passé, je m'occuperai de toi.

— Tu l'as déjà fait, je te remercie, répliqua-t-il, le sourire aux lèvres.

— On n'a même pas eu le temps de s'amuser avec les « jumelles », me lamentai-je en plaçant les mains sous ma poitrine pour la faire remonter.

Il enfouit le visage entre mes seins.

— ¡ Hola, chicas !

Je le repoussai en riant et il riposta en pressant sur mes épaules jusqu'à ce que je me retrouve allongée sur le dos, entre le canapé et la table basse. Son regard se promena sur mes seins, mon ventre nu, mon string et mon porte-jarretelles. L'ensemble que j'avais

124

sélectionné au sortir de la douche était d'un rouge vif destiné à l'émoustiller.

— Tu es mon porte-bonheur, déclara-t-il.

— Vraiment ?

— Oui, dit-il en caressant de la langue le galbe de ma poitrine. Tu es délicieusement magique.

— Oh, je t'en prie ! m'esclaffai-je. Rien ne t'oblige à me débiter des niaiseries.

— Je t'avais prévenue que je n'étais pas romantique.

— Et tu m'as menti. Tu es l'homme le plus romantique que j'aie connu. Tu crois que je n'ai pas remarqué que tu as mis les serviettes CrossTrainer que je t'ai offertes dans ta salle de bains ?

— J'imaginais mal ne pas le faire. Et je ne plaisante pas, tu me portes vraiment bonheur, ajouta-t-il. Figure-toi que, quand j'ai reçu tes roses, j'étais justement en train de me débarrasser des parts que je possède dans un casino de Milan. Il a suffi que tes fleurs me parviennent pour qu'un des enchérisseurs me propose un domaine vinicole du Bordelais que je lorgne depuis un moment. Et devine comment s'appelle ce domaine ?... *La Rose noire.*

— Un domaine vinicole contre un casino, hein ? Tu demeureras éternellement le dieu du sexe, du vice et des loisirs.

— Des branches d'activité qui m'aident à satisfaire la déesse des plaisirs et des répliques cultes qui a ravi mon cœur.

— Quand serai-je autorisée à goûter ce vin ? demandai-je en glissant les doigts dans son caleçon.

— Quand tu accepteras de participer à la campagne publicitaire que je compte lancer pour le promouvoir.

— Tu n'abandonnes jamais, n'est-ce pas ?

— Pas quand je veux vraiment quelque chose, non, dit-il en se redressant et en m'aidant à me relever. Et il se trouve que c'est toi que je veux.

— Je t'appartiens.

— Ton cœur et ton corps m'appartiennent, mais c'est ton esprit que je veux. Je veux tout de toi.

— J'ai besoin de garder un jardin secret.

— Je peux le remplacer, répondit-il en caressant mes fesses nues. Même si je reconnais qu'il ne s'agit pas d'un échange totalement équitable.

— Tu marchandes comme un fou, aujourd'hui, dis-moi.

— Giroux était très content du marché que je lui ai proposé. Tu le seras aussi, crois-moi.

— Giroux ? relevai-je, le cœur battant. Comme dans Corinne Giroux ?

— Son mari, oui. Même s'ils sont séparés et qu'ils envisagent de divorcer, comme tu le sais.

— Attends. Tu es en affaires avec son mari ?

— Pour la première fois, répondit-il, l'air penaud. Et probablement la dernière, bien que je lui aie assuré que je fréquentais une femme qui n'était pas la sienne...

— Le problème étant que sa femme est amoureuse de toi.

— Elle ne me connaît pas, se défendit-il en frottant le bout de son nez contre le mien. Dépêche-toi d'appeler Cary pendant que je débarrasse la table. On pourra se sucer la pomme, après.

— Traître.

— Vicieuse.

Je m'approchai de mon sac à quatre pattes et en sortis mon portable. Gideon glissa le doigt sous mon porte-jarretelles. Le claquement de l'élastique sur ma peau m'arracha un sursaut. À la fois surprise et excitée, je lui donnai une tape sur la main et me dépêchai de ramper hors de sa portée.

Cary décrocha avant la deuxième sonnerie.

— Tout va bien, baby girl ?

— Oui, et tu es toujours le meilleur ami de tous les temps. Ma mère est partie ?

— Ça fait un moment. Tu comptes passer la nuit chez ton doudou ?

— Oui. À moins que tu n'aies besoin de moi.

— Non, c'est bon. Trey doit arriver d'une minute à l'autre.

Cette nouvelle me permit de me sentir un peu moins coupable de découcher pour la deuxième nuit de suite.

— Tu le salueras de ma part.

— D'accord. Je l'embrasserai même pour toi.

— Si c'est de ma part, arrange-toi pour que ce ne soit pas trop humide.

— Il faut toujours que tu me gâches le plaisir. Au fait, tu te souviens que tu m'avais demandé de faire des recherches sur le bon Dr Lucas ? Jusqu'à présent je n'ai strictement rien trouvé. Apparemment, en dehors de son boulot, il ne fait pas grand-chose. Pas d'enfants. Sa femme est toubib aussi – elle est psy.

Je jetai un coup d'œil à Gideon pour m'assurer qu'il n'écoutait pas.

— Sérieux ?

— Pourquoi ? C'est important ?

— Non, je ne crois pas. C'est juste que... je pensais que les psys étaient plus fins que ça en matière d'analyse de la personnalité.

— Tu la connais ?

— Non.

— Qu'est-ce qui se passe, Eva ? Pourquoi tous ces mystères ces derniers temps ? Je commence à trouver ça fatigant.

Je me juchai sur un tabouret de bar et m'efforçai de lui en dire autant qu'il était possible.

— J'ai croisé le Dr Lucas à un gala de bienfaisance. Je l'ai revu à la cafétéria de l'hôpital quand je suis venue te voir. Les deux fois, il m'a parlé de Gideon en des termes très négatifs et j'essaie juste de comprendre pourquoi.

— À ton avis, Eva ? Cross a dû baiser sa femme. Que veux-tu que ce soit d'autre ?

Incapable de divulguer un passé qui ne m'appartenait pas, je m'abstins de répondre.

— Je serai à l'appartement demain après-midi et le soir j'ai ma soirée entre filles. Tu es sûr que tu ne veux pas venir avec nous ?

— C'est ça, change de sujet, je ne remarquerai rien, râla Cary. Et, oui, je suis sûr de ne pas avoir envie de venir avec vous. Rien que d'y penser, j'en ai la chair de poule.

Nathan avait agressé Cary à la sortie d'une boîte de nuit et bien que physiquement remis, il était encore convalescent. Étrangement, j'avais oublié que les blessures les plus longues à cicatriser sont celles de l'âme. Cary faisait comme si tout allait pour le mieux dans le meilleur des mondes, mais j'aurais dû deviner qu'il essayait de sauver les apparences.

— Que dirais-tu d'aller à San Diego le week-end prochain ? suggérai-je. On irait voir mon père, les copains... peut-être même le Dr Travis, si on se sent d'humeur ?

— Quelle subtilité, Eva ! commenta-t-il, pince-sans-rire. Je reconnais que ce serait sympa. Le hic, c'est que je serai obligé de t'emprunter de l'argent vu que je n'ai pas encore repris le boulot.

— Pas de problème. Je m'occupe de tout et on réglera les détails plus tard.

— Oh, avant que tu raccroches ! Une de tes amies a téléphoné – Deanna. Je n'ai pas eu le temps de t'en parler tout à l'heure. Elle m'a chargé de te dire qu'elle avait du nouveau ; elle veut que tu la rappelles.

Je jetai un coup d'œil à Gideon. Il surprit mon regard et quelque chose dans mon expression dut me trahir car ses yeux prirent cette lueur dure que je ne connaissais que trop bien. Il se dirigea vers moi, les emballages en carton de notre dîner soigneusement empilés dans le sac de livraison.

— Tu lui as dit quelque chose ? demandai-je à Cary à voix basse.

— Comme quoi, par exemple ?

— Comme quelque chose que tu n'aurais pas envie de dire à une journaliste, parce que c'est ce qu'elle est.

Le visage de Gideon prit l'aspect d'un masque de pierre. Il passa devant moi pour aller jeter le sac dans le broyeur à ordures, puis revint près de moi.

— Tu es amie avec une journaliste ? s'exclama Cary. Tu es malade ou quoi ?

— Non, je ne suis pas amie avec elle et je ne sais pas comment elle a obtenu mon numéro de téléphone – à moins qu'elle ait appelé de la réception.

— Et qu'est-ce qu'elle te veut ?

— Que je lui parle de Gideon. Cette nana est une plaie et elle commence à me taper sérieusement sur les nerfs.

— Je l'enverrai paître si elle rappelle.

— Non, pas la peine, fis-je en soutenant le regard de Gideon. Ne lui dis rien, c'est tout. Tu lui as dit que j'étais où ?

— Sortie.

— Parfait. Merci, Cary. Appelle si tu as besoin de moi.

— Éclate-toi bien.

Je coupai la communication en secouant la tête.

— Deanna Johnson a appelé chez toi ? demanda Gideon en croisant les bras.

— Oui, et je vais la rappeler.

— Non.

— Silence, primate. Je ne supporte pas que tu la joues « moi Cross, toi petite femme de Cross », ripostai-je

129

d'un ton cassant. Au cas où tu l'aurais déjà oublié, on a conclu un marché. Je suis à toi et tu es à moi. Je protège ce qui m'appartient.

— Eva, tu n'as pas à mener mes combats à ma place. Je peux me protéger seul.

— Je sais. Tu l'as fait toute ta vie. Maintenant, je suis là. Tu peux compter sur moi.

Quelque chose passa sur ses traits, mais ce fut si bref que je n'aurais su dire s'il était agacé.

— Tu n'as pas à te charger de mes souvenirs, s'entêta-t-il.

— Tu t'es chargé du mien.

— C'était différent.

— Une menace est une menace, champion. On est dans la même galère, toi et moi. Elle cherche à t'atteindre à travers moi, ce qui fait de moi la personne la mieux placée pour découvrir ce qu'elle manigance.

Il passa la main dans ses cheveux et poussa un soupir exaspéré. Je dus faire un effort pour ne pas me laisser distraire par la façon dont les muscles de son torse accompagnèrent le mouvement de son bras.

— Je me fiche de ce qu'elle manigance. Tu connais la vérité et c'est tout ce qui compte.

— Si tu crois que je vais rester tranquillement assise pendant qu'elle te crucifie dans la presse, tu as sérieusement besoin de réviser tes fondamentaux !

— Elle ne peut m'atteindre qu'en te faisant du mal, et c'est peut-être ce qu'elle a en tête.

— On n'en saura rien tant que je ne lui aurai pas parlé, répliquai-je en sortant la carte de visite de Deanna de mon sac.

Je composai son numéro après avoir veillé à masquer le mien.

— Eva, raccroche !

130

J'enclenchai le haut-parleur et posai l'appareil sur le comptoir.

— Deanna Johnson, répondit-elle d'un ton brusque.

— Deanna, c'est Eva Tramell.

— Bonsoir, Eva, répondit-elle, son changement de ton présupposant une amitié qui n'existait pas encore. Comment allez-vous ?

— Bien, et vous ?

J'observai Gideon, histoire de voir si sa voix produisait sur lui un effet quelconque. Il me fusilla du regard, irrité par mon entêtement, mais je m'étais depuis longtemps résignée à le trouver irrésistible quelle que soit son humeur.

— Disons que ça mijote doucement. Dans mon métier, c'est toujours bon signe.

— S'assurer de diffuser des informations exactes est également essentiel.

— C'est l'une des raisons pour lesquelles je vous ai appelée. Une de mes sources prétend que Gideon a un jour fait irruption chez vous et qu'il vous a trouvée au lit en compagnie de votre colocataire et d'un autre homme. Il aurait piqué une crise, l'homme en question aurait fini à l'hôpital et il aurait porté plainte contre lui. Vous confirmez ?

Je me figeai. Le soir où j'avais rencontré Corinne, j'étais rentrée chez moi pour découvrir Cary en pleine partouze avec deux femmes et un dénommé Ian. Quand ce dernier, entièrement nu, m'avait proposé de me joindre à eux, Gideon, qui m'avait suivie, avait repoussé sa proposition avec les poings.

Je tournai les yeux vers Gideon et mon estomac se noua. *C'était vrai*. Ian avait bel et bien porté plainte. Je le lus sur son visage qui était dénué de toute émotion.

— Non, c'est faux, répondis-je.

— Quelle partie ? répliqua-t-elle du tac au tac.

131

— Je n'ai rien à ajouter.

— J'ai aussi appris de première main que Gideon s'était battu avec Brett Kline après vous avoir surprise étroitement enlacée avec ce dernier. Est-ce exact ?

Les jointures de mes doigts blanchirent comme je m'agrippais au comptoir.

— Votre colocataire a récemment été victime d'une agression, poursuivit-elle. Gideon Cross a-t-il quelque chose à voir avec ça ?

— Vous avez perdu la raison, déclarai-je froidement.

— La vidéo de vous deux filmée à Bryant Park montre Gideon se comportant de façon agressive et brutale vis-à-vis de vous. Qualifieriez-vous d'abusive votre relation avec Cross ? Est-il sujet à des crises de violence incontrôlables ? Avez-vous peur de lui, Eva ?

Gideon tourna les talons et se dirigea vers son bureau.

— Allez vous faire foutre, Deanna, crachai-je. Vous voulez salir la réputation d'un homme innocent parce que vous n'assumez pas une aventure d'un soir. Pas vraiment une réaction de femme moderne et indépendante, si vous voulez mon avis.

— Il a répondu au téléphone, siffla-t-elle, rageuse. Il a répondu au téléphone avant d'en avoir fini avec moi pour discuter de l'inspection d'une de ses propriétés. Au milieu de sa conversation, il a posé les yeux sur moi, encore allongée à l'attendre, et il m'a dit : « Tu peux partir. » Tel quel. Il m'a traitée comme une pute, à la différence près qu'il ne m'a pas payée. Il ne m'a même pas offert un verre.

Je fermai les yeux. *Mon Dieu...*

— Je suis désolée, Deanna. Sincèrement. J'ai croisé pas mal de salauds et il s'est apparemment comporté comme un salaud avec vous. Mais ça ne justifie pas ce que vous faites.

— Ça le justifie si ce que je révèle est vrai.

— Ça ne l'est pas.

— Je suis désolée que vous vous trouviez mêlée à cette affaire, Eva, soupira-t-elle.

— Non, vous ne l'êtes pas.

Je coupai la communication et baissai la tête. Agrippée au comptoir, j'attendis que la pièce cesse de tournoyer autour de moi.

8

Je trouvai Gideon arpentant son bureau tel un lion en cage, l'oreillette de son portable vissée à l'oreille. Il devait écouter son interlocuteur ou attendre une communication, car il ne parlait pas. Il me fixa, le visage dur, inflexible. Il avait beau ne porter qu'un caleçon, il semblait invulnérable. Personne n'aurait été assez fou pour s'attaquer à lui. Si physiquement il exsudait une indéniable puissance, ce fut surtout son regard menaçant qui m'arracha un frisson.

Le mâle indolent et comblé avec qui j'avais dîné avait laissé place à un prédateur, acharné à écraser la concurrence.

Je l'abandonnai à ses affaires.

Ce que je voulais, c'était sa tablette. Je la trouvai dans sa sacoche. Elle était protégée par un mot de passe et je fixai l'écran un long moment. Je m'aperçus que je tremblais. Tout ce que j'avais redouté était en train de se produire.

— Mon ange.

Je levai les yeux. Il se tenait sur le seuil du séjour.

— Le mot de passe, précisa-t-il. C'est *monange*, en un seul mot.

L'énergie qui m'habitait s'envola d'un coup. Je me sentis subitement vidée et fatiguée.

— Tu aurais dû me dire qu'il te poursuivait en justice, Gideon.

— À la minute où nous parlons, il n'y a aucune poursuite. Uniquement la menace d'une poursuite, répliqua-t-il d'une voix morne. Ian Hager veut un dédommagement financier, je veux en échange un accord de confidentialité. Nous nous orientons vers un arrangement.

Je m'adossai au canapé et posai la tablette sur le coussin près de moi. Gideon s'avança vers moi et je le dévorai du regard. C'était si facile de se laisser subjuguer par son apparence. Si facile qu'on pouvait aisément passer à côté de sa profonde solitude. Mais il était plus que temps qu'il apprenne à partager ses soucis avec moi.

— Peu importe que ça ne débouche pas sur un procès, argumentai-je. Tu aurais dû m'en parler.

Il croisa les bras sur son torse.

— J'en avais l'intention.

— Tu en avais *l'intention* ? répétai-je en me levant d'un bond. Je te raconte que je suis anéantie parce que ma mère me cache des choses et tu ne me dis pas un mot de tes secrets ?

L'espace d'un instant, il demeura imperturbable. Puis il lâcha un juron et le vernis se fendilla.

— Je suis rentré tôt parce que j'avais prévu de t'en parler. Et puis, tu m'as raconté ce qui s'était passé avec ta mère et j'ai estimé que le moment était mal choisi.

Découragée, je me laissai de nouveau choir sur le canapé.

— Ce n'est pas ainsi qu'une relation fonctionne, champion.

— Je viens à peine de te retrouver, Eva. Le temps qu'on passe ensemble est précieux. Pourquoi le gâcher avec les casseroles qu'on trimballe ou nos problèmes respectifs ?

— Viens là, dis-je en tapotant le canapé.

Il préféra s'asseoir sur la table basse en face de moi, ses jambes emprisonnant les miennes. Il s'empara de mes mains et les porta à ses lèvres.

— Je te demande pardon.

— Je ne te blâme pas. Si tu as d'autres révélations à me faire, je crois que c'est le moment ou jamais.

Il se pencha, m'obligeant à m'étendre sur le canapé. Il s'allongea sur moi et chuchota :

— Je suis amoureux de toi.

Alors que tout allait mal, cet amour était le seul point positif.

Et cela suffisait.

Nous nous endormîmes sur le canapé, enchâssés l'un dans l'autre. Je dérivais entre veille et sommeil, minée par l'anxiété. Je sentis soudain le souffle de Gideon s'accélérer, son étreinte s'affermir autour de moi. Son corps tressauta soudain et il laissa échapper un gémissement qui me fendit le cœur.

— Gideon ?

Je me tortillai pour lui faire face et cela le réveilla. Je n'étais pas mécontente que nous nous soyons assoupis avec la lumière allumée.

Son cœur battait à toute allure sous ma main et un voile de sueur lui emperlait la peau.

— Quoi ? s'écria-t-il. Qu'est-ce qui se passe ?

— Tu commençais à sombrer dans un cauchemar, murmurai-je en déposant de doux baisers sur son visage.

Si seulement mon amour avait suffi à chasser ses démons.

Il voulut se redresser, mais je m'agrippai à lui pour le maintenir allongé.

— Ça va ? demanda-t-il. Je ne t'ai pas fait mal ?

— Non, tout va bien.

Il se couvrit les yeux.

— Je n'arrête pas de m'endormir quand je suis avec toi. Et j'ai oublié mes médicaments. Nom de Dieu, je n'ai pas le droit d'être aussi négligent.

— Eh, soufflai-je en m'appuyant sur le coude tout en lui caressant le torse. Il n'y a pas mort d'homme.

— Ne prends pas cela à la légère, Eva, dit-il en me dévisageant. C'est trop grave.

— Je ne le ferai jamais.

Il avait l'air las – des cernes noirs lui ombraient les yeux et sa bouche était encadrée de plis profonds.

— J'ai tué un homme, dit-il sombrement. Dormir avec moi n'a jamais été sûr et c'est désormais plus vrai que jamais.

— Gideon...

Je compris soudain pourquoi ses cauchemars revenaient plus fréquemment. Il avait beau tenter de trouver des justifications à son acte, cela ne soulageait pas sa conscience pour autant.

Je repoussai une mèche de cheveux de son front.

— Tu peux me parler si tu as des remords.

— Tout ce que je veux, c'est que tu sois en sécurité, marmonna-t-il.

— Je ne me sens jamais davantage en sécurité que lorsque je suis avec toi. Arrête de te faire sans cesse des reproches.

— C'est ma faute.

— Ta vie n'était-elle pas plus simple avant que tu me connaisses ? le défiai-je.

— Il faut croire que j'aime ce qui est compliqué, répliqua-t-il avec un regard narquois.

— Alors cesse de râler. Ne bouge pas, je reviens tout de suite.

Je gagnai la chambre, ôtai mes sous-vêtements pour enfiler un grand T-shirt Cross Industries. J'attrapai ensuite le plaid au pied du lit, allai chercher le médicament de Gideon dans la salle de bains et une bouteille d'eau dans la cuisine.

Quelques minutes plus tard, toutes les lumières étaient éteintes et nous étions pelotonnés sous le plaid.

Le traitement que le Dr Petersen lui avait prescrit ne visait pas à le guérir de sa parasomnie, mais Gideon le suivait scrupuleusement. Cela me touchait d'autant plus qu'il le faisait pour moi.

— Tu te souviens de ton rêve ? lui demandai-je.

— Non. Par contre, je suis certain que j'aurais préféré rêver de toi.

— Moi aussi, dis-je en laissant aller la tête contre sa poitrine pour écouter les battements de son cœur. Si tu avais rêvé de moi, à quoi cela aurait-il ressemblé ?

Je le sentis se détendre contre moi.

— Une journée ensoleillée sur une plage des Caraïbes. Une plage privée, avec une paillote sur le sable blanc, fermée sur trois côtés avec toute la vue rien que pour nous. Tu serais allongée sur une chaise longue. Toute nue.

— Évidemment.

— La peau tiédie par le soleil, sensuellement alanguie, la brise jouant dans tes cheveux. Tu aurais ce sourire dont tu me gratifies après l'amour. Nous n'aurions aucun rendez-vous, personne qui nous attende. Rien que nous deux et tout le temps devant nous.

— Ça semble paradisiaque, soufflai-je. J'espère qu'on se baignerait nus.

Il réprima un bâillement.

— Il est temps que j'aille me coucher.

— J'aimerais bien avoir aussi un tonnelet de bière glacée, dis-je dans l'espoir de le retenir assez longtemps pour qu'il s'endorme dans mes bras. Et des citrons. Je les presserais au-dessus de ton ventre pour en lécher le jus...

— Tu sais à quel point j'adore ta bouche.

— Alors tu devrais rêver à toutes les choses coquines que je pourrais te faire.

— Du genre ?

Je lui donnai un tas d'exemples d'une voix apaisante tout en le caressant doucement. Il sombra dans le sommeil avec un profond soupir.

Je le tins serré contre moi jusque bien après le lever du soleil.

Gideon dormit jusqu'à 11 heures. Quand il me rejoignit, je dressais des plans depuis déjà plusieurs heures, et il me trouva dans son bureau, entourée de notes et de croquis.

— Bonjour, dis-je en lui tendant mes lèvres lorsqu'il s'approcha.

Le cheveu en bataille, il était plus sexy que jamais.

— Qu'est-ce que tu fais de beau ? demanda-t-il en jetant un coup d'œil aux papiers éparpillés sur le bureau.

— Je préfère que tu aies ta dose de caféine avant de t'expliquer, répondis-je en me frottant les mains d'excitation. Tu veux prendre une douche rapide pendant que je te prépare une tasse ?

Il me caressa le visage du regard et m'adressa un sourire perplexe.

— D'accord. Quoique j'aimerais mieux t'emmener avec moi sous la douche. On prendra le café.

— Garde cette idée – et ta libido – pour ce soir.

— Ah bon ?

— Je sors, tu te souviens ? Et comme je vais boire plus que de raison et que l'alcool a un effet aphrodisiaque sur moi, je te conseille de ne pas oublier tes vitamines.

— C'est noté.

— Crois-moi, tu pourras t'estimer heureux si tu arrives à ramper hors du lit demain matin.

— Je veillerai à bien m'hydrater.

— Bonne idée, dis-je en baissant les yeux sur ma tablette.

Quand il revint, il avait les cheveux humides et portait un pantalon de coton noir qui descendait si bas sur les hanches que je sus qu'il ne portait rien dessous. M'efforçant de me concentrer sur mon projet, je lui abandonnai le fauteuil de bureau, jugeant plus sage de rester debout à côté de lui.

— Bien, commençai-je. Puisqu'il paraît que la meilleure des défenses, c'est l'attaque, j'ai décidé d'étudier ton image publique.

Il avala une gorgée de café.

— Inutile de me regarder ainsi, le réprimandai-je. Je ne me suis pas intéressée à ta vie personnelle vu que *je* suis ta vie personnelle.

— Bonne fille, commenta-t-il en me tapotant les fesses.

Je lui tirai la langue.

— L'idée maîtresse consiste à envisager les moyens de combattre une éventuelle campagne de calomnie lancée contre toi et axée sur les défauts de ton caractère.

— Le fait qu'on ne m'ait jamais accusé d'en avoir jusqu'ici devrait aider, dit-il avec flegme.

Jusqu'à ce que tu me rencontres...

— J'ai une très mauvaise influence sur toi.

— Tu es la meilleure chose qui me soit jamais arrivée.

Cette remarque lui valut un rapide baiser sur la tempe.

— Tu sais qu'il m'a fallu un temps fou pour découvrir l'existence de la Fondation Crossroads ?

— Parce que tu ne savais pas où chercher.

— Ton optimisateur de recherches est très performant, contrai-je en affichant la page d'accueil du site. Et le site de la fondation ne comporte qu'une seule page, qui est certes très jolie, mais ridiculement nue. Où sont les liens vers les organisations caritatives qui ont bénéficié des dons de la fondation ? Où est la page de présentation de la fondation et de ce qu'elle souhaite accomplir à l'avenir ?

— Un courrier donnant toutes ces informations est envoyé deux fois par an aux organismes, hôpitaux et universités intéressés.

— Très bien. Laisse-moi te présenter Internet, à présent. Pourquoi ne trouve-t-on aucun lien entre la fondation et toi ?

— Crossroads ne tourne pas autour de moi, Eva.

— Bien sûr que si, répliquai-je en soutenant son regard avant de placer une liste devant lui. Nous allons désamorcer la bombe de Deanna avant qu'elle explose. Dès lundi, ces liens et les informations que j'ai soulignées devront figurer sur ce site.

Gideon jeta un bref coup d'œil au papier, puis s'adossa à son siège et prit une gorgée de café. Je veillai à me concentrer sur sa tasse plutôt que sur son torse nu.

— Il faut établir un lien entre le site de Crossroads et la biographie qui t'est consacrée sur celui de Cross Industries. Une biographie qu'il faudra d'ailleurs étoffer et mettre à jour.

Je glissai une autre feuille devant lui.

Il s'en empara et parcourut la biographie que j'avais concoctée.

— De toute évidence, cette bio a été rédigée par une femme gravement amoureuse de moi.

— Tu ne dois pas être timide, Gideon. Parfois, il ne faut pas hésiter à y aller carrément et à affirmer « je gère ». Tu es davantage qu'une belle gueule, un corps d'athlète et une bête de sexe. Mais concentrons-nous sur les aspects que je suis disposée à partager avec le monde entier.

— Tu as bu beaucoup de café, ce matin ? s'enquit Gideon avec un sourire goguenard.

— Assez pour te plaquer au sol, alors méfie-toi, répliquai-je en lui flanquant un coup de hanche dans le bras. Je pense aussi que tu devrais envisager d'annoncer par voie de presse l'acquisition du domaine de La Rose noire, de façon à établir un lien entre ton nom et celui de Giroux. Histoire de rappeler aux gens que Corinne – en compagnie de qui on t'a souvent vu ces derniers temps – est mariée. Et histoire, du même coup, de couper l'herbe sous le pied de Deanna qui ne pourra plus te faire passer pour un parfait salaud sous prétexte que tu l'as laissée tomber. Si elle choisissait de s'engager dans cette voie.

Il m'enlaça sans prévenir et m'attira sur ses genoux.

— Mon ange, tu me surprendras toujours. Je ferai tout ce que tu voudras, mais il faut que tu comprennes que Deanna n'a aucune révélation à faire. Ian Hager ne va pas laisser un arrangement profitable lui passer sous le nez pour publier son histoire. Il signera tous les papiers nécessaires, prendra l'argent et nous n'entendrons plus jamais parler de lui.

— Qu'est-ce que tu fais de...

— Les Six-Ninths ne voudront surtout pas que leur « Golden girl » ait une liaison avec un autre homme. Ça gâcherait l'histoire d'amour de la chanson. Je parlerai à Kline pour qu'on se mette d'accord.

— Tu es en relation avec Brett ?

— Nous sommes en affaires ensemble, je te rappelle, donc, oui. Et quand Deanna menace d'utiliser l'agression de Cary, c'est un simple coup de bluff. Nous savons aussi bien l'un que l'autre qui en était l'auteur.

Je réfléchis à tout cela, puis :

— Tu crois qu'elle se contente de me harceler ? Mais pourquoi ?

— Parce que je t'appartiens. Sa carte de presse lui a permis d'assister à tous les événements auxquels nous sommes allés ensemble et elle a pu le constater de ses propres yeux. Je suis incapable de dissimuler ce que je ressens quand je suis près de toi, reconnut-il en pressant son front contre le mien. Ce qui fait de toi une cible.

— Tu me l'as plutôt bien dissimulé à moi.

— Tu t'es laissé aveugler par tes propres craintes.

C'était on ne peut plus vrai.

— Alors d'après toi, elle cherche juste à me faire peur ? Mais qu'est-ce qu'elle gagne à ce petit jeu ?

— Réfléchis. Elle te dit qu'elle a l'intention de révéler un scandale qui nous implique tous les deux. Quelle est alors pour moi la meilleure façon de détourner les soupçons ?

— De garder tes distances avec moi. S'éloigner de la source du scandale est la règle de base de la gestion de crise.

— Ou alors faire le contraire et t'épouser, suggéra-t-il à voix basse.

Je me figeai.

— Est-ce que ça… ? Est-ce que tu… ? Pas maintenant, Gideon, ajoutai-je dans un murmure, la gorge nouée. Pas comme ça.

— Non, pas comme ça, approuva-t-il en me frôlant les lèvres des siennes. Quand je te ferai ma demande, tu le sauras, mon ange, crois-moi.

Ma gorge était si serrée que je ne pus que hocher la tête.

— Respire, me conseilla-t-il doucement. Encore une fois... Voilà. À présent, rassure-moi : ce n'est pas une crise de panique ?

— Pas vraiment. Non.

— Parle-moi, Eva.

— C'est juste que... je veux que tu me fasses ta demande quand je serai en mesure de dire oui.

Il se raidit, rejeta légèrement la tête en arrière, et je vis dans son regard qu'il était blessé.

— Tu pourrais dire non aujourd'hui ? risqua-t-il, les sourcils froncés.

Je secouai la tête.

La bouche pincée, il reprit :

— Explique-moi ce que tu attends de moi et je ferai en sorte de te satisfaire.

Je l'enlaçai afin qu'il sente physiquement le lien qui existait entre nous.

— Rien, jamais, ne m'empêchera de t'aimer. Mais le fait que tu hésites à tout partager avec moi m'incite à penser que c'est toi qui n'es pas prêt, Gideon.

— Je crois que je comprends.

— Je ne peux pas prendre le risque qu'un jour tu ne veuilles plus de moi. Je n'y survivrais pas plus que toi, champion.

— Que veux-tu savoir ?

— Tout.

Un soupir de frustration lui échappa.

— Sois précise. Commence par quelque chose.

J'avançai la première chose qui me vint à l'esprit après avoir passé toute la matinée à m'intéresser à ses affaires.

— Vidal Records. Comment se fait-il que tu sois l'actionnaire majoritaire de la société de ton beau-père ?

144

— Vidal Records était en train de couler. Ma mère en avait assez bavé après la faillite de mon père, ajouta-t-il. Je ne pouvais pas laisser un tel cauchemar se reproduire.

— Qu'est-ce que tu as fait ?

— J'ai convaincu ma mère de pousser son mari et Christopher à mettre en vente les actions de la société, et elle m'a vendu les parts d'Ireland. En plus de celles que j'avais déjà, cela faisait de moi l'actionnaire majoritaire.

J'avais rencontré Christopher Vidal père, alias Chris, ainsi que Christopher Vidal junior. Si, physiquement, le père et le fils se ressemblaient beaucoup – mêmes cheveux châtains, mêmes yeux gris-vert –, je les soupçonnais par ailleurs d'être très différents. J'avais eu sous les yeux la preuve que Christopher était une ordure ; je ne pensais pas que ce fût le cas de son père. Du moins, je l'espérais.

— Comment les choses en sont-elles arrivées là ?

L'expression condescendante de Gideon m'apporta la réponse que je cherchais.

— Mon beau-père était disposé à écouter mes conseils, mais refusait de prendre parti. Christopher, lui, s'y opposait systématiquement.

— Tu as donc fait ce qui s'imposait, conclus-je en déposant un baiser sur son menton. Je te remercie de ces explications.

— C'est tout ce que tu voulais savoir ?

— Oh, non ! répondis-je avec un sourire.

J'étais sur le point de lui poser une autre question quand mon portable – que j'avais laissé dans la cuisine – sonna. C'était la sonnerie qui m'indiquait qu'il s'agissait de ma mère. J'étais surprise qu'elle ait attendu si longtemps avant de m'appeler vu que j'avais rallumé mon portable dès 10 heures.

— Il faut que je réponde, grommelai-je.

Gideon me laissa aller, me flattant les fesses tandis que je m'éloignais. Je me retournai en atteignant le seuil du bureau et vis qu'il s'était déjà plongé dans l'étude des notes que je lui avais soumises.

Quand je pris mon portable sur le comptoir du petit déjeuner, la sonnerie s'était arrêtée, mais elle reprit aussitôt.

— Maman, attaquai-je, coupant court à toute crise d'hystérie, je passe te voir cet après-midi, d'accord ? On pourra parler.

— J'étais dans un état d'anxiété dont tu n'as pas idée. Tu ne peux pas me faire ça, Eva !

— Je serai chez toi d'ici une heure, assurai-je. Le temps de m'habiller.

— J'étais tellement inquiète que je n'ai pas fermé l'œil de la nuit.

— J'ai très peu dormi, moi aussi, figure-toi, répliquai-je. Il ne s'agit pas toujours seulement de toi, maman. C'est mon intimité qui a été violée. Toi, tu t'es juste fait pincer en train de la violer.

Silence.

J'adoptais rarement ce ton avec ma mère parce qu'elle m'apparaissait si fragile, mais il était temps de redéfinir les termes de notre relation sous peine de ne plus en avoir du tout. Je baissai machinalement les yeux pour consulter ma montre avant de me souvenir que je n'en portais plus, puis jetai un coup d'œil à l'horloge.

— Je serai chez toi vers 13 heures.

— Je t'envoie une voiture, répondit-elle posément.

— Merci. À tout de suite, dis-je avant de raccrocher.

Je m'apprêtais à fourrer mon portable dans mon sac quand un *bip* m'annonça un message de Shawna.

Comment tu t'habilles ce soir ?

Plusieurs idées de tenues défilèrent dans ma tête, de la plus décontractée jusqu'à la plus provocante.

J'étais plutôt d'humeur à jouer la carte de la provocation, mais je ne pouvais me permettre d'oublier que Deanna Johnson rôdait dans l'ombre. Je devais penser à mon image.

PRN, répondis-je, sachant que la Petite Robe Noire n'est pas un classique pour rien, *talons hauts-strass et paillettes à gogo !*

☺*capT l'id. RdV 19 h*, me répondit-elle aussitôt.

Je me dirigeai vers la chambre et m'arrêtai sur le seuil du bureau pour observer Gideon. J'aurais pu le contempler pendant des heures. D'autant que je découvrais qu'il était très sexy quand il était concentré.

Il leva les yeux et son doux sourire confirma qu'il avait senti mon regard sur lui dès la première seconde.

— Impressionnant, déclara-t-il en désignant les papiers que je lui avais soumis. Sachant que tu n'y as consacré que quelques heures.

Je me rengorgeai malgré moi, ravie d'avoir fait impression sur l'un des hommes d'affaires les plus brillants de la planète.

— Je te veux chez Cross Industries, Eva.

Mon corps réagit au ton déterminé de sa voix de la même façon qu'il avait réagi quand il m'avait dit : « Je veux coucher avec toi, Eva », peu après que nous avions fait connaissance.

— Et moi, je te veux ici, répliquai-je. Sur ton bureau.

— On peut célébrer notre association de cette façon-là, rétorqua-t-il, les yeux brillants.

— J'aime mon travail. J'aime les gens avec qui je travaille. J'aime savoir que je ne dois qu'à moi chaque échelon gravi.

— Je peux te donner tout cela et bien plus encore, déclara-t-il en tambourinant sur son bureau. J'imagine que tu as choisi de faire carrière dans la publicité parce que tu aimes que ça bouge en permanence. Mais pourquoi pas les relations publiques ?

— Trop de propagande. Au moins, dans la pub, tu sais à quoi t'en tenir dès le départ.

— Tu as mentionné la gestion de crise, ce matin. Et il est évident, ajouta-t-il en désignant les feuilles éparpillées sur son bureau, que tu as du talent pour cela. Laisse-moi l'exploiter.

Je croisai les bras.

— La gestion de crise est le b.a.-ba des relations publiques, Gideon. Tu le sais aussi bien que moi.

— Tu adores résoudre les problèmes. Je suis en mesure de te donner le poste qui correspond à tes compétences, Eva. Je peux te soumettre de vrais défis à relever, non-stop.

— Je t'en prie, dis-je en tapant du pied. Combien de crises as-tu à gérer en une semaine ?

— Plus d'une, répondit-il gaiement. Allez, Eva, je vois à ta tête que ça te plairait.

— Tu emploies déjà des gens pour régler ces problèmes, fis-je remarquer en me redressant.

— J'ai besoin d'autre chose, répondit-il en se laissant aller contre le dossier de son fauteuil. Et toi aussi. Qu'est-ce que tu dirais de s'amuser ensemble ?

— Tu es le diable en personne, tu sais ça ? Et tu es affreusement têtu. Ce qui ne m'empêchera pas de te répondre que travailler ensemble serait une très mauvaise idée.

— On s'entend pourtant très bien, là.

Je secouai la tête.

— Uniquement parce que tu étais d'accord avec mon évaluation de la situation et mes suggestions, répliquai-je. Et que j'étais assise sur tes genoux. Quand on ne sera pas d'accord et qu'on confrontera nos points de vue dans ton bureau devant des tiers, ce ne sera plus pareil. Et quand on se retrouvera à la maison après le boulot, le conflit sera toujours là, et on ne pourra faire autrement que de tenter de le résoudre.

— On peut convenir de laisser les problèmes de boulot à la porte, rétorqua-t-il en caressant du regard la portion de jambes nues que révélait mon peignoir. Je n'aurais aucun mal à passer à des choses nettement plus agréables.

Je quittai la pièce en levant les yeux au ciel.

— Obsédé !

— Je n'y peux rien si j'aime faire l'amour avec toi.

— C'est injuste ! glapis-je, sans défense contre un argument aussi déloyal – contre *lui*.

— Je n'ai jamais prétendu jouer selon les règles, Eva, lança-t-il en riant.

Quand je regagnai mon appartement un quart d'heure plus tard, un sentiment d'étrangeté me saisit. La répartition des pièces était identique à celui de Gideon, sauf que tout était inversé. Et si le mélange de ses meubles et des miens m'avait aidée à me sentir chez nous, du coup, en arrivant chez moi, j'avais l'impression d'être chez... quelqu'un d'autre.

— Salut, Eva.

Je regardai autour de moi et découvris Trey dans la cuisine, occupé à remplir deux verres de lait.

— Salut, répondis-je. Comment vas-tu ?

— Mieux.

Il en avait l'air en tout cas. Ses cheveux blond foncé, habituellement indisciplinés, avaient visiblement bénéficié des talents d'artiste capillaire-né de Cary. Ses yeux noisette pétillaient et son sourire était toujours aussi charmant.

— Ça fait plaisir de te voir ici, lui dis-je.

149

— J'ai un peu réorganisé mon emploi du temps, avoua-t-il en levant le carton de lait pour m'en proposer – je secouai la tête. Et toi, comment vas-tu ?

— J'esquive des journalistes, je croise les doigts pour que mon boss se marie avec son compagnon, je prévois de remonter les bretelles d'un de mes deux parents en essayant d'arranger un appel téléphonique avec l'autre, et j'attends avec impatience de sortir ce soir avec mes copines, résumai-je.

— Quoi qu'il en soit, tu es plus belle que jamais.

— Que répondre à cela ? dis-je avec un sourire avant d'enchaîner : Et toi ? Les cours ? Le boulot ?

Trey poursuivait des études de vétérinaire et jonglait avec différents jobs pour les payer – l'un d'eux étant celui d'assistant photographe, c'était ainsi qu'il avait fait la connaissance de Cary.

— Je m'accroche, ça finira forcément par payer.

— On devrait se refaire une soirée ciné-pizza quand tu auras le temps, suggérai-je.

Entre Trey et Tatiana – les deux amants de Cary –, Trey était mon favori. Cela venait peut-être de moi, il n'empêche que je trouvais Tatiana toujours très agressive avec moi. Et je n'avais pas non plus apprécié sa façon de se mettre en avant lorsqu'elle avait rencontré Gideon.

— Volontiers, répondit-il. Je verrai ça avec Cary.

Son regard s'assombrit, et je regrettai de ne pas en avoir parlé d'abord à Cary. Trey se doutait que celui-ci devrait vérifier que Tatiana n'était pas libre avant d'accepter.

— S'il n'est pas libre, on pourra toujours faire sans lui, décrétai-je.

— Ça me semble jouable, répondit-il avec un sourire en coin.

À 13 heures moins une, j'émergeai dans le hall. Clancy m'attendait déjà. Il arrêta le concierge d'un geste et m'ouvrit lui-même la portière de la voiture. À le voir, personne ne l'aurait pris pour un simple chauffeur. Il avait une allure aussi menaçante que l'arme dont il ne se séparait jamais, et j'avais beau le connaître depuis des années, je ne me souvenais pas de l'avoir jamais vu sourire.

Une fois qu'il se fut glissé derrière le volant, il coupa le scanner de la police qu'il gardait en fond sonore et baissa ses lunettes de soleil juste assez pour croiser mon regard dans le rétroviseur.

— Comment ça va ?

— Mieux que ma mère, je suppose.

Clancy était bien trop professionnel pour laisser transparaître la moindre émotion. Il remonta ses lunettes, synchronisa mon portable sur le Bluetooth de la voiture pour enclencher ma playlist et démarra.

— Désolée de m'être emportée au téléphone, l'autre jour, dis-je, touchée par sa prévenance. Vous n'avez fait que votre travail et je n'aurais pas dû vous le reprocher.

— À mes yeux, vous ne faites pas juste partie de mon travail, mademoiselle Tramell.

Sa réponse me laissa un instant muette. Clancy et moi avions des relations courtoises et distantes. J'étais amenée à le voir assez souvent car c'était lui qui me conduisait à mes cours de krav maga. Mais je n'aurais pas imaginé qu'il puisse considérer le fait d'assurer ma sécurité comme un enjeu personnel. Pourtant, c'était tout à fait compréhensible. Clancy était fier de son métier de garde du corps.

— Je ne me suis pas seulement énervée à cause du traceur, clarifiai-je. Des tas d'incidents se sont déjà produits bien avant que Stanton et vous n'apparaissiez dans la vie de ma mère.

— Excuses acceptées.

Cette réponse laconique lui ressemblait tellement que je souris.

Je me calai confortablement contre le dossier de la banquette et contemplai la ville que j'avais adoptée et que j'aimais passionnément. Sur le trottoir, des inconnus, épaule contre épaule au comptoir d'un minuscule restaurant, mangeaient des parts de pizza. Si proches fussent-ils, ils avaient ce don, si typique des New-Yorkais, de s'isoler du reste du monde au beau milieu de la foule. De la même façon, les piétons qui allaient et venaient devant le restaurant contournaient sans ciller l'homme qui distribuait des prospectus religieux, un chien assis à ses pieds.

Le pouls de la ville battait à un rythme si frénétique que le temps semblait y passer plus vite que partout ailleurs. Le contraste avec l'indolence du sud de la Californie, où vivait mon père et où j'avais fait mes études, était saisissant. New York me faisait l'effet d'une dominatrice qui rôdait en faisant claquer son fouet pour stimuler tous les vices de l'humanité.

Mon sac vibra contre ma hanche et j'attrapai mon portable. Un rapide coup d'œil à l'écran m'apprit que l'appel venait de mon père. Nous avions pris l'habitude de nous téléphoner chaque samedi et j'adorais bavarder avec lui, mais je fus tentée de laisser la messagerie pour le rappeler une fois que mon humeur se serait améliorée. Ma mère m'exaspérait, et je savais que mon père se faisait énormément de souci pour moi depuis sa visite à New York.

Il était chez moi lorsque deux inspecteurs de police étaient venus m'informer de la présence de Nathan à New York. Ils avaient lâché cette bombe avant de m'informer qu'il avait été assassiné, et j'avais été incapable de dissimuler ma frayeur à l'idée qu'il ait été si proche. Ma réaction avait été si violente que, depuis, mon père ne cessait de m'interroger.

— Coucou, répondis-je après m'être décidée à décrocher, histoire de ne pas être en froid avec mes deux parents en même temps. Comment ça va ?

— Tu me manques, répondit-il de sa belle voix grave que j'aimais tant. Et toi, comment vas-tu ?

Mon père était l'homme le plus parfait que je connaisse. Séduisant, sûr de lui, intelligent et solide comme un roc.

— Je ne me plains pas trop.

— Un peu, alors. Je suis tout ouïe.

Je ris doucement.

— Disons que maman me rend maboule.

— Qu'a-t-elle encore fait ? demanda-t-il d'un ton indulgent.

— Elle fourre le nez dans mes affaires.

— Ah ! Tu sais, il arrive que les parents agissent ainsi quand ils s'inquiètent pour leurs petits, ma chérie.

— Tu ne l'as jamais fait, toi, répliquai-je.

— Jusqu'à présent, nuança-t-il. Mais je me conduirais différemment si j'étais suffisamment inquiet. J'espère juste que je pourrais te convaincre de me pardonner si cela devait arriver.

— Je suis en route pour aller chez elle. Je verrai bien si elle parvient à me convaincre. Ça faciliterait les choses si elle reconnaissait ses torts.

— Là, je te souhaite bonne chance.

— J'en aurai besoin, soupirai-je. Ça t'ennuie si je te rappelle demain ?

— Bien sûr que non. Tu es sûre que tout va bien, mon cœur ?

Je fermai les yeux. L'instinct paternel se doublait de l'instinct du flic, si bien qu'il était difficile de cacher quoi que ce soit à Victor Reyes.

— Mais oui, répondis-je. C'est juste que je suis presque arrivée chez maman. Je te dirai comment ça s'est passé. Au fait, mon patron va peut-être se fiancer avec son compagnon ! Et j'aurai plein d'autres trucs à te raconter.

— Je ferai peut-être un saut au poste de police demain matin, mais tu peux toujours m'appeler sur mon portable. Je t'aime, ma chérie.

Une bouffée de nostalgie me saisit. J'avais beau adorer New York et ma nouvelle vie, mon père me manquait terriblement.

— Moi aussi, je t'aime, papa. Je t'appelle demain.

J'éteignis mon portable, jetai un coup d'œil à ma montre... et son absence me rappela la confrontation qui m'attendait. Ce que ma mère avait fait me perturbait, mais je me tracassais encore plus au sujet de l'évolution de notre relation. C'était à cause de Nathan qu'elle avait jalousement veillé sur moi, et je craignais qu'elle ne sache plus se comporter autrement. Cela me rappela qu'il y avait un détail que je n'avais pas encore eu l'occasion de clarifier.

— Clancy, dis-je en me penchant en avant, le jour où nous sommes rentrées à pied du restaurant, avec ma mère et Megumi, quelque chose avait effrayé maman quand nous sommes arrivées en vue du Crossfire Building. Je voulais vous demander si c'était Nathan que vous aviez vu ce jour-là ?

— Oui, c'était lui.

— Il était déjà venu auparavant et Gideon l'avait frappé. Pourquoi est-il revenu ?

— Pour être vu, je pense, répondit-il en croisant mon regard dans le rétroviseur. Une fois qu'il s'est assuré qu'on savait qu'il était là, il a fait monter la pression. Il voulait probablement vous effrayer et c'est Mme Stanton qui a eu peur.

— Et personne ne m'a rien dit, observai-je calmement. Je n'en reviens pas.

— Il cherchait à vous effrayer. Nous n'avons pas voulu lui donner cette satisfaction.

Je n'avais pas envisagé les choses sous cet angle.

— Mon plus grand regret, poursuivit-il, c'est de ne pas avoir gardé un œil sur Cary. J'ai fait une erreur de calcul et il en a payé le prix.

Gideon non plus n'avait pas envisagé que Nathan puisse s'en prendre à Cary. Et Dieu savait que je me sentais moi aussi affreusement coupable. C'était notre amitié qui avait mis Cary en danger. J'étais touchée d'apprendre que Clancy se souciait de son sort. Je l'avais senti dans sa voix bourrue. Il ne mentait pas, je représentais autre chose à ses yeux qu'une partie de son travail. Clancy était un homme bon et dévoué. Je me demandai s'il lui restait beaucoup de temps à consacrer à sa vie privée.

— Vous avez une petite amie, Clancy ? risquai-je.

— Je suis marié.

Je me sentis bête de ne même pas savoir cela. À quoi pouvait ressembler la femme qui avait épousé un homme aussi sombre et dur ? Un homme qui portait une veste à longueur d'année afin de dissimuler l'arme qui ne le quittait jamais. Se montrait-il tendre avec elle ? Veillait-il férocement sur elle ? Tuerait-il pour elle ?

— Jusqu'où seriez-vous prêt à aller pour garantir sa sécurité ? lui demandai-je.

— La question serait plutôt : « Jusqu'où ne serais-je pas prêt à aller ? »

9

— Qu'est-ce que tu lui reprochais à celui-là ?
demanda Megumi à sa colocataire en regardant s'éloigner le type en question.

— Il avait des fossettes.

Je levai les yeux au ciel et lampai le fond de mon
verre – vodka-jus de canneberge. Le *Primal*, quatrième
étape de notre tournée des clubs, était bourré à craquer. Dehors, la file d'attente s'étirait jusqu'au coin
de la rue, et le rock puissant qui pulsait dans la salle
enténébrée ne faisait pas mentir le nom du club. Le
décor mêlait l'acier brossé et le bois sombre, et des
spots multicolores projetaient sur les murs des silhouettes d'animaux sauvages.

Cela aurait pu paraître un peu trop, mais comme
tout dès qu'il s'agissait de Gideon, on frisait l'excès
décadent sans jamais y tomber. On baignait plutôt
dans une atmosphère d'abandon hédoniste qui titillait
agréablement ma libido boostée à l'alcool. Je ne tenais
pas en place, mes pieds battant frénétiquement la
mesure sur le barreau de mon tabouret.

Lacey, la colocataire de Megumi, une belle blonde
dont j'admirais la coiffure savamment échevelée,

poussa un gémissement exaspéré, les yeux levés au ciel.

— S'il te plaît tant, pourquoi tu ne l'as pas dragué ?

— J'aurais dû, rétorqua Megumi, les joues en feu et les yeux brillants, très sexy dans une petite robe bustier en lamé doré. Si ça se trouve, il n'est pas rétif à l'engagement, *lui*.

— C'est quoi pour toi l'engagement ? demanda Shawna, qui sirotait une boisson du même rouge que ses cheveux. La monogamie ?

— On attache trop d'importance à la monogamie, déclara Lacey en se laissant glisser de son tabouret pour se trémousser sur place, les faux diamants de son jean scintillant dans la pénombre du club.

— Pas du tout, objecta Megumi. Il se trouve juste que je suis personnellement très attachée à la mono-gamie.

— Michael couche avec d'autres filles ? demandai-je en me penchant vers elle pour ne pas avoir à crier.

L'arrivée de la serveuse qui apportait une nouvelle tournée m'obligea à m'écarter. L'uniforme du club – bottes à talons aiguilles en cuir verni noir et mini-robe à bretelles rose shocking – la rendait facilement repérable. Il était aussi très sexy – de même que les employées du club qui le portaient. Gideon avait-il participé au choix de cette tenue ? Et, le cas échéant, qui l'avait conçue ?

— Je ne sais pas, me répondit Megumi d'un air triste avant d'aspirer à la paille une gorgée de son nou-veau verre. J'ai peur de le lui demander.

— On avale ça et on va danser, décrétai-je en sai-sissant un des quatre shots disposés au centre du gué-ridon ainsi qu'une rondelle de citron vert.

— Yeah ! approuva Shawna en descendant son shot de Patrón sans attendre avant de fourrer sa rondelle de citron vert dans la bouche. Allez ! Bougez-vous un peu, bande de limaces, ajouta-t-elle en jetant l'écorce de citron dans son verre vide.

Je l'imitai et frissonnai quand la tequila chassa le goût pétillant du jus de canneberge. Lacey et Megumi avalèrent leur shot en même temps, après s'être mutuellement adressé un *Kampai !* retentissant.

Nous nous ruâmes ensuite sur le dance-floor, Shawna ouvrant la marche, moulée dans une robe bleu électrique presque aussi phosphorescente sous la lumière noire que l'uniforme des serveuses. Nous fûmes happées par le flot ondulant des danseurs et nous retrouvâmes rapidement coincées entre des corps virils.

Je me lâchai complètement, m'abandonnant au rythme endiablé et à l'atmosphère envoûtante du club. Les bras levés, j'ondulai lascivement pour me libérer de la tension emmagasinée au cours de l'après-midi avec ma mère. Elle avait eu beau me promettre que les choses seraient différentes maintenant que Nathan n'était plus là, j'avais réalisé que je ne la croyais pas. Elle avait trop souvent franchi la limite.

— Tu es belle ! me hurla quelqu'un à l'oreille.

Je jetai un coup d'œil par-dessus mon épaule au beau brun qui se contorsionnait derrière moi.

— Merci !

C'était faux, évidemment. J'étais en sueur et mes cheveux me collaient aux tempes et au cou. Mais c'était le cadet de mes soucis. La musique était géniale et les chansons s'enchaînaient sans temps mort.

La sensualité du lieu et la quête d'un partenaire occasionnel que tout un chacun semblait mener sans fausse pudeur m'avaient contaminée. Coincée entre un couple – la fille derrière moi et son copain devant –, j'aperçus soudain un visage connu. Il avait déjà dû me voir car il tâchait de se frayer un chemin dans ma direction.

— Martin ! hurlai-je en m'extirpant du couple qui se ressouda aussitôt.

Je n'avais croisé le neveu de Stanton qu'au cours de vacances et ne l'avais revu qu'une seule fois – par hasard – depuis mon arrivée à New York, mais j'avais bon espoir de le voir plus régulièrement.

— Eva ! Salut, ma belle !

Il m'étreignit, puis me tint à bout de bras pour m'examiner de la tête aux pieds.

— Tu es splendide ! Comment vas-tu ?

— Allons boire un verre ! proposai-je, trop éméchée pour envisager d'avoir une conversation au milieu de ce vacarme.

Il m'attrapa la main et m'entraîna hors de la piste. Je lui indiquai ma table, et j'eus à peine le temps de grimper sur le tabouret qu'une serveuse posait un verre de vodka-canneberge devant moi.

Depuis le début de la soirée, j'avais en permanence un verre devant moi, mais j'avais remarqué que le mélange fonçait au fil des heures, signe que la quantité de vodka diminuait progressivement. Je me doutais qu'il ne s'agissait pas d'un hasard et admirai la façon dont Gideon faisait passer le message parmi son personnel de club en club. Tant qu'on ne m'empêchait pas de m'octroyer en plus des shots de tequila, je n'y voyais pas d'inconvénient.

— Alors, quoi de neuf ? demandai-je en avalant une gorgée pour me désaltérer avant de faire rouler le verre glacé contre mon front.

— Que du bon ! répondit-il avec un grand sourire. Et toi ? Toujours dans la pub ?

Il était très séduisant en T-shirt à col en V fauve et jean noir. Ses cheveux bruns, un peu plus courts que ceux de Gideon, retombaient en mèches folles sur son front, attirant l'attention sur ses yeux dont je savais qu'ils étaient verts, bien que l'éclairage du club ne permît pas d'en distinguer la couleur.

— J'adore mon boulot !

Mon enthousiasme le fit rire.

— Si tout le monde pouvait en dire autant.

— Je croyais que tu aimais travailler avec Stanton.

— C'est le cas. D'autant que ça paie bien. Mais je ne peux pas dire que j'adore mon boulot.

La serveuse lui apporta le scotch on the rocks qu'il avait commandé et nous entrechoquâmes nos verres.

— Tu es venu avec quelqu'un ? voulus-je savoir.

— Des amis – il jeta un regard autour de lui – qui ont disparu dans la nature. Et toi ?

— Pareil.

Je croisai le regard de Lacey sur la piste de danse et elle leva les pouces.

— Tu sors avec quelqu'un en ce moment, Martin ?

— Non, répondit-il, et son sourire s'élargit.

— Tu aimes les blondes ?

— Chercherais-tu à te caser, Eva ?

— Pas du tout.

Je haussai les sourcils à l'intention de Lacey, puis désignai Martin en inclinant la tête vers lui. D'abord interloquée, elle comprit le message et s'empressa de nous rejoindre.

Je fis les présentations et constatai, ravie, que le courant semblait passer entre eux. Martin était toujours drôle et charmant, et Lacey vive et séduisante à sa façon – plus charismatique que belle.

Megumi ne tarda guère à réapparaître et nous descendîmes une nouvelle tournée de tequila avant que Martin invite Lacey à danser.

— Tu as d'autres beaux gosses comme celui-ci dans ta manche ? demanda Megumi comme ils s'éloignaient.

Je regrettai soudain de ne pas avoir mon téléphone dans la poche.

— Tu es malheureuse, ma fille.

Elle me dévisagea pendant une bonne minute, puis lâcha :

— Je suis saoule.

— Aussi. Partante pour un autre shot ?

— Pourquoi pas ?

Nous terminions de les siffler quand Shawna nous rejoignit, accompagnée de Martin et de Lacey ainsi que des deux amis de Martin, Kurt et André. Kurt était sublime – cheveux blond sable, mâchoire carrée et sourire effronté –, quant à André, il était lui aussi très mignon avec son regard malicieux et des dreadlocks qui lui arrivaient à l'épaule. Il manifesta d'emblée beaucoup d'intérêt pour Megumi, qui retrouva le sourire.

Bientôt, notre petit groupe se gondolait de rire.

— Et quand Kurt est revenu des toilettes, conclut Martin qui venait de nous raconter une histoire hilarante, il a fait fuir tous les clients du resto !

André et Martin hurlèrent de rire, et Kurt leur lança des écorces de citron à la figure.

— Pourquoi donc ? demandai-je, un grand sourire aux lèvres bien que je n'aie pas saisi la chute.

— Parce qu'il avait oublié de ranger ses bijoux de famille ! s'exclama André. Tu aurais vu la tête des gens. Tout le monde l'a pris pour un exhibitionniste !

— La honte ! s'esclaffa Shawna qui faillit tomber de son tabouret.

Nous faisions un tel raffut que la serveuse vint nous demander, avec le sourire, de la mettre en sourdine. Avant qu'elle reparte, je l'attrapai par le coude.

— Est-ce que je peux téléphoner d'ici ?

— Demandez à un des barmans, me répondit-elle. Dites que Dennis vous a donné le feu vert et ils vous passeront la ligne.

Je la remerciai et descendis de mon tabouret. Je ne savais pas qui était ce Dennis, mais je m'étais laissé porter par les événements toute la soirée, sachant que Gideon avait veillé à tout régler dans les moindres détails.

— Quelqu'un veut de l'eau ? demandai-je à la cantonade.

Je me fis copieusement huer et fus la cible d'un tir nourri de serviettes en papier roulées en boule quand je me dirigeai vers le bar. Riant encore, je m'arrêtai au comptoir, commandai une San Pellegrino et demandai le téléphone. Je composai alors le numéro de portable de Gideon car c'était celui que je connaissais par cœur. Dans la mesure où j'appelais depuis un lieu public dont il était propriétaire, je ne nous faisais pas courir de grands risques.

— Cross, répondit-il sèchement.

— Salut, champion, roucoulai-je en me bouchant l'autre oreille. Je suis complètement paf et j'ai eu envie de t'appeler.

— J'entends ça, répondit-il, sa belle voix grave soudain plus chaleureuse. Tu t'amuses bien ?

— Oui, mais tu me manques. Tu as pensé à prendre tes vitamines ?

— L'alcool aurait-il boosté ta libido, mon ange ? demanda-t-il, et je devinai qu'il souriait.

— C'est ta faute. Ce club agit sur moi comme du Viagra. Je suis en nage, brûlante et dégoulinante de phéromones. J'ai été très vilaine, tu sais ? J'ai dansé comme si j'étais célibataire.

— Tu sais ce qui arrive aux vilaines filles, n'est-ce pas ?

— Elles se font punir. Je ferais peut-être bien d'être encore plus vilaine, alors. Histoire de vraiment mériter ma punition.

— Viens faire la vilaine avec moi à la maison, proposa-t-il.

L'imaginer m'attendant dans l'appartement décupla mon désir.

— Je suis coincée ici jusqu'à ce que les filles soient claquées, ce qui ne semble pas près d'arriver.

— Je peux te rejoindre. D'ici vingt minutes, tu aurais mon sexe en toi. Ça te tente ?

Je balayai le club du regard, le corps vibrant aux accords de la musique assourdissante. L'imaginer en train de me posséder dans ce lieu où tout semblait permis me tira un frisson d'anticipation.

— Oui, ça me tente énormément.

— Tu vois la mezzanine ?

Je me retournai et levai les yeux sur la coursive métallique qui courait le long des murs. Des danseurs s'y contorsionnaient lascivement, à six mètres au-dessus de la piste.

— Oui, je la vois.

— Il y a une partie avec un coin entièrement recouvert de miroirs. Je te retrouverai là. Tiens-toi prête, Eva, m'ordonna-t-il. Je te veux fesses nues et moite de désir.

Son ton autoritaire me tira un frisson car il signifiait que Gideon se montrerait brutal et impatient. *Exactement ce qu'il me fallait.*

— Je porte une...

— Mon ange, une foule d'un million de personnes ne suffirait pas à te dissimuler à mes yeux. Je te trouverai tout de suite. Je te trouve toujours.

— Dépêche-toi, soufflai-je, le corps en feu.

Je me penchai pour reposer le téléphone derrière le bar, attrapai ma bouteille d'eau minérale et la vidai. Puis je gagnai les toilettes où je dus faire la queue pendant une éternité avant de pouvoir enfin me préparer pour Gideon. Les effets conjugués de l'alcool et de l'excitation me faisaient tourner la tête. Le fait que mon amant – l'un des hommes les plus occupés de la planète – soit prêt à tout lâcher pour me rejoindre et... m'honorer me donnait la chair de poule.

Une des cabines se libéra enfin et je me débarrassai de mon string avant de gagner le lavabo pour me rafraîchir le visage. Dans le miroir, je découvris que mon mascara avait coulé, que j'avais les joues rouges et les cheveux emmêlés.

Et que, étonnamment, loin d'être une catastrophe, cela ajoutait une touche de sensualité bienvenue à mon look. En bref, j'avais tout de la fille prête à s'envoyer en l'air.

En sortant, j'aperçus Lacey dans la file d'attente et m'arrêtai à son niveau.

— Ça va, tu t'éclates ?

— Oui, me répondit-elle, un sourire radieux aux lèvres. Je te remercie de m'avoir présenté ton cousin.

— De rien, dis-je, sans prendre la peine de préciser que Martin n'était pas mon cousin. Je peux te demander un truc à propos de Michael ?

— Je t'en prie.

— Megumi m'a dit que tu étais sortie avec lui avant de le lui présenter. Qu'est-ce qui ne t'a pas plu chez lui ?

— Aucune alchimie entre nous. Beau gosse. Bon job. Malheureusement, je n'avais pas envie de coucher avec lui.

— Largue-le, conseilla la fille qui se trouvait derrière Lacey.

— C'est ce que j'ai fait.

Je comprenais parfaitement qu'on ne veuille pas donner suite à une relation dénuée de passion, mais continuais à m'inquiéter pour Megumi. Je n'aimais pas la voir aussi abattue.

— Bon, je te laisse. Il est temps que j'aille me trémousser contre quelque superbe étalon, annonçai-je avec un clin d'œil.

— Ne perds pas une seconde !

Je me mis en quête de l'escalier permettant d'accéder à la mezzanine. Un videur chargé d'en limiter l'accès montait la garde, et je découvris, consternée, qu'une file d'attente s'était formée.

J'étais en train de me demander combien de temps j'allais devoir patienter quand le videur décroisa ses bras puissants pour presser les doigts contre son oreillette, se concentrant visiblement sur ce que lui disait son interlocuteur. Avec son teint bronzé, son crâne rasé, son torse massif et ses biceps impressionnants, il aurait pu être samoan ou maori. Il avait une tête de bébé, et parut carrément adorable quand son froncement de sourcils fut remplacé par un grand sourire.

Écartant la main de son oreillette, il me fit signe d'approcher.

— Eva ? s'enquit-il.

J'acquiesçai.

Il tendit la main derrière lui pour détacher le cordon de velours rouge qui barrait l'accès à l'escalier.

— Vous pouvez monter.

Des murmures de protestation parcoururent la file d'attente. Avec un sourire d'excuse, je me hâtai vers l'escalier et gravis les marches métalliques aussi rapidement que me le permettaient mes talons. En haut, une femme m'autorisa à passer et me fit signe de m'engager sur la gauche. Je repérai l'angle formé par les deux murs de miroirs dont Gideon m'avait parlé.

Je me frayai un chemin entre les corps qui s'agitaient le long de la coursive, les battements de mon cœur augmentant à chaque pas. Ici, la musique était un peu moins assourdissante et l'air moins moite. Les peaux luisaient de sueur, et bien que la coursive soit équipée d'une paroi de verre qui m'arrivait à l'épaule, le fait d'être suspendu au-dessus du vide créait une impression de danger. J'avais pratiquement atteint la section aux miroirs quand je sentis qu'on me saisissait à la taille. La seconde d'après, je me retrouvai plaquée contre un bassin ondulant.

Jetant un coup d'œil par-dessus mon épaule, je reconnus le type avec qui j'avais dansé un peu plus tôt – celui qui m'avait dit que j'étais belle. Je lui souris et commençai à danser avec lui, paupières fermées pour m'immerger dans la musique. Quand ses mains commencèrent à glisser plus bas, j'y plaquai les miennes et les immobilisai au niveau de mes hanches. Il s'esclaffa et fléchit les genoux pour que son corps s'emboîte mieux avec le mien.

Nous enchaînâmes trois chansons avant qu'un picotement m'avertisse de la présence de Gideon. Ce fut comme si un courant électrique me parcourait, intensifiant toutes mes sensations. D'un seul coup, la musique s'amplifia, la température s'éleva, la sensualité ambiante grimpa en flèche.

Je souris, rouvris les yeux et le regardai se diriger droit sur moi. À peine eus-je posé les yeux sur lui, en T-shirt et jean noirs, ses cheveux plaqués en arrière dégageant son beau visage, que j'en eus l'eau à la bouche. Personne n'aurait fait le rapprochement entre cet homme-là et Gideon Cross, le roi de la finance. Ainsi coiffé et vêtu, il paraissait plus jeune, plus dur... et plus sexy que tous les hommes réunis dans ce club. Je me passai la langue sur les lèvres, anticipant la suite. Je me laissai aller contre le type derrière moi et ondulai voluptueusement contre lui.

Les poings de Gideon se refermèrent, sa posture se fit agressive, prédatrice. Il ne ralentit pas l'allure tandis qu'il s'avançait vers moi, comme si son corps voulait entrer en collision avec le mien. Juste avant que cela se produise, je fis un pas en avant. Nos corps s'écrasèrent l'un contre l'autre ; je l'enlaçai, le forçai à baisser la tête et le gratifiai d'un baiser vorace.

Plaquant les mains sur mes fesses, il m'attira si fermement contre lui que mes talons quittèrent le sol. Il me rendit mon baiser avec une passion féroce qui me meurtrit les lèvres ; son désir était d'une violence presque palpable.

Le type avec qui j'avais dansé se rapprocha, enfouit les mains dans mes cheveux et m'embrassa dans le cou.

Gideon recula, son visage s'offrant comme un superbe masque de fureur.

— Dégage.

Je jetai un coup d'œil au type et haussai les épaules.

— Merci pour la danse.

— Quand tu veux, ma belle, répondit-il avant d'enlacer une grande blonde qui passait et de s'éloigner avec elle.

Gideon me poussa contre le miroir, et insinua la cuisse entre mes jambes.

— Mon ange, tu es une très vilaine fille.

Je chevauchai sa cuisse sans vergogne, excitée par le contact rugueux de son jean.

— Seulement avec toi.

Ses mains remontèrent sous ma jupe pour empoigner mes fesses nues et m'inciter à accélérer le mouvement. Ses dents me mordillèrent le lobe de l'oreille. Il respirait fort, sentait merveilleusement bon, et mon corps, habitué à associer son odeur au plaisir le plus torride, répondit spontanément.

Serrés l'un contre l'autre, nous dansions, nos corps se mouvant comme si aucun vêtement ne nous séparait. La musique pulsait autour de nous, à travers nous, et la façon de bouger de Gideon me fascinait. Nous avions déjà dansé ensemble, dans des réceptions, mais jamais ainsi. En se frottant l'un contre l'autre, mimant l'acte sexuel. J'en fus surprise, chavirée, et tombai encore plus amoureuse de lui.

Gideon, qui m'observait entre ses paupières mi-closes, s'appliquait à me séduire en donnant libre cours à l'expression physique de son désir. Je m'abandonnai, l'enveloppai de mes bras, le griffai pour l'inciter à se rapprocher davantage.

Il me pétrit les seins à travers le fin jersey de ma petite robe noire à fines bretelles, le soutien-gorge bandeau que je portais dessous ne l'empêchant nullement d'en pincer les pointes durcies.

Un gémissement m'échappa et je renversai la tête contre le miroir. Des dizaines de gens nous entouraient, mais je ne m'en souciais absolument pas. J'avais trop besoin de ses mains sur moi, de son corps contre le mien, de son souffle sur ma peau.

— Tu voudrais que je te prenne, dit-il d'une voix rauque. Là, devant tout le monde.

Cette idée me tira un frisson d'excitation.

— Pas toi ?

— Tu veux qu'ils me regardent plonger dans ta petite chatte. Tu veux que je montre à tout le monde que tu m'appartiens, que je te le fasse sentir, ajouta-t-il avant de planter les dents dans mon épaule.

— Je veux que tu montres à tout le monde que tu m'appartiens, répliquai-je en fourrant les mains dans les poches arrière de son jean pour sentir les muscles de ses fesses se contracter. Je veux que tout le monde le sache.

Gideon glissa le bras sous mes fesses pour me soulever tout en pressant sa main libre contre un panneau sur le mur près du miroir. J'entendis comme un *bip*, puis une porte s'ouvrit derrière moi et nous pénétrâmes dans un lieu presque totalement obscur. La porte secrète se referma derrière nous, étouffant la musique. Nous nous trouvions dans un bureau confortable qui offrait une vue à 180 degrés sur le club à travers deux miroirs sans tain.

Gideon me reposa sur le sol, me fit pivoter sur moi-même et me plaqua contre la paroi. Le club s'étendait devant moi, les danseurs de la coursive à quelques centimètres seulement. Il glissa les mains sous ma robe, l'une remonta jusqu'à mon sein dont il titilla la pointe, tandis que l'autre caressait ma fente.

J'étais prise au piège. Son grand corps recouvrait le mien, ses bras m'encerclaient et ses dents plantées dans mon épaule m'immobilisaient. Il me possédait.

— Si je vais trop loin, murmura-t-il, les lèvres dans mon cou, n'hésite pas à te servir de ton mot clef.

L'émotion me submergea et j'éprouvai une gratitude sans nom pour cet homme qui me faisait toujours – *toujours* – passer avant lui.

— Je t'ai provoqué. Je veux que tu me prennes sauvagement.

— Tu adores ça, ronronna-t-il à mon oreille en enfonçant deux doigts en moi. Tu es faite pour l'amour.

— Je suis faite pour toi, haletai-je, mon souffle embuant la vitre.

J'étais en feu, le désir débordait de moi, déferlait de ce puits d'amour en moi, et j'étais incapable de le contenir.

— L'as-tu oublié ce soir ? demanda-t-il, sa main abandonnant mon sexe le temps de déboutonner sa braguette. Quand d'autres hommes te touchaient et se

frottaient contre toi ? As-tu oublié que tu m'appartenais ?

— Jamais. Je ne l'oublie jamais.

Je fermai les yeux lorsque son sexe en érection, dur
et chaud, s'appuya contre mes fesses nues. Il brûlait
de désir, lui aussi. Brûlait de désir pour moi.

— Je t'ai appelé parce que j'avais envie de toi.

Ses lèvres tracèrent un chemin de baisers ardents
jusqu'à ma bouche.

— Alors prends-moi, mon ange, murmura-t-il, sa langue se promenant sur mes lèvres. Prends-moi en toi.

Je creusai les reins, passai la main entre mes jambes
et la refermai sur son sexe. Il plia légèrement les
genoux afin de se positionner à la bonne hauteur.

Je m'immobilisai et tournai la tête pour plaquer ma
joue contre la sienne. J'adorais partager cela avec lui…
ces instants d'intimité torrides et complices. Ondulant
doucement, je caressai mon clitoris avec l'extrémité
de son sexe, le fis coulisser le long de ma fente, le
lubrifiant de l'essence de mon désir.

Gideon s'était emparé de mes seins et les pétrissait
amoureusement.

— Laisse-toi aller contre moi, Eva. Écarte-toi de la
vitre.

La main plaquée contre le miroir sans tain, j'obéis
et renversai ma tête contre son épaule. Sa main recouvrit ma gorge, l'autre m'agrippa la hanche et il
m'empala d'une poussée vigoureuse. Il s'immobilisa en
lâchant un gémissement qui me fit frissonner.

De l'autre côté de la vitre, la fièvre montait. Je m'abandonnai au plaisir diaboliquement intense de ce simu-
lacre exhibitionniste, de ce fantasme illicite qui nous
excitait follement.

Incapable de supporter plus longtemps la pression
de son sexe, je commençai à ondoyer.

— Oh, mon Dieu, tu es tellement dur ! haletai-je.

— Je suis né pour te satisfaire, m'assura-t-il.

— Alors fais-le, articulai-je en plaquant les mains sur la vitre. Baise-moi, là, tout de suite.

Je ployai le buste en avant, offerte, l'incitant à s'enfoncer davantage en moi. Un sanglot m'échappa quand il m'empoigna les hanches pour positionner mon corps selon l'angle de pénétration idéal. Son sexe était si gros, il m'écartelait, me comblait divinement.

Mes muscles intimes se contractaient désespérément autour de lui. Il laissa échapper un grondement de plaisir et se retira à peine avant de revenir lentement en moi. Inlassablement. L'extrémité de son sexe massait un point sensible tout au fond de moi qu'il était le seul à avoir jamais atteint.

Mes doigts se crispaient, laissant des traces humides sur la vitre. Je gémis sourdement. Je percevais avec une acuité presque douloureuse la pulsation de la musique et de la foule des danseurs qui semblaient se trouver dans la même pièce que nous.

— C'est bien, mon ange, chuchota Gideon. Fais-moi entendre à quel point tu aimes ça.

Une caresse particulièrement habile de son sexe m'arracha un cri et mes jambes se mirent à trembler irrépressiblement.

Mon excitation avait atteint un tel degré que c'en était presque insoutenable, j'étais avide, je me sentais à la fois soumise et dominatrice. Je ne pouvais rien faire d'autre que recevoir ce que Gideon me donnait, son va-et-vient rythmique et les sons gutturaux de son désir. Le contact rugueux de son jean contre mes cuisses nues m'apprit qu'il s'était contenté d'ouvrir sa braguette pour libérer son sexe, signe d'une impatience qui ajoutait à mon excitation.

L'une de ses mains s'écarta de ma hanche, et un instant plus tard, je sentis son pouce humide de salive s'introduire entre mes fesses.

171

— Non, suppliai-je, craignant de perdre la tête.

Mais je ne pensai même pas à prononcer le mot clef – *Crossfire* – et m'ouvris spontanément à lui.

Il émit un son rauque lorsque son doigt m'investit. Déjà son autre main s'introduisait entre mes cuisses pour caresser mon clitoris.

— Tu es à moi, dit-il d'une voix sourde. Rien qu'à moi.

C'était trop. Trop bon, trop fort, trop intense. Je basculai dans la jouissance en criant et en tremblant de la tête aux pieds. Mes mains glissèrent en crissant sur la paroi vitrée. Alors Gideon commença à me pilonner : la pression de son pouce était un tourment délicieux, ses doigts habiles qui titillaient mon clitoris me rendaient folle. J'enchaînai deux orgasmes coup sur coup, mon sexe se crispant éperdument autour du sien.

Je le sentis enfler en moi tandis que le rythme de ses coups de reins s'intensifiait.

— Ne jouis pas ! haletai-je. Pas encore.

Aussitôt, il ralentit l'allure. Le souffle rauque, il demanda :

— Comment veux-tu que je te prenne ?

— Je veux te regarder, gémis-je, sentant poindre un nouvel orgasme. Je veux voir ton visage.

Sans un mot, il se retira et me retourna, me plaqua contre la vitre, me souleva et me pénétra, m'offrant ce que je réclamais – son regard voilé par le plaisir, et cet instant de vulnérabilité, juste avant la noyade.

— Tu aimes me voir perdre pied, devina-t-il.

— Oui.

Je fis glisser les bretelles de ma robe pour révéler mes seins, les saisis à pleines mains et en caressai les pointes. Dans mon dos, la vitre vibrait au rythme de la musique, et devant moi, Gideon vibrait tout autant, en équilibre au bord du gouffre.

Je pressai mes lèvres contre les siennes et absorbai ses halètements.

— Lâche tout, murmurai-je.

Me soutenant sans effort, il se retira lentement, son sexe dur coulissant délicieusement dans mon vagin, puis revint brutalement en moi.

— Oh, tu me prends à fond ! soufflai-je en me cambrant.

— *Eva.*

Il se mit alors en devoir de me besogner comme un possédé. Je tins bon, tremblante, les cuisses largement écartées pour accueillir le pilonnage impitoyable de son sexe rigide. Il n'était plus qu'instinct, un corps animé par le désir de s'accoupler. Les râles d'extase qui lui échappaient m'excitaient tellement que j'étais trempée si bien que mon corps ne lui opposait aucune résistance. Bien au contraire, il accueillait avec bonheur ses coups de boutoir.

Il était brutal, frénétique et sexy comme il n'était pas permis. La tête rejetée en arrière, il cria mon nom.

— Jouis pour moi, ordonnai-je, haletante, en me contractant spasmodiquement autour de son sexe.

Un sursaut violent le secoua, suivi d'un long frisson. Son visage se crispa comme en proie à une grande souffrance et son regard devint trouble tandis que l'orgasme se frayait un chemin en lui.

Il éjacula avec un rugissement animal, le jet de sa semence si puissant que je le sentis à l'intérieur de moi. Je déposai une pluie de baisers sur son visage, mes bras et mes jambes l'enserrant avec force.

Quand il se laissa aller contre moi, pantelant, il jouissait encore.

10

La première chose que je vis au réveil le dimanche fut un flacon de verre ambré orné d'une étiquette sur laquelle on pouvait lire, artistiquement calligraphié : *Remède contre la gueule de bois*. Un petit nœud de raphia ornait le col du flacon, scellé par un bouchon de liège. Le « remède » était efficace, comme j'avais pu le constater la dernière fois que Gideon m'en avait fait parvenir, mais sa vue me rappela la quantité d'alcool que j'avais ingurgitée la veille.

Je refermai les yeux, gémis et enfouis la tête dans l'oreiller pour me rendormir.

Le matelas remua et des lèvres tièdes me frôlèrent la colonne vertébrale.

— Bonjour, mon ange.

— Tu as l'air très content de toi, marmonnai-je.

— Content de toi, en fait.

— Traître.

— Je faisais allusion à tes suggestions de gestion de crise, mais évidemment, le sexe était fabuleux, comme toujours.

Sa main glissa sous le drap qui me recouvrait jusqu'à la taille et me caressa la fesse.

Je rouvris un œil ; il était adossé à la tête du lit, son ordinateur portable ouvert sur les genoux. Parfaitement dispos et détendu, seulement vêtu d'un pantalon de coton, il était, comme toujours, éminemment désirable. J'étais certaine de ne pas être aussi fraîche que lui. J'avais déposé mes copines avec la limousine et je l'avais rejoint chez lui. L'aube commençait à poindre quand j'en avais eu fini avec lui, et je m'étais endormie les cheveux encore humides d'une douche expéditive.

Je ne pus m'empêcher de ressentir du plaisir à le découvrir près de moi. Il avait dormi dans la chambre d'amis et il avait un bureau. Qu'il ait choisi de travailler dans le lit alors que je dormais encore en disait long.

Je commençai à tourner la tête vers la table de chevet pour regarder l'heure, puis me ravisai et baissai les yeux.

— Gideon...

La montre qu'on m'avait passée au poignet pendant mon sommeil était une merveille. D'inspiration Art déco, elle étincelait d'une myriade de minuscules diamants. Le bracelet était en satin ivoire et le cadran nacré estampillé *Patek Philippe* et *Tiffany & Co.*

— Elle est sublime !

— Il n'en existe que vingt-cinq exemplaires au monde, elle n'est donc pas aussi unique que toi, mais qu'est-ce qui serait en mesure de rivaliser avec toi dans ce domaine ?

Il me sourit.

— Je l'aime, soufflai-je en m'agenouillant. Je t'aime.

Il écarta son portable juste à temps pour me permettre de l'enfourcher et de le serrer dans mes bras.

— Merci.

J'étais touchée par sa prévenance. Il avait dû l'acheter quand j'étais chez ma mère ou tout de suite après mon départ avec les filles.

— Hmm. Tu m'expliqueras comment obtenir l'une de ces étreintes fesses nues tous les matins.

— Contente-toi d'être toi-même, champion, répondis-je en frottant ma joue contre la sienne. Je n'ai besoin de rien d'autre.

Je descendis du lit et gagnai la salle de bains, le flacon de remède à la main. J'en avalai le contenu, frissonnai, me brossai les dents et les cheveux, et me nettoyai le visage. Après avoir enfilé un peignoir, je regagnai la chambre. Gideon n'y était plus et son portable ouvert gisait au milieu du lit.

Je le débusquai dans son bureau. Les bras croisés, les jambes un peu écartés, il se tenait devant la fenêtre. La ville s'étendait devant lui. On ne dominait pas New York comme depuis son bureau du Crossfire ou son penthouse, mais on s'en sentait plus proche. Le lien avec la ville était plus intime.

— Je ne partage pas ton inquiétude, dit-il d'un ton sec dans le micro de son oreillette. Je suis conscient du risque... Tenons-nous-en là. Le sujet n'est pas ouvert au débat. Rédige l'accord comme convenu.

Reconnaissant le ton implacable qu'il adoptait dès qu'il parlait affaires, je décidai de poursuivre mon chemin. Je ne savais pas quels étaient au juste les ingrédients du « remède », mais je me doutais que des vitamines et une certaine dose d'alcool entraient dans sa composition, selon le principe qui exige de combattre le mal par le mal. La sensation de chaleur qui irradiait dans mon ventre me rendait vaguement léthargique. Je filai à la cuisine pour me préparer un café.

Ma tasse à la main, je gagnai le séjour. Je me laissai tomber sur le canapé et consultai mes messages sur mon téléphone. Je fronçai les sourcils en découvrant que j'avais raté trois appels de mon père, tous passés avant qu'il soit 8 heures en Californie. Ma mère m'avait laissé une bonne dizaine de messages, mais j'estimai que cela pouvait attendre jusqu'au lendemain. Il y avait aussi un texto de Cary, laconique et vociférant : *APPELLE-MOI !!!*

Je décidai d'appeler d'abord mon père, et me dépêchai d'avaler une gorgée de café avant qu'il décroche.

— Eva !

L'angoisse que je perçus dans sa voix m'avertit d'emblée que quelque chose n'allait pas. Je me redressai.

— Papa... Tout va bien ?

— Pourquoi ne m'as-tu rien dit à propos de Nathan Barker ? demanda-t-il d'une voix lourde de reproches.

Un grand froid m'envahit.

Il *savait*.

Ma main se mit à trembler si fort que je renversai une goutte de café brûlant sur ma cuisse. J'étais tellement affolée que je ne la sentis même pas.

— Papa, je...

— Je n'arrive pas à croire que tu ne m'aies rien dit. Ni Monica. Elle aurait dû m'en parler. J'avais le droit de savoir, ajouta-t-il avant de prendre une inspiration tremblante.

Le chagrin se déploya en moi, oppressant. Mon père – un homme dont le self-control rivalisait avec celui de Gideon – semblait au bord des larmes.

Le souffle erratique, je posai ma tasse sur la table basse.

Le dossier judiciaire de Nathan, qui était sous scellés parce que les faits concernaient des mineurs, avait été rouvert avec sa mort, autorisant quiconque en avait les moyens légaux d'accéder à l'horreur de mon passé. En tant que flic, mon père disposait de ces moyens.

— Tu n'aurais rien pu faire, répondis-je, sous le choc, mais tâchant de faire face à la situation pour son bien. Ni avant ni après.

177

La sonnerie de mon téléphone m'avertit d'un appel. Je l'ignorai.

— J'aurais pu être là pour toi. J'aurais pu veiller sur toi.

— Tu l'as fait, papa. Tu m'as permis de rencontrer le Dr Travis et ça a changé ma vie. Tu n'imagines pas à quel point ça m'a aidée.

— Je me serais opposé à ta mère, insista-t-il d'une voix enrouée. J'aurais obtenu ta garde.

— Papa, tu ne peux rien reprocher à maman ! m'exclamai-je, l'estomac noué. Elle a ignoré pendant longtemps ce qui se passait. Et dès qu'elle a été au courant, elle a tout fait pour...

— Elle ne m'a rien dit ! tonna mon père, m'arrachant un sursaut. C'était la première des choses à faire ! Et comment a-t-elle pu ne rien voir ? Il y a forcément eu des signes révélateurs, des indices... Comment a-t-elle pu passer à côté ? Bon sang, même moi, je les ai vus quand tu es venue en Californie des années après !

Je sanglotai :

— Je l'ai suppliée de ne pas t'en parler. Je le lui ai fait promettre.

— La décision ne t'appartenait pas, Eva. Tu n'étais qu'une enfant. L'adulte responsable, c'était elle.

— Je te demande pardon, criai-je à travers mes larmes.

La sonnerie insistante du signal d'appel précipita mon débit.

— Pardon, papa, c'est juste que je ne voulais pas que Nathan s'en prenne aux autres personnes que j'aimais.

— Je viens te voir, décréta-t-il, soudain très calme. Je prends le premier vol. Je t'appelle à mon arrivée.

— Papa...

— Je t'aime, ma chérie. Tu es toute ma vie.

Il raccrocha. Bouleversée, je demeurai pétrifiée. Apprendre ce qui m'était arrivé allait ronger mon père, je le savais, mais je ne savais pas comment combattre ces ténèbres.

Mon téléphone se mit à vibrer dans ma main et je regardai le nom de ma mère s'afficher sur l'écran, incapable de réagir.

Je me levai, chancelante, et lâchai mon téléphone sur la table comme s'il me brûlait. Je ne pouvais pas lui parler. Je ne voulais parler à personne. Je ne voulais que Gideon.

Je remontai le couloir d'une démarche titubante, l'épaule frôlant le mur. La voix de Gideon me parvint alors que j'approchais de son bureau ; je pressai le pas, les larmes jaillissant de plus belle.

— Je te remercie d'avoir pensé à moi, mais c'est non, disait-il d'un ton ferme, différent de celui que je l'avais entendu employer un peu plus tôt – plus doux, plus intime. Évidemment que nous sommes amis. Tu sais pourquoi... Je ne peux pas te donner ce que tu veux de moi.

Quand j'atteignis le seuil de son bureau, je le découvris assis, tête basse, concentré sur la réponse de son interlocuteur.

— Arrête, dit-il d'un ton glacial. Tu sais très bien que ça ne marche pas avec moi, Corinne.

— Gideon, murmurai-je en me cramponnant à l'encadrement de la porte.

Il leva les yeux, se redressa abruptement et bondit sur ses pieds. Son expression agacée disparut instantanément.

— Il faut que j'y aille, annonça-t-il avant de détacher son oreillette et de la laisser tomber sur son bureau qu'il contourna pour me rejoindre. Que se passe-t-il ? Tu ne te sens pas bien ?

179

Il m'accueillit dans ses bras comme je me ruais vers lui. J'éprouvai un soulagement indicible lorsqu'il me serra contre lui.

— Mon père a découvert ce que Nathan m'avait fait, dis-je, le visage pressé contre son torse, la douleur de mon père vibrant encore en moi.

Gideon me souleva dans ses bras. Son téléphone sonna, lui tirant un juron étouffé. Il sortit de la pièce.

Dans le couloir, j'entendis mon portable vibrer sur la table basse du séjour. Le son irritant des deux appareils se déclenchant simultanément accrut mon anxiété.

— N'hésite pas à me dire s'il faut que tu prennes cet appel, murmura-t-il.

— C'est ma mère. Mon père a déjà dû l'appeler et il est très remonté contre elle. Mon Dieu, Gideon... il est anéanti.

— Je comprends ce qu'il ressent.

Il me porta jusqu'à la chambre d'amis dont il referma la porte d'un coup de pied. Quand il m'eut déposée sur le lit, il prit la télécommande sur la table de chevet et alluma le téléviseur, réglant le son de façon qu'il noie tous les bruits autres que mes sanglots. Il s'étendit ensuite près de moi, me prit dans ses bras et me caressa doucement le dos. Je pleurai jusqu'à ce que les yeux me brûlent et que je n'aie plus de larmes.

— Dis-moi ce qu'il faut que je fasse, murmura-t-il une fois que je fus calmée.

— Il va venir ici. À New York, dis-je, l'estomac noué à cette idée. Il va essayer de prendre l'avion aujourd'hui même, je pense.

— J'irai l'accueillir à l'aéroport avec toi.

— Tu ne peux pas.

— Si, je peux, répondit-il posément.

Je lui offris mes lèvres et soupirai quand il s'en empara.

— Il vaut mieux que j'y aille seule. Il est profondément blessé. Il n'aura pas envie que tu le voies dans cet état.

— D'accord. Tu prendras ma voiture.

— Laquelle ?

— La DB9 de ton nouveau voisin.

— Pardon ?

— Tu la reconnaîtras dès que tu la verras.

Je n'en doutai pas un instant. Il s'agirait d'un modèle racé, aussi rapide et dangereux que son propriétaire.

— J'ai peur, soufflai-je en me pressant plus étroitement contre lui.

Il était si fort, si solide, que j'aurais voulu me cramponner à lui et ne plus le lâcher.

— De quoi donc ? demanda-t-il en me caressant les cheveux.

— Ça ne va déjà pas très fort entre ma mère et moi. Si mes parents se mettent à déballer leurs griefs et leurs rancœurs, je n'ai pas envie de me retrouver coincée entre eux. Je sais que ça va être terrible – pour ma mère, surtout. Ils sont toujours fous l'un de l'autre, tu sais ?

— Non, je ne m'en étais pas rendu compte.

— Parce que tu ne les as jamais vus ensemble. Ça crève les yeux.

Nous étions séparés, Gideon et moi, quand j'avais pu constater de visu la fulgurance de la tension sexuelle entre mes parents.

— Et mon père m'a avoué qu'il était toujours amoureux d'elle, ajoutai-je. Ça me rend triste d'y penser.

— Parce qu'ils ne sont pas ensemble ?

— Oui. Mais pas parce que je voudrais qu'on forme une gentille petite famille, clarifiai-je. Ce qui m'attriste, c'est qu'on puisse vivre sa vie entière sans la personne qu'on aime. Quand je t'ai perdu...

— Tu ne m'as jamais perdu.

— Ç'a été comme si une partie de moi était morte. Traverser l'existence en ayant perpétuellement cette impression...

— Ce serait l'enfer sur terre.

Gideon m'effleura la joue du bout des doigts et je lus dans son regard que le spectre de Nathan le hantait toujours.

— Je me charge de ta mère, assura-t-il.

Je cillai.

— Comment t'y prendras-tu ?

Il eut un sourire en coin.

— Je l'appellerai pour lui demander de tes nouvelles, ce qui me permettra du même coup d'entamer le processus visant à faire savoir que j'ai l'intention de te reconquérir.

— Elle sait que je t'ai tout dit. Elle risque de s'effondrer.

— Mieux vaut qu'elle s'effondre devant moi que devant toi.

Cela suffit presque à me tirer un sourire.

— Merci.

— Je me débrouillerai pour la distraire et faire en sorte qu'elle pense à autre chose qu'à ton père, dit-il en me prenant la main pour effleurer l'anneau qu'il m'avait offert.

Il ferait retentir à ses oreilles les cloches du mariage. Gideon ne le dit pas, mais je compris le message. Un homme qui occupait la position de Gideon n'entreprenait pas la reconquête d'une femme par l'intermédiaire de sa mère – surtout une mère telle que Monica Stanton – si ses « intentions » n'étaient pas sérieuses.

Mais c'était là un sujet auquel nous nous attaquerions un autre jour.

Durant l'heure qui suivit, Gideon fit mine de ne pas me surveiller, mais il ne cessa pas de me suivre d'une pièce à l'autre sous toutes sortes de prétextes. Quand il entendit mon estomac gargouiller, il m'entraîna d'office dans la cuisine où il confectionna une assiette de sandwichs accompagnée de chips et d'une salade de pâtes.

Nous mangeâmes autour de l'îlot central de la cuisine et je puisai du réconfort à le découvrir si attentif. Si rude que soit la période que nous traversions, il me montrait que je pouvais compter sur lui. Et les problèmes que nous affrontions me semblaient soudain surmontables.

Tant que nous serions ensemble, aucun obstacle ne pourrait nous arrêter.

— Que voulait Corinne ? demandai-je. En dehors de toi, bien sûr.

Ses traits se durcirent.

— Je n'ai pas envie de parler d'elle.

Il y avait dans sa voix une tension qui m'alarma.

— Tout va bien ?

— Qu'est-ce que je viens de dire ?

— Quelque chose de lamentable que j'ai choisi d'ignorer.

Il eut un soupir exaspéré, mais céda.

— Elle ne va pas bien.

— Pas bien au point de hurler ou au point de pleurer ?

— Qu'est-ce que ça change ?

— Tout. En vouloir à un mec au point d'être folle de rage et en vouloir à un mec au point de faire une dépression, ce n'est pas la même chose. Exemple : Deanna est furieuse après toi et complote pour te détruire ; moi, j'étais à ramasser à la petite cuillère et c'est tout juste si j'arrivais à me lever le matin.

183

— Eva, je suis désolé, dit-il en posant sa main sur la mienne.

— Laisse tomber les excuses, Gideon. Tu te rattraperas amplement en t'occupant de ma mère. Donc : Corinne est-elle furieuse ou dépressive ?

— Elle était en larmes, avoua-t-il avec une grimace. Bon sang, elle avait perdu toute dignité.

— Je suis désolée que tu aies à affronter ça. Mais fais attention à ne pas la laisser te culpabiliser.

— Je l'ai utilisée, énonça-t-il posément. Pour te protéger.

Je reposai mon sandwich et le dévisageai, les sourcils froncés.

— Tu lui as dit que tu n'avais rien de plus à lui offrir que ton amitié ou pas ?

— Tu sais que je lui ai dit. Mais j'ai aussi délibérément entretenu l'illusion que ça pourrait déboucher sur autre chose, histoire d'enfumer la police et les médias. Je lui ai adressé des signaux contradictoires. C'est de cela que je me sens coupable.

— Eh bien, arrête. Cette salope a essayé de me faire croire que tu avais couché avec elle à deux reprises ! m'exclamai-je en agitant l'index et le majeur. La première fois, ça m'a fait tellement mal que je ne m'en suis pas encore complètement remise. Et puis, elle est mariée, bordel ! Elle n'a pas à s'intéresser à mon homme alors qu'elle a le sien !

— Tu peux revenir à la partie où elle t'a fait croire que j'avais couché avec elle. De quoi parles-tu ?

Je lui racontai les deux incidents – ce que j'avais pris pour le rouge à lèvres de Corinne sur sa chemise au Crossfire Building, et ma visite impromptue chez elle, lorsqu'elle avait fait mine d'être interrompue au beau milieu d'une partie de jambes en l'air avec lui.

— Ah, mais ça change considérablement les choses ! déclara-t-il. À partir de maintenant, je considère qu'elle et moi n'avons plus rien à nous dire.

— Merci.

— Un jour, dit-il en écartant tendrement une mèche de cheveux de mon front, tout ça sera derrière nous, mon ange.

— Tu n'as pas peur qu'on s'ennuie, ce jour-là ? marmonnai-je.

— Oh, je suis sûr qu'on trouvera des tas d'occupations intéressantes !

— De nature sexuelle, je parie. Mon Dieu, soupirai-je, j'ai créé un monstre !

— Pas forcément, rétorqua-t-il. Il y a aussi le travail – ensemble.

— Tu n'abandonnes jamais, hein ?

Il croqua une chips.

— Quand nous aurons fini de déjeuner, j'aimerais bien que tu t'occupes de la réorganisation des sites de Crossroads et de Cross Industries.

Je me tamponnai les lèvres avec ma serviette.

— Vraiment ? dis-je. C'est du rapide. Je suis impressionnée.

— Regarde d'abord le résultat avant de dire que tu es impressionnée.

Gideon me connaissait bien. Il m'avait mise au travail parce qu'il savait que cela me permettrait de m'évader. Après avoir installé son ordinateur portable sur la table basse du salon, il coupa la sonnerie de mon téléphone et passa dans son bureau pour appeler ma mère.

Une fois seule, je tâchai de me concentrer sur les sites qu'il m'avait demandé d'examiner en m'efforçant d'ignorer le lointain murmure de sa conversation télé-

185

phonique. Sans succès. Je sentais que je partais dans tous le sens. Finalement, je décidai d'appeler Cary.

— Putain, mais t'es où ? aboya-t-il en guise de salut.

— Je sais que c'était la folie, m'empressai-je d'affirmer, sachant que mon père et ma mère avaient forcément appelé à l'appartement parce que je ne répondais pas sur mon portable. Je suis désolée.

Des bruits de fond m'apprirent que Cary était dehors.

— Ça t'ennuierait de m'expliquer ce qui se passe ? Tout le monde m'appelle – tes parents, Stanton, Clancy. Ils te cherchent tous et tu as éteint ton portable. Je me demandais ce qui avait bien pu t'arriver, j'en étais malade !

— Mon père a découvert ce qui s'était passé avec Nathan, lâchai-je en fermant les yeux.

Un silence accueillit cette révélation. Seuls les bruits de circulation et les coups de klaxon m'indiquaient qu'il était toujours en ligne.

— Oh, merde ! Je suis désolé, baby girl, souffla-t-il finalement.

Sa compassion me serra tellement la gorge que je fus incapable de parler. Et je ne voulais plus pleurer.

Les bruits de fond s'apaisèrent, comme si Cary s'était réfugié dans un lieu calme.

— Comment va Victor ?

— Il est complètement retourné. C'était affreux, Cary, il était au bord des larmes. Et il en veut à mort à maman. Ce qui explique qu'elle n'arrête pas d'appeler, je suppose.

— Qu'est-ce qu'il compte faire ?

— Prendre le premier avion pour New York. Il doit me téléphoner à son arrivée.

— Tu veux dire qu'il a l'intention de prendre l'avion aujourd'hui ?

— Je pense, oui, répondis-je d'une voix pitoyable. Je ne sais pas comment il va se débrouiller pour obtenir un congé aussi rapidement.

— Bon, je préparerai la chambre d'amis en rentrant.

— Ne t'inquiète pas, je m'en occupe. Où es-tu ?

— Ciné-resto avec Tatiana. Je n'en pouvais plus d'être à l'appart' avec le téléphone qui sonnait sans arrêt.

— Je suis désolée de t'avoir fait subir ça, Cary.

— Pas grave, assura-t-il. J'étais plus inquiet qu'autre chose. Tu te fais rare, ces temps-ci. Je ne sais pas ce que tu fais et encore moins qui tu te fais, mais tu n'es plus la même.

Son intonation accusatrice accrut mes remords.

— Je suis désolée, répétai-je.

Il attendit – sans doute une explication –, puis marmonna :

— Je serai à la maison dans deux heures.

— D'accord. À tout à l'heure.

Je raccrochai et appelai mon beau-père.

— Eva !

— Bonjour, Richard. Mon père a appelé ma mère ? demandai-je d'emblée.

— Un instant.

Il y eut un silence, puis j'entendis une porte se fermer.

— Ton père a appelé, oui, confirma Stanton. Ç'a été assez… déplaisant pour ta mère. Ce week-end a été très éprouvant pour elle. Elle ne va pas bien du tout et je m'inquiète.

— C'est difficile pour tout le monde, répondis-je. Je voulais te prévenir que mon père doit arriver à New York et que je vais avoir besoin de passer du temps avec lui.

— Il faut que tu lui dises de se montrer un peu plus compréhensif avec ta mère. Elle a vécu des moments très difficiles. Elle s'est retrouvée seule, avec une enfant traumatisée.

— Il faut que tu comprennes que mon père va avoir besoin de temps pour considérer la situation avec un peu plus de détachement, répliquai-je.

Je n'avais pas eu l'intention de m'exprimer aussi sèchement, mais mon ton ne faisait que refléter mes sentiments. Il n'était pas question qu'on m'oblige à prendre parti pour l'un ou l'autre de mes parents.

— Et si tu pouvais dire à maman de ne pas nous appeler non-stop, Cary et moi, ce serait bien. Contacte le Dr Petersen, au besoin, suggérai-je, faisant allusion à notre thérapeute.

— Monica est au téléphone pour le moment, j'en discuterai avec elle quand elle aura terminé.

— Ne te contente pas d'en discuter, Stanton. Fais quelque chose. Cache les téléphones, s'il le faut.

— Ce serait une solution extrême. Et inutile.

— Utile si elle n'arrête pas ! répliquai-je en pianotant sur la table basse. Toi et moi, nous passons notre temps à la ménager – *Oh, non, ça risque de bouleverser Monica !* – parce qu'on préfère baisser les bras plutôt que de se coltiner ses crises de larmes. Elle exerce sur nous un véritable chantage affectif, Richard. Et, personnellement, j'estime avoir assez payé.

Il observa un instant de silence.

— Tu traverses une passe difficile, Eva. Et si...

— Tu crois ? l'interrompis-je posément.

Dans ma tête, je hurlais.

— Dis à maman que je l'aime et que je l'appellerai quand je pourrai. Ce qui signifie : pas aujourd'hui.

— Clancy et moi restons à ta disposition si tu as besoin de quoi que ce soit, déclara-t-il avec raideur.

— Merci, Richard. J'apprécie.

Je raccrochai et luttai contre une furieuse envie de lancer mon portable contre le mur.

J'avais réussi à me calmer suffisamment pour jeter un coup d'œil au site de Crossroads lorsque Gideon ressortit de son bureau. Il avait l'air lessivé et un peu hébété, ce qui n'avait rien d'étonnant. Faire entendre raison à ma mère quand elle était en crise était un défi et Gideon n'avait pas grande expérience en ce domaine.

— Je t'avais prévenu, lui dis-je.

Il leva les bras au-dessus de sa tête et s'étira.

— Ne t'inquiète pas pour elle, elle s'en remettra. Je la soupçonne d'être plus forte qu'elle veut bien le laisser paraître.

— Elle devait être ravie que tu l'appelles, non ?

Son petit sourire satisfait me fit lever les yeux au ciel.

— Elle pense que j'ai besoin d'un homme riche qui veillera à mes besoins et à ma sécurité, expliquai-je.

— Tu en as trouvé un.

— Je vais faire comme si tu avais dit ça d'une façon qui ne t'apparente pas complètement à un homme des cavernes, déclarai-je en me levant. Bon, il faut que j'aille préparer la chambre en prévision de la venue de mon père. Je passerai les soirées chez moi tant qu'il sera là, et ce ne serait pas très prudent de te faufiler chez moi en douce. S'il te prenait pour un cambrioleur, le résultat ne serait pas beau à voir.

— Ce serait également irrespectueux. Je profiterai de son séjour pour être vu au penthouse.

— Parfait, dis-je en consultant ma montre, que j'admirai une fois de plus. Au moins, j'aurai une jolie façon de compter les minutes jusqu'à nos retrouvailles.

Il s'approcha de moi et me prit par la nuque, son pouce dessinant des cercles délicieusement caressant sur mon cou.

— Je veux être sûr que tu vas bien.

Je hochai la tête.

— Je suis fatiguée que Nathan continue à régenter ma vie. Il me tarde de prendre un nouveau départ.

Dans un avenir idéal, ma mère ne passerait plus sa vie à m'épier, mon père aurait retrouvé ses marques, Cary serait heureux, Corinne vivrait de l'autre côté du globe et Gideon et moi serions délivrés du passé.

J'étais de nouveau prête à me battre pour faire de ce rêve une réalité.

11

Lorsque mon réveil sonna, le lundi matin, je n'avais toujours pas eu de nouvelles de mon père et décidai de me préparer pour le boulot. J'étais occupée à choisir ma tenue dans mon dressing quand on frappa à la porte de ma chambre.

— Entrez !

— Où es-tu ? cria Cary un instant plus tard.

— Ici !

Une seconde plus tard, sa haute silhouette s'encadrait sur le seuil du dressing.

— Tu as eu des nouvelles de ton père ?

— Pas encore, répondis-je en lui jetant un coup d'œil. Je lui ai envoyé un texto, mais il ne m'a pas répondu.

— Il est sûrement encore dans l'avion.

— Ou il a loupé une correspondance, dis-je en contemplant ma garde-robe d'un air chagrin.

— Laisse-moi faire, proposa Cary en me rejoignant.

Il sélectionna un ample pantalon de lin gris et un chemisier en dentelle noire à manches courtes.

— Merci, dis-je, profitant de ce qu'il était tout près pour le serrer dans mes bras.

Il m'étreignit si fort que mes poumons se vidèrent. Surprise, je le gardai un long moment contre moi. Pour la première fois depuis son agression, il portait un jean et un T-shirt, et, comme d'habitude, il avait une allure folle.

— Tout va bien ? lui demandai-je.

— Tu me manques, baby girl, murmura-t-il dans mes cheveux.

— Je ne voudrais pas que tu te lasses de moi, rétorquai-je, faisant mine de plaisanter.

Son ton manquait de cette vivacité qui le caractérisait, et cela m'inquiéta.

— Je vais aller au boulot en taxi, ce qui me laisse un peu de temps. On prend un café ? proposai-je.

Il s'écarta et me sourit, l'air plus juvénile que jamais.

— Volontiers.

Il m'attrapa la main et me tira à sa suite jusqu'à la cuisine. Je déposai mes vêtements sur le dossier d'une chaise.

— Tu dois travailler ? lui demandai-je.

— J'ai un shooting, aujourd'hui.

— C'est une excellente nouvelle ! m'exclamai-je en me dirigeant vers la cafetière pendant qu'il sortait la crème du frigo. Ce serait l'occasion de piocher dans le carton de Cristal Roederer, non ?

— Pas question, répliqua-t-il. Ton père sera sûrement ici ce soir et avec ce qui se passe en ce moment…

— Qu'est-ce qu'on va faire alors ? Rester assis à se regarder dans le blanc des yeux ? Il ne peut plus rien se passer. Nathan est mort, et même s'il ne l'était pas, ce qu'il m'a fait est terminé depuis longtemps.

Je lui tendis une tasse fumante et en remplis une autre.

— Je suis prête à enterrer son souvenir et à l'oublier à tout jamais, ajoutai-je.

— C'est terminé pour toi, observa-t-il en versant de la crème dans la tasse avant de la faire glisser vers moi, mais pour ton père, c'est tout frais. Il voudra en discuter.

— Il est absolument hors de question que je parle de ça avec mon père. Je ne veux plus jamais en parler de ma vie.

— Il ne l'entendra peut-être pas de cette oreille.

Je me retournai pour lui faire face, ma tasse serrée entre les mains.

— L'essentiel, c'est qu'il constate que je m'en sors. Ce n'est pas de lui qu'il s'agit, mais de moi. Et je survis, non ? Plutôt bien, même.

Cary remua son café, l'air songeur.

— C'est vrai, admit-il après un silence. Tu comptes lui parler de ton mystérieux amant ?

— Il n'a rien de mystérieux, c'est juste que je ne peux pas parler de lui. Et ça n'a rien à voir avec notre amitié. Je t'aime et je te fais confiance comme toujours.

Il m'adressa un regard de défi par-dessus le rebord de sa tasse.

— On ne dirait pas, pourtant.

— Tu es mon meilleur ami. Quand je serai vieille et ridée, tu seras toujours mon meilleur ami. Le fait de ne pas te parler du type avec qui je couche en ce moment n'y change rien.

— Comment veux-tu que je n'aie pas l'impression que tu ne me fais plus confiance ? Qu'est-ce qui t'empêche de me dire ne serait-ce que son nom ?

Je soupirai et lui répondis un demi-mensonge.

— Je ne connais pas son nom.

Cary se figea et me dévisagea.

— Tu te fous de ma gueule.

— Je ne le lui ai jamais demandé.

Une réponse aussi évasive ne pouvait manquer d'éveiller la suspicion.

— Et je suis censé ne pas m'inquiéter ?

— Oui – du moment que ça me convient. Ça nous convient à tous les deux et il tient à moi.

Cary me scruta longuement.

— Et tu l'appelles comment quand tu jouis ? Tu dois bien crier quelque chose s'il est un minimum doué. Et je suppose qu'il l'est puisque vous ne passez apparemment pas votre temps à bavarder pour vous connaître mieux.

— Euh... hésitai-je, coincée. Je crois que je dis juste : *Oh, mon Dieu !*

Il éclata de rire.

— Et toi ? Tu peux m'expliquer comment tu fais pour vivre deux histoires en même temps ? répliquai-je, agacée.

— Ça me convient, répondit-il.

Il fourra sa main libre dans la poche de son jean et se balança sur les talons.

— Je crois qu'à eux deux Tatiana et Trey forment ce qui, pour moi, se rapproche le plus de la monogamie. Jusqu'ici ça fonctionne.

Leur arrangement me sidérait.

— Et tu n'as pas peur de te tromper de nom quand tu jouis ?

Ses yeux verts étincelèrent.

— Non, parce que je les appelle tous les deux *baby* !

— Cary, soupirai-je en secouant la tête.

Il était décidément incorrigible.

— Et tu as l'intention de présenter Tatiana à Trey ?

— Je ne pense pas que ce soit une bonne idée, répondit-il avec un haussement d'épaules.

— Tatiana est une peste dans ses bons jours alors que Trey est un gentil garçon. Que ces deux-là trouvent un terrain d'entente me paraît fort improbable.

Tu m'as dit un jour que tu n'aimais pas Tatiana plus que ça, enchaînai-je. C'est toujours vrai ?

— Elle est comme elle est, répondit-il évasivement. Je m'en accommode.

Je le fixai sans mot dire.

— Elle a besoin de moi, Eva, reprit-il d'un ton calme. Trey me désire, et je crois qu'il m'aime, mais il n'a pas besoin de moi.

Cela, je pouvais le comprendre. C'est parfois agréable de se sentir utile.

— Pigé.

— Pourquoi faudrait-il absolument attendre d'une seule personne qu'elle nous donne tout ce dont on a besoin ? Ça ne prend pas avec moi, ricana-t-il. Et regarde-toi avec ton mec sans nom.

— Les situations à plus de deux fonctionnent peut-être pour des gens qui ne sont pas jaloux. Avec moi, ce serait impossible.

— Bien vu, déclara-t-il en entrechoquant sa tasse contre la mienne.

— Bon, alors ce soir, champagne et... ?

— Hmm... Tapas ?

— Tu veux qu'on emmène mon père dîner dehors ? m'étonnai-je.

— Tu trouves que ce n'est pas une bonne idée ?

— C'est une super idée – si on arrive à le convaincre. Tu gères, Cary, ajoutai-je en lui souriant.

Il m'adressa un clin d'œil et je me sentis un peu mieux.

Tout dans mon existence semblait sens dessus dessous, et particulièrement mes relations avec les personnes que j'aimais le plus. C'était très difficile à vivre parce que je comptais sur elles pour garantir mon équilibre. Mais peut-être sortirais-je un peu plus forte de cette épreuve, une fois que tout serait revenu dans l'ordre. Plus indépendante sur le plan affectif.

Si c'était le cas, tous les tourments et la souffrance que j'endurais serviraient à quelque chose.

— Tu veux que je te coiffe ? s'enquit Cary.

— Je veux bien, oui.

Dès mon arrivée à l'agence, je constatai que le moral de Megumi était au plus bas. Elle agita mollement la main en guise de salut et se laissa lourdement retomber sur sa chaise.

— Il est impératif que tu aies une explication avec Michael, décrétai-je. Tu dépéris à vue d'œil.

— Je sais, soupira-t-elle. La prochaine fois que je le vois, je lui dis que c'est fini. Je n'ai pas eu de nouvelles depuis vendredi et je deviens folle à force de me demander si c'est parce qu'il a rencontré quelqu'un à l'enterrement de la vie de garçon de son copain.

— Mauvais ça, très mauvais.

— Je sais. C'est franchement malsain de passer son temps à se demander si ton mec couche avec quelqu'un d'autre.

Voilà qui me rappelait la conversation que je venais d'avoir avec Cary.

— Si tu as besoin d'une copine et d'un pot de crème glacée, *Ben and Jerry's* et moi, on est à ta disposition. N'hésite pas à nous appeler, au cas où.

— C'est ça, ton secret ? demanda-t-elle avec un petit rire triste. Tu as choisi quel parfum pour oublier Gideon Cross ?

— Je ne l'ai pas oublié, confessai-je.

— Je m'en doutais. Mais tu t'es éclatée samedi, non ? Soit dit en passant, Cross n'est qu'un imbécile. Un jour, il s'en rendra compte et il reviendra en rampant.

— Il a appelé ma mère, ce week-end, lui confiai-je à voix basse. Il voulait savoir comment j'allais.

— Qu'est-ce qu'il lui a dit ?

— Je ne connais pas les détails.

— Tu serais prête à te remettre avec lui ?

— Je ne sais pas, répondis-je en haussant les épaules. Peut-être, s'il rampe comme il faut.

— Bien dit ! approuva Megumi en frappant sa paume contre la mienne. Au fait, je te trouve hyper bien coiffée.

Je la remerciai, puis me dirigeai vers mon box, me préparant mentalement à demander l'autorisation de m'absenter si mon père m'appelait de l'aéroport. À l'instant où je débouchai du couloir, Mark jaillit de son bureau, un grand sourire aux lèvres.

— Oh, mon Dieu ! m'exclamai-je en me figeant sur place. Tu as l'air aux anges. Laisse-moi deviner. Tu es fiancé ?

— Oui !

— Hourra ! m'exclamai-je en lâchant ma sacoche pour applaudir. Je suis tellement contente pour toi ! Félicitations, Mark.

— Viens dans mon bureau, dit-il en se penchant pour ramasser ma sacoche.

— Ça a été difficile ? demandai-je en m'asseyant tandis qu'il refermait la porte derrière nous.

— L'épreuve la plus difficile qu'il m'ait jamais été donné d'affronter, avoua-t-il en prenant place sur son fauteuil. Et Steven ne m'a pas facilité la tâche, crois-moi. Il m'a laissé mariner dans mon jus avec délectation, l'affreux ! Il m'a confié après coup qu'il a tout de suite capté que j'allais lui faire ma demande tellement j'avais l'air de flipper.

— Il te connaît bien.

— Il a laissé passer une minute ou deux avant de me donner sa réponse. J'ai eu l'impression que ça durait des heures.

— J'imagine. Tous ses discours anti-mariage n'étaient donc qu'un écran de fumée ?

— Oui, acquiesça Mark. Il avait été très vexé par mon refus et il a voulu prendre sa petite revanche. Il m'a assuré qu'il avait toujours su que je changerais d'avis et qu'il avait décidé de m'en faire un peu baver, le jour où ça arriverait.

Cela ne m'étonnait pas du tout de Steven qui était du genre taquin.

— Quel décor as-tu choisi pour lui faire ta demande ?

— Je ne me voyais pas la faire dans un lieu trop évident, répondit-il en riant. Pas dans le resto éclairé à la chandelle où nous avons dîné ni dans la pénombre du bar où nous avons bu un verre après le spectacle. Non, j'ai attendu que la limousine nous dépose devant chez nous à la fin de la soirée et qu'on se retrouve sur le perron de l'immeuble pour comprendre que j'allais laisser passer ma chance si j'attendais davantage. Alors je me suis jeté à l'eau, comme ça, en pleine rue !

— Je trouve ça très romantique.

— Je pense que c'est toi qui es romantique, répliqua-t-il.

— Non, je suis sincère. Débiter sa tirade en offrant des roses, c'est à la portée de n'importe qui. Mais montrer à quelqu'un qu'on ne peut pas vivre sans lui, ça, c'est de la romance.

— Tu as raison, comme toujours.

Je soufflai sur mes ongles et fis mine de les polir sur mon chemisier.

— Je laisserai à Steven le soin de te raconter tout par le menu pendant notre déjeuner de mercredi. Il l'a déjà fait avec tellement de gens que son numéro est parfaitement rodé.

— J'ai hâte de l'entendre. Je suis tellement heureuse pour vous deux.

Si Mark était tout excité, Steven, lui, devait faire des bonds de quinze mètres. Il était d'un tempérament aussi explosif que sa crinière rousse.

— Tu te doutes qu'il va te demander d'aider Shawna pour les préparatifs, reprit Mark en calant les coudes sur son bureau. Outre sa sœur, il recrute toutes les femmes que nous connaissons. La cérémonie et tout le reste s'annoncent plus que démentiels.

— Ça me va.

— On verra si tu dis la même chose le jour J, répliqua-t-il, le regard rieur. Bon, on se boit un petit café et on se met au boulot ?

Je me levai.

— Euh, ça m'ennuie de te demander ça, mais mon père doit venir d'urgence cette semaine. Je ne sais pas encore quand il arrivera. Ça pourrait être aujourd'hui. Il faudrait que je me libère pour aller le chercher à l'aéroport.

— Pas de problème, Eva, m'assura-t-il. Mais tu as parlé d'« urgence ». J'espère que tout va bien ?

— Ça ira mieux une fois qu'il sera là.

— En tout cas, n'hésite pas à prendre le temps qu'il te faut.

Tandis que j'allais déposer mes affaires dans mon bureau, je me dis une fois de plus que j'aimais mon job et que mon patron était décidément adorable. Je comprenais que Gideon ait envie de m'avoir près de lui et j'aimais l'idée de construire quelque chose ensemble, mais mon travail était source d'épanouissement personnel. Je ne voulais pas renoncer à cela, et je n'avais pas envie d'en vouloir à Gideon s'il continuait à m'y inciter. J'allais devoir trouver un argument imparable à lui opposer.

J'y réfléchis tout en me dirigeant vers la salle de repos avec Mark.

Bien que Megumi n'ait pas encore rompu avec Michael, je l'emmenai déjeuner dans une trattoria qui servait des *wraps* à tomber et proposait une très honnête sélection de glace *Ben and Jerry's*. Mon choix se porta sur *Chunky Monkey*, Megumi opta pour *Cherry Garcia*, et nous savourâmes l'une et l'autre cette pause gourmande et rafraîchissante. D'autant que nous étions tranquillement attablées dans le fond de la salle et que l'endroit était nettement moins bondé que les autres restaurants du quartier. Ce qui nous permettait de bavarder sans avoir à hausser la voix.

— Mark est sur un petit nuage, dit-elle en léchant sa cuillère.

Elle portait une petite robe vert citron qui offrait un saisissant contraste avec ses cheveux d'un noir d'encre et son teint pâle. Megumi avait vraiment le don de mélanger les couleurs vives et les styles audacieux – un talent que je lui enviais.

— Oui, acquiesçai-je. Son bonheur fait plaisir à voir.

— Un bonheur non coupable – contrairement à ces glaces.

— Qu'est-ce que ça peut bien faire, une petite dose de culpabilité, une fois de temps en temps ?

— Un gros cul ?

Je gémis.

— Merci de me rappeler que je ne suis pas allée au gymnase aujourd'hui. Et que je n'ai pas fait de sport depuis des jours.

À moins de compter les séances de sport en chambre...

— Comment arrives-tu à rester motivée ? Je sais que je devrais aller au gymnase, mais je trouve toujours un bon prétexte pour ne pas le faire.

— Et tu parviens quand même à avoir cette silhouette ? m'exclamai-je. Ça me dégoûte, ajoutai-je en secouant la tête.

— Où est-ce que tu t'entraînes ?

— J'alterne gymnase classique et salle de krav maga. Je suis des cours à Brooklyn.

— Et tu y vas avant ou après le boulot ?

— Après ! Je ne suis pas du tout du matin.

— Ça t'embêterait que je t'accompagne de temps en temps ? Pas au krav machin, mais au gymnase. Tu fréquentes quel club ?

J'avalai ma bouchée de glace pour lui répondre quand une sonnerie de portable retentit.

— Tu ne prends pas l'appel ? s'étonna Megumi.

Ce qui me fit réaliser que le portable en question m'appartenait.

Le portable prépayé que m'avait donné Gideon – c'était pour cela que je n'avais pas reconnu la sonnerie.

Je m'empressai de le sortir de mon sac.

— Allô ?

— Mon ange.

Sa voix de velours me fit l'effet d'une caresse.

— Coucou, toi. Quoi de neuf ?

— Mes avocats viennent de me prévenir que la police tient peut-être un suspect.

— Quoi ? Oh, mon Dieu...

Mon cœur cessa de battre. Mon estomac amorça un mouvement de révolte contre mon déjeuner.

— Il ne s'agit pas de moi, précisa-t-il.

Je ne me souviens pas du trajet de retour à l'agence. Quand Megumi me redemanda le nom de mon club de gym, elle fut obligée de répéter sa question. Jamais encore je n'avais ressenti une telle frayeur. Avoir peur pour quelqu'un qu'on aime est infiniment pire que d'avoir peur pour soi.

Comment la police pouvait-elle suspecter quelqu'un d'autre que Gideon ?

J'avais l'affreuse sensation qu'ils cherchaient à le déstabiliser. À me déstabiliser, moi.

Si c'était le but, il était atteint. En ce qui me concernait, du moins. Gideon m'avait paru calme et serein au cours de notre brève conversation. Il m'avait dit de ne pas m'inquiéter, qu'il voulait seulement m'avertir que la police risquait de m'interroger de nouveau. Ou pas.

Je regagnai mon bureau à pas lents, les nerfs à vif, aussi survoltée que si j'avais bu une pleine cafetière. Mes mains tremblaient et mon cœur battait beaucoup trop vite.

Je m'assis et m'efforçai de me remettre au travail. Sans succès. J'avais beau avoir les yeux rivés à l'écran de mon ordinateur, je ne voyais rien.

Que ferions-nous si la police avait vraiment un suspect autre que Gideon ? Nous ne pouvions pas laisser un innocent aller en prison.

Une petite voix me souffla cependant que, si quelqu'un était condamné à sa place, Gideon ne risquerait plus d'être poursuivi.

À peine se fut-elle frayé un chemin dans mon esprit que cette pensée me rendit malade. Mon regard se posa spontanément sur la photo de mon père. Il était en uniforme devant sa voiture de patrouille, plus séduisant qu'il n'était permis de l'être.

Je ne savais plus où j'en étais. Et j'avais peur.

Mon portable vibra sur mon bureau, m'arrachant un tressaillement. Le nom et le numéro de mon père s'affichèrent à l'écran et je m'empressai de répondre.

— Salut, papa ! Où es-tu ?

— À Cincinnati. Je change d'avion.

— Attends, donne-moi l'heure d'arrivée de ton vol et son numéro, dis-je en attrapant un stylo.

Je notai sous sa dictée.

— Je viendrai te chercher à l'aéroport. J'ai hâte de te revoir.

— Moi aussi, Eva... ma petite chérie, soupira-t-il. Allez, à tout à l'heure.

Il raccrocha et le silence qui suivit me parut assourdissant. J'avais senti dans sa voix à quel point la culpabilité le rongeait, et j'en éprouvai une peine sans nom.

J'allai trouver Mark dans son bureau.

— Mon père vient de m'appeler. Son avion atterrit à LaGuardia dans deux heures.

Il m'étudia avec attention, puis fronça les sourcils.

— Rentre chez toi, fais-toi belle et va le chercher, me dit-il.

— Merci, murmurai-je.

J'étais incapable d'en dire davantage, mais Mark parut comprendre que je n'avais pas envie de m'attarder pour bavarder.

Dans le taxi qui me ramenait chez moi, j'envoyai un message à Gideon depuis le portable prépayé.

Je repasse chez moi. Je pars chercher mon père dans une heure. Tu peux parler ?

J'avais besoin de savoir ce qu'il pensait... comment il se sentait. Moi, j'avais volé en éclats et je ne savais pas comment recoller les morceaux.

Une fois chez moi, j'enfilai une petite robe d'été et des sandales, puis répondis à un texto de Martin, m'accordant avec lui pour reconnaître qu'on avait passé une chouette soirée, samedi, et qu'il faudrait remettre ça. J'allai ensuite vérifier que les plats préférés de mon père se trouvaient bien là où je les avais rangés, puis passai inspecter la chambre d'amis, que j'avais préparée la veille. Je me connectai ensuite à Internet et m'assurai que le numéro de vol communiqué par mon père était exact et qu'aucun retard n'avait été signalé.

Une fois tout cela accompli, il me restait suffisamment de temps pour me ronger les sangs.

Je lançai une recherche Google *Corinne Giroux + mari* et cliquai sur l'onglet *images*.

Je découvris que Jean-François Giroux était un très bel homme. Sexy, même. Pas autant que Gideon, mais quel homme l'était ? Il formait une catégorie à lui tout seul. Nul doute cependant que Jean-François Giroux, avec ses cheveux bruns ondulés et ses yeux vert jade, était le genre d'homme sur lequel on se retournait. Il avait le teint hâlé, et le port du bouc lui allait vraiment bien. Corinne et lui formaient un couple éblouissant.

La sonnerie de mon portable *bis* retentit et je contournai précipitamment la table basse pour le sortir de mon sac.

— Allô ?

— Je suis à côté, m'annonça Gideon. Je n'ai pas beaucoup de temps.

— J'arrive.

Je raflai mon sac et quittai l'appartement. L'une de mes voisines déverrouillait sa porte et je lui adressai un sourire poli avant de faire semblant d'appeler l'ascenseur. Dès qu'elle eut refermé sa porte, je me précipitai vers celle de l'appartement de Gideon. Elle s'ouvrit avant que j'aie le temps d'introduire ma clef dans la serrure.

Gideon portait un jean, un T-shirt et une casquette de base-ball. Il m'attrapa la main, m'attira à l'intérieur et retira sa casquette avant de presser sa bouche sur la mienne. Son baiser me surprit par sa douceur, ses lèvres tièdes et fermes retrouvant les miennes avec un bonheur évident.

Je lâchai mon sac pour l'enlacer et me plaquer contre lui. La force qui émanait de lui apaisa suffisamment mon anxiété pour que je réussisse à prendre une longue inspiration.

— Salut, murmura-t-il.

— Ce n'était pas la peine de venir.

Je n'osais imaginer à quel point ce changement de tenue et cet aller-retour allaient perturber son emploi du temps.

— Si. Tu as besoin de moi.

Ses doigts remontèrent le long de mon dos, puis il s'écarta légèrement pour plonger son regard dans le mien.

— Ne t'inquiète pas, Eva. Je vais prendre les choses en main.

— Comment ?

Son regard bleu reflétait la plus parfaite assurance.

— Pour l'instant, j'attends d'en savoir davantage. Qui est le suspect qu'ils ont dans le collimateur ? Pourquoi leurs soupçons pèsent-ils sur lui ? Il y a de fortes chances pour qu'il soit innocenté, tu le sais aussi bien que moi.

— Imagine que ce ne soit pas le cas, objectai-je en le scrutant.

— Est-ce que tu me demandes si je laisserais un innocent payer à ma place, Eva ?

— Non, répondis-je en lissant du bout des doigts le pli qui était apparu entre ses sourcils. Je sais que tu ne ferais pas une chose pareille. Je voudrais juste savoir comment tu comptes empêcher qu'elle se produise.

Le pli se creusa entre ses sourcils.

— Là, tu me demandes de prédire l'avenir, Eva. Ce qui est impossible. Tu dois me faire confiance.

— Je te fais confiance, assurai-je avec ferveur. Ça ne m'empêche pas d'avoir peur et de redouter le pire.

— Je sais. Moi aussi, je suis inquiet. L'inspectrice Graves est une femme très intelligente.

C'était aussi l'impression que j'avais eue.

— Je ne peux qu'être d'accord. Cela me rassure qu'on la perçoive de la même façon.

Je ne connaissais pas vraiment Shelley Graves. Mais au cours des quelques échanges que nous avions eus, elle m'était apparue comme quelqu'un d'intelligent et de rusé. C'était assez étrange de me retrouver dans une situation où je la respectais et la redoutais en même temps.

— Tout est prêt pour l'arrivée de ton père ?

— Oui. Enfin, tout sauf moi.

Son regard s'adoucit.

— Tu as réfléchi à la façon dont tu allais l'accueillir ?

— Comme Cary a repris le travail aujourd'hui, on a décidé de fêter ça au champagne et d'aller dîner dehors.

— Tu crois qu'il sera d'humeur ?

— Je ne sais même pas si moi, je serai d'humeur, avouai-je. Ça paraît un peu tordu d'envisager de sabler le champagne et de dîner au restaurant vu les circonstances, mais qu'est-ce que je peux faire d'autre ? Si mon père a l'impression que je vais mal, il n'arrivera pas à surmonter cette épreuve. Je dois lui montrer que toute cette horreur fait partie d'un passé définitivement révolu.

— Et tu dois me laisser gérer le reste, me prévint-il. Je veillerai sur toi. Sur nous. Concentre-toi sur ta famille.

Je lui saisis la main et l'entraînai jusqu'au canapé. C'était troublant d'être ici si tôt dans l'après-midi. Voir la lumière couler à flots sur la ville à travers la baie vitrée me déstabilisait et renforçait l'impression que nous partagions un instant volé.

Je m'assis, repliai les jambes sous moi et le regardai s'asseoir près de moi. Nous étions si semblables par bien des côtés, y compris nos passés respectifs. Gideon devait-il lui aussi envisager d'affronter l'épreuve du déballage familial ? Était-ce la condition *sine qua non* pour guérir définitivement ?

— Je sais que tu dois retourner travailler, mais ça me fait plaisir que tu sois venu, avouai-je. Tu avais raison – j'avais besoin de te voir.

Il porta ma main à ses lèvres.

— Tu sais quand ton père compte retourner en Californie ?

— Non.

— Mon rendez-vous de demain avec Petersen nous aurait empêchés de nous voir de bonne heure de toute façon, déclara Gideon avec un sourire contrit. Mais on trouvera bien le moyen d'être ensemble.

L'avoir près de moi... le toucher... le voir sourire... entendre ces mots. Je pouvais tout supporter tant que je savais que je le retrouverais à la fin de la journée.

— Tu veux bien m'accorder cinq minutes ? demandai-je.

— Tout ce que tu veux, mon ange, répondit-il doucement.

— Seulement cela, soufflai-je en me blottissant contre lui.

Son bras m'enveloppa les épaules et nos mains se rejoignirent. Nous formions un cercle parfait. Pas aussi étincelant que les anneaux que nous avions échangés, mais tout aussi inestimable.

Au bout d'un moment, je le sentis se laisser aller contre moi.

— Moi aussi, j'avais besoin de cela.

Je resserrai mon étreinte.

— J'aime bien que tu aies besoin de moi, champion.

— J'aimerais avoir un peu moins besoin de toi. Disons juste assez pour que ce soit supportable.

— Où serait le plaisir ?

Son rire me rendit plus folle de lui que jamais.

Gideon avait dit vrai au sujet de la DB9. Quand l'employé du parking gara l'élégante Aston Martin gris métallisé devant moi, j'eus fugitivement l'impression de voir un Gideon sur roues.

L'idée de conduire un tel bolide me terrifia.

La conduite des New-Yorkais n'avait rien à voir avec celle des Californiens et j'hésitai avant d'accepter les clefs des mains de l'employé en nœud papillon.

La sonnerie de mon portable *bis* retentit et je me dépêchai de répondre.

— Vas-y, ronronna la voix de Gideon. Arrête de te poser des questions et mets-toi au volant.

Je me retournai et cherchai du regard les caméras de sécurité. Un frisson courut le long de ma colonne vertébrale. Je *sentais* le regard de Gideon sur moi.

— Qu'est-ce que tu fais ? demandai-je.

— Je regrette de ne pas être avec toi. J'adorerais te renverser sur le capot et te posséder lentement. Bien à fond. Soumettre ce pare-chocs à un vrai test de résistance. Hmm... Tu sais que je durcis rien qu'en disant cela ?

Je le savais si bien que j'en étais toute moite. J'aimais tellement sa voix, j'aurais pu l'écouter pendant des heures.

— J'ai peur de plier ta belle voiture.

— La voiture, je m'en fous. La seule chose qui compte à mes yeux, c'est ta sécurité. Écorche-la tant que tu veux, mais ne te blesse pas.

— Si c'était censé me rassurer, je dois te dire que ça ne marche pas.

— On peut se faire jouir par téléphone si tu préfères. Je suis sûr que ça marcherait.

Les employés du parking feignaient de ne pas s'occuper de moi, mais je n'étais pas dupe.

— Tu crois que je devrais m'interroger sur ce qui a pu t'exciter à ce point depuis qu'on s'est quittés ?

— La réponse est évidente : je t'ai imaginée au volant de la DB9.

— Rappelle-moi, dis-je en réprimant un sourire, lequel de nous deux fantasme sur les moyens de transport ?

— Mets-toi au volant, dit-il d'une voix caressante, et imagine que je suis assis sur le siège du passager. Que je glisse la main entre tes cuisses. Et que je fais coulisser mes doigts dans ta petite fente humide.

Les jambes flageolantes, je m'approchai de la voiture.

— Tu dois avoir des pulsions suicidaires, murmurai-je.

— Je sortirais ma queue et je la caresserais tout en m'occupant de toi, pour qu'on soit aussi excités l'un que l'autre.

— Ton manque de respect pour le revêtement cuir de cette voiture est effarant, déclarai-je.

Je m'assis sur le siège conducteur. Il me fallut une bonne minute pour trouver comment l'avancer.

La voix de Gideon s'éleva des enceintes de la voiture.

— Alors ? Ta première impression ?

Évidemment. Il avait synchronisé mon portable avec le Bluetooth de la voiture. Il pensait vraiment toujours à tout.

— Cher, répondis-je. Tu es fou de me laisser conduire ce truc.

— Je suis fou de toi, répliqua-t-il. L'aéroport de LaGuardia est programmé sur le GPS.

Notre bref interlude dans notre appartement *bis* avait allégé son humeur et cela me fit plaisir. Je savais exactement ce qu'il ressentait. C'était important pour moi qu'il puisse en dire autant de moi.

J'allumai le GPS et mis le contact.

— Tu sais quoi, champion ? J'aimerais te sucer pendant que tu conduis ce bijou. Poser un coussin sur la console centrale et te sucer pendant des kilomètres.

— Je saurai m'en souvenir. Alors, comment est-elle ?

— Souple. Puissante, répondis-je en adressant un salut de la main aux employés du garage. Hyper réactive.

— Comme toi, murmura-t-il. Évidemment, tu es mon moyen de transport préféré.

— Oh, trop mignon ! Et toi, tu es mon joystick préféré, ajoutai-je en m'insérant dans le flot de la circulation.

— Je préférerais être ton seul et unique joystick, riposta-t-il en riant.

— Je ne suis pas ton seul moyen de transport, fis-je remarquer.

Une bouffée d'amour m'envahit en cet instant, parce que je savais qu'il veillait sur moi et tenait à s'assurer que j'étais à mon aise. Quand je vivais en Californie, me déplacer en voiture me paraissait aussi naturel que de respirer, mais je n'avais pas pris le volant une seule fois depuis que j'étais à New York.

— Tu es le seul que j'apprécie dans le plus simple appareil, précisa-t-il.

— Heureusement pour toi parce que je suis très possessive.

— Je sais, répondit-il d'un ton empreint d'une satisfaction très masculine.

— Où es-tu ?

— Au travail.

— En train de faire mille choses à la fois, je parie, dis-je en accélérant pour changer de file. J'espère que le fait de distraire ta petite amie ne nuira pas trop à l'accroissement de ton empire.

— Pour toi, je serais prêt à empêcher la Terre de tourner.

Cette réplique extravagante eut le don de m'émouvoir.

— Je t'aime.

— Avoue que ça t'a plu que je dise un truc aussi nunuche.

Je souris, surprise et ravie par son sens de l'humour.

Je prêtais une attention extrême à mon environnement. Partout, des tas de panneaux d'interdiction réduisaient le champ des possibles. Conduire à Manhattan ressemblait à un aller simple pour nulle part.

— Eh ! Je ne peux tourner ni à droite ni à gauche. Je crois que je vais être obligée d'emprunter la voie express souterraine. Je risque de te perdre.

— Tu ne me perdras jamais, mon ange, promit-il. Je serai toujours avec toi, où que tu ailles.

Dès que j'aperçus mon père dans le hall de l'aéroport, toute la confiance que Gideon avait réussi à instiller en moi s'envola. Les yeux rougis de fatigue, pas rasé, il avait l'air épuisé et hagard.

Tandis que je m'avançais vers lui, je sentis des larmes me piquer les yeux. Je les chassai d'un battement de paupières et ouvris les bras. Mon père lâcha son sac de voyage et mes poumons se vidèrent d'un coup comme il me serrait dans ses bras.

— Bonjour, papa, dis-je en espérant que le léger tremblement de ma voix passerait inaperçu.

— Eva.

Il pressa les lèvres contre ma tempe.

— Tu as l'air fatigué. Quand as-tu dormi pour la dernière fois ?

— Pendant la première partie du voyage, entre San Diego et Cincinnati.

Me tenant à bout de bras, il scruta mon visage de ses yeux du même gris que les miens.

— Tu as d'autres bagages ?

Il secoua la tête sans cesser de me dévisager.

— Tu as faim ?

— J'ai cassé la croûte à Cincinnati, répondit-il, se décidant à ramasser son sac. Mais si toi, tu as faim...

— Non, ça va. On pourra peut-être dîner dehors avec Cary un peu plus tard, si ça te tente. Il a repris le travail aujourd'hui.

— Bien sûr.

Il restait planté là, son sac à la main, l'air un peu perdu et désorienté.

— Papa, je vais bien.

— Pas moi. J'ai envie de cogner sur quelque chose, mais je n'ai rien pour me défouler.

— Je crois que j'ai une idée, dis-je en lui prenant la main pour l'entraîner vers la sortie.

12

— Il oblige Derek à mouiller le maillot, commenta Parker en épongeant le voile de sueur qui emperlait son crâne rasé.

Je me retournai pour regarder mon père affronter Derek, l'un des moniteurs de krav maga qui faisait deux fois sa taille, mon père étant déjà lui-même plutôt grand. Répartis sur son mètre quatre-vingts, les cent kilos de muscles de Victor Reyes faisaient de lui un formidable adversaire. Quand je lui avais parlé de mon intérêt pour le krav maga, il m'avait dit avoir l'intention de s'y mettre aussi, et il avait visiblement tenu parole car il maîtrisait les mouvements de base.

— Je te remercie de l'avoir autorisé à participer au cours.

Parker posa sur moi ce regard sombre, dont la sérénité ne laissait pas de me surprendre. Il ne s'était pas contenté de m'apprendre à me défendre. Il m'avait aussi enseigné l'art de se concentrer sur chaque phase du combat de façon à neutraliser la peur.

— Normalement, j'aurais tendance à dire qu'un cours n'est pas le lieu indiqué pour se décharger de sa colère, mais Derek avait besoin d'un défi de ce genre.

Parker ne m'avait rien demandé, cependant je sentais planer entre nous la question qu'il avait eu la courtoisie de ne pas formuler. Il m'avait fait une faveur en autorisant mon père à monopoliser son moniteur, aussi décidai-je d'y répondre.

— Il vient d'apprendre que quelqu'un m'a fait du mal, il y a très longtemps. Il est trop tard pour qu'il puisse y faire quoi que ce soit et ça le fait enrager.

Parker se pencha pour attraper la bouteille d'eau posée près du tatami.

— J'ai une fille, dit-il simplement. J'imagine ce qu'il ressent.

Quand il me regarda avant de porter la bouteille à ses lèvres, je lus dans ses yeux qu'il comprenait, et je ne pus m'empêcher de me dire que j'avais amené mon père au bon endroit.

En plus d'être accommodant et d'avoir un sourire magnifique, Parker était l'une des personnes les plus authentiques que j'aie jamais rencontrées. On sentait toutefois qu'on n'avait pas intérêt à lui marcher sur les pieds. Son habitude de la rue et de ses dangers était aussi évident que ses tatouages tribaux.

— Du coup, conclut Parker, tu l'as amené ici pour qu'il se défoule et qu'il constate que tu sais te défendre dans la foulée. Bien vu.

— Je ne savais pas trop quoi faire d'autre, confessai-je.

La salle de Parker était située dans un quartier de Brooklyn en pleine rénovation. Aménagée dans un ancien entrepôt, elle avait un cachet industriel indéniablement branché avec sa façade de brique nue et ses immenses portes montées sur rails. Je m'y étais immédiatement sentie à l'aise.

— J'ai une idée, dit-il en désignant le tatami du menton. Qu'est-ce que tu dirais de lui faire une petite démo ?

— Allons-y, acquiesçai-je en hochant la tête.

Quand nous atteignîmes le parking en sous-sol de mon immeuble, je ne vis aucun employé en uniforme dans les parages. Je garai la DB9 sur un emplacement libre et coupai le moteur.

— Génial. Juste à côté de l'ascenseur.

— Je vois ça, dit mon père. C'est ta voiture ?

Je m'étais préparée à sa question.

— Non, c'est celle d'un voisin.

— Un voisin très généreux, observa-t-il, pince-sans-rire.

— Du sucre, son Aston Martin. C'est la même chose pour lui, déclarai-je avec un sourire.

Mon père avait l'air éreinté, et le krav maga n'y était pour rien. Sa fatigue venait de l'intérieur et ça me tuait.

Je débouclai ma ceinture de sécurité et me tournai vers lui.

— Papa. Je... ça me lamine de te voir dans cet état. Je ne le supporte pas.

Il poussa un long soupir.

— Laisse-moi un peu de temps.

— J'aurais préféré que tu ne découvres jamais rien, dis-je en lui prenant la main. Mais je serai heureuse que ce soit finalement arrivé si on parvient à clore définitivement le chapitre Nathan.

— J'ai lu les rapports...

— Je t'en prie, papa...

Je ravalai le flot de bile qui me remontait dans la gorge.

— Je ne veux pas que ces trucs te polluent la tête.

— Je savais que quelque chose n'allait pas, dit-il en posant sur moi un regard si douloureux que cela me fit mal. Cette façon que Cary a eu de venir s'asseoir près de toi quand l'inspectrice Graves a prononcé le nom de Nathan Barker... J'ai senti que tu me cachais quelque chose. Je n'ai cessé d'espérer que tu finirais par me parler.

— J'ai lutté pour que Nathan demeure dans mon passé. Tu étais l'un des rares éléments de ma vie qu'il n'avait pas infecté. Je voulais que les choses restent ainsi.

Je sentis sa main se crisper.

— Dis-moi la vérité. Est-ce que tu vas bien ?

— Papa, je suis toujours la fille que tu es venu voir il y a deux semaines. La même que celle qui est venue vivre avec toi à San Diego. Je vais très bien.

— Tu étais enceinte...

Sa voix se brisa et une larme roula sur sa joue. Je l'essuyai, ignorant les miennes.

— Et je le serai de nouveau un jour. Peut-être même plusieurs fois. Si ça se trouve, tu crouleras sous une montagne de petits-enfants.

— Viens par là, dit-il en écartant les bras.

Il me serra contre lui et nous restâmes ainsi un long moment, à pleurer dans les bras l'un de l'autre.

Gideon était-il devant les écrans de sécurité, m'envoyant son soutien silencieux ? Penser que c'était peut-être le cas me réconforta.

Le dîner au restaurant ne fut certes pas aussi tapageur que les sorties auxquelles Cary était habitué, mais il ne fut pas aussi sinistre que je l'avais craint. La nourriture était délicieuse, le vin encore meilleur, et Cary râlait à cause du boulot.

— Elle était encore plus capricieuse que Tatiana, déclara-t-il, évoquant le top model qui avait participé au shooting de l'après-midi. Elle n'arrêtait pas de parler de son « bon » profil, alors qu'elle n'était supportable à regarder que quand elle était de dos et qu'elle se dirigeait vers la porte.

— Tu as déjà posé avec Tatiana ? m'étonnai-je. C'est une fille avec qui il sort, ajoutai-je à l'intention de mon père.

— Oh, que oui ! répondit Cary. Des tas de fois. On m'appelle « le dompteur de Tatiana » dans le milieu. Quand elle fait sa crise, j'arrive et, hop ! elle se calme.

— Comment t'y pr... Non, oublie. Je ne tiens pas à le savoir, en fait !

— Tu le sais déjà, répliqua-t-il avec un clin d'œil.

Je regardai mon père et levai les yeux au ciel.

— Et toi, Victor ? demanda Cary. Tu vois quelqu'un ?

— Rien de sérieux, répondit mon père en haussant les épaules.

C'était un choix de sa part. J'avais bien vu la façon dont les femmes cherchaient à attirer son attention. Avec son corps d'athlète, son beau visage et sa sensualité de *Latin lover*, mon père était top canon. Il avait toujours eu l'embarras du choix et je savais que ça n'était pas un saint, pourtant il ne s'était jamais attaché à aucune femme. Et j'avais récemment réalisé que c'était parce qu'il était toujours amoureux de ma mère.

— Tu crois que tu auras d'autres enfants, un jour ? lui demanda Cary, à ma grande surprise.

Je m'étais depuis longtemps résignée à rester enfant unique.

Mon père secoua la tête.

— Je n'ai rien contre, mais Eva comble toutes mes attentes de ce côté-là, dit-il en posant sur moi un regard empreint d'un tel amour que j'en eus la gorge nouée. Elle est parfaite. Tout ce que j'aurais jamais pu souhaiter. Et je ne suis pas sûr qu'il y ait encore de la place dans mon cœur pour quelqu'un d'autre.

— Oh, papa ! murmurai-je en appuyant la tête sur son épaule, tellement heureuse de l'avoir près de moi, même si c'était pour la pire des raisons imaginables.

De retour à l'appartement, nous décidâmes de regarder un film avant d'aller nous coucher. J'allai me changer dans ma chambre et découvris, ravie, un somptueux bouquet de roses blanches sur ma commode. La carte qui l'accompagnait, rédigée de la main de Gideon, me donna le tournis.

Je pense à toi comme d'habitude.
Et je suis là.
À toi, G.

Je m'assis sur mon lit, la carte à la main, certaine qu'il pensait à moi à cet instant précis. Je commençais à me faire à l'idée qu'il avait aussi pensé à moi à chaque instant de notre séparation.

Ce soir-là, je m'endormis devant la télé. Je m'éveillai à demi lorsque mon père me souleva dans ses bras pour me porter dans ma chambre. Après qu'il m'eut bordée et embrassée sur le front, je lui adressai un sourire endormi.

— Je t'aime, papa.

— Moi aussi, je t'aime, ma chérie.

Le lendemain matin, je me réveillai avant que le réveil sonne. Je me sentais bien, ce qui ne m'était pas arrivé depuis longtemps. Je laissai un mot sur le comptoir du petit déjeuner dans lequel je disais à mon père de m'appeler s'il voulait qu'on déjeune ensemble. J'ignorais s'il avait prévu de faire quelque chose, mais je savais que Cary avait un autre shooting dans l'après-midi.

Dans le taxi qui m'emmenait au Crossfire, je répondis au texto délirant de joie que Shawna m'avait envoyé pour m'annoncer les fiançailles de son frère et Mark : *Très heureuse pour vous tous.*

Je te recrute d'autorité pour les préparatifs, répondit-elle aussitôt.

Son message me fit sourire.

Quoi ? Le signal ne doit pas passer. Je n'arrive pas à te lire...

Quand le taxi s'arrêta devant le Crossfire, la vue de la Bentley rangée le long du trottoir déclencha le pincement au cœur habituel. En passant devant, je jetai un coup d'œil à l'avant et fis un signe de la main à Angus.

Il descendit de voiture en coiffant sa casquette de chauffeur. Nul n'aurait soupçonné qu'il portait une arme, tant c'était naturel chez lui, tout comme chez Clancy.

— Bonjour, mademoiselle Tramell, me salua-t-il.

Ce n'était plus un jeune homme et ses cheveux roux grisonnaient déjà pas mal, mais je n'avais jamais douté de sa capacité à protéger Gideon.

— Bonjour, Angus. Je suis contente de vous voir.

— Vous êtes particulièrement en beauté, aujourd'hui.

Je baissai les yeux sur ma robe jaune pâle. Je l'avais choisie parce qu'elle était fraîche et gaie, et que c'était la vision que je voulais que mon père ait de moi.

— Merci, Angus. Passez une bonne journée, dis-je en me dirigeant à reculons vers la porte à tambour.

Il porta deux doigts à sa casquette en me gratifiant d'un regard affectueux.

Megumi avait repris du poil de la bête, me sembla-t-il lorsque je franchis la porte vitrée. Elle affichait un vrai sourire et ses yeux avaient retrouvé leur pétillement habituel.

Je m'arrêtai devant son comptoir.

— Comment vas-tu ? demandai-je.

— Bien. Michael doit me retrouver pour déjeuner et je compte en profiter pour lui annoncer poliment que c'est fini.

— Ta tenue est à tomber ! m'exclamai-je, admirant sa robe moulante vert émeraude, rehaussée de ganses de cuir de même couleur.

Elle se leva pour exhiber ses bottes.

— Très Kalinda Sharma[1], commentai-je. Il va ramper pour essayer de te retenir.

— Pfff ! Il peut toujours courir. Il ne m'a rappelée qu'hier soir, je suis donc restée pratiquement quatre jours sans nouvelles. Ce n'est pas la mort, mais je suis prête à me dégoter un mec qui sera dingue de moi. Qui pensera à moi autant que je penserai à lui et qui aura horreur de passer du temps loin de moi.

J'acquiesçai, songeant à Gideon.

— J'approuve. Veux-tu que je te passe un coup de fil qui te permette de filer avant la fin du déjeuner ?

— Non, sourit-elle. Mais c'est gentil de me le proposer.

— Comme tu veux. N'hésite pas à me le dire si tu changes d'avis.

Une fois dans mon bureau, je m'attelai au boulot sans attendre, déterminée que j'étais à compenser mon absence de la veille. Mark était tout feu tout flamme, lui aussi, et ne s'interrompit que le temps de m'informer que Steven avait tout un classeur rempli d'idées de mariage qu'il mettait de côté depuis des années.

---

1. Héroïne très séductrice de la série américaine *The Good Wife*. (*N.d.T.*)

— Pourquoi ne suis-je pas surprise ? dis-je.

— Cela ne devrait pas me surprendre non plus, fit Mark avec un sourire attendri. Il l'a gardé planqué à son bureau pendant toutes ces années histoire que je ne tombe pas dessus.

— Tu y as jeté un coup d'œil ?

— Il l'a feuilleté du début à la fin avec moi. Ça nous a pris des heures !

— Tu vas avoir le mariage du siècle, le taquinai-je.

— Ouais, laissa-t-il tomber d'un ton exaspéré sans se départir de son sourire pour autant.

Mon père m'appela un peu avant 11 heures.

— Bonjour, ma chérie, dit-il une fois que j'eus débité ma formule d'accueil. Comment se passe ta journée ?

— Très bien, répondis-je en m'adossant à mon siège, les yeux rivés sur la photo de lui qui se trouvait sur mon bureau. Tu as bien dormi ?

— Comme une souche. J'émerge à peine.

— Tu devrais te recoucher et traîner un peu.

— Je t'appelais pour remettre notre déjeuner à demain. Aujourd'hui, j'ai l'intention de parler à ta mère.

Je connaissais ce ton. C'était celui, autoritaire et désapprobateur, qu'il employait avec les automobilistes qu'il arrêtait pour excès de vitesse.

— Écoute, je vais vous laisser régler ça entre vous, déclarai-je. Vous êtes tous deux adultes, et je n'ai pas envie de prendre parti. Mais je tiens à préciser que maman voulait t'en parler.

— Elle aurait dû.

— Elle était seule, insistai-je en tapant du pied impatiemment. Elle affrontait un divorce et le procès de Nathan, et devait s'occuper de moi, qui n'allais pas bien. Elle devait rêver d'avoir une épaule sur laquelle s'appuyer – tu sais comment elle est. Mais elle était rongée par la culpabilité. J'aurais pu obtenir d'elle tout ce que je voulais à cette époque-là, et j'ai exigé d'elle qu'elle ne t'en parle pas.

Un silence accueillit cette déclaration.

— J'aimerais juste que tu gardes cela à l'esprit quand tu lui parleras, conclus-je.

— Entendu. Quand rentreras-tu ?

— Un peu après 17 heures. Tu veux faire un tour au gymnase ? Ou retourner à la salle de Parker ?

— Je verrai comment je me sens à ce moment-là.

— D'accord. N'hésite pas à m'appeler si tu as besoin de quoi que ce soit, ajoutai-je en m'efforçant d'ignorer l'angoisse qui me taraudait à la perspective de cette confrontation entre mes parents.

Je raccrochai et me replongeai dans le travail, qui m'apportait une distraction bienvenue.

À midi, je décidai de descendre m'acheter un plat à emporter pour le manger au bureau. Ayant séché plusieurs séances de gymnase depuis mes retrouvailles avec Gideon, j'optai sagement pour du bœuf séché et une eau minérale.

En franchissant la porte à tambour du Crossfire pour regagner l'agence, je songeais à envoyer un mot à Gideon pour le remercier de m'avoir offert ces fleurs, qui avaient adouci une journée difficile, lorsque mon regard tomba sur la femme que j'aurais voulu ne plus jamais voir – Corinne Giroux. Elle parlait à mon homme, les mains appuyées contre son torse en un geste intime.

Ils se tenaient sur le côté, près d'une colonne, à l'écart du flot d'employés qui franchissaient les portiques de sécurité dans les deux sens. Les cheveux de Corinne, qui lui descendaient jusqu'à la taille, formaient un rideau d'un noir si intense et brillant qu'ils se détachaient sur sa robe noire à la coupe très classique. Je ne voyais pas ses yeux, car elle était de profil, mais je savais qu'ils étaient d'un magnifique aigue-marine. C'était une belle femme et ils formaient un couple saisissant. Surtout ainsi vêtus de noir, la seule touche de couleur étant la cravate bleue de Gideon. Ma préférée.

Gideon tourna soudain la tête, comme s'il avait perçu ma présence. Dès que nos regards se croisèrent, cette impression de reconnaissance absolue et immédiate que je ne ressentais qu'avec lui me transperça. Tout au fond de moi, à un niveau élémentaire, je savais qu'il était à moi. Je l'avais su la première fois que je l'avais vu.

Or, une autre femme posait les mains sur lui.

Je haussai les sourcils pour lui exprimer ma surprise horrifiée. À cet instant, Corinne suivit le regard de Gideon. Elle ne parut pas ravie de me découvrir au milieu du hall, les yeux rivés sur eux.

Dieu sait comment je résistai à l'envie de les rejoindre pour l'empoigner par les cheveux et l'écarter de mon homme.

Quand elle prit le menton de Gideon pour réclamer son attention et se hissa sur la pointe des pieds afin de planter un baiser sur ses lèvres, j'y songeai carrément, et fis même un pas vers eux.

Gideon tourna la tête juste avant que la bouche de Corinne atteigne son objectif et la saisit par les bras pour la repousser.

Tenant ma colère en bride, j'exhalai un souffle rageur et m'éloignai. Je ne peux pas dire que je n'étais pas jalouse, car je l'étais, bien évidemment – Corinne avait le droit de se montrer en public avec lui et moi pas. Mais je ne ressentis pas cette peur écœurante qui me tordait autrefois les entrailles quand j'avais l'impression que j'allais perdre l'homme que j'aimais.

Je trouvai étrange de ne pas être gagnée par la panique. Il y avait bien une petite voix dans ma tête qui persistait à me conseiller la prudence, à me dire que je ferais mieux d'avoir peur pour éviter de souffrir. Mais pour une fois, je fus capable de l'ignorer. Après tout ce que nous avions traversé, Gideon et moi, tout ce que nous endurions encore, tout ce qu'il avait fait pour moi... il était plus difficile d'être méfiante que confiante.

En dépit de tout, nous étions plus forts que jamais.

Je grimpai dans l'ascenseur et pensai à mes parents. Ni ma mère ni Stanton ne m'avaient encore appelée pour se plaindre de mon père, et je choisis de voir là un bon signe. Je croisai les doigts en souhaitant qu'à mon retour chez moi ce soir nous puissions tirer un trait définitif sur Nathan. Je m'y sentais prête. Et j'étais plus qu'impatiente de passer à la phase suivante de ma vie, quelle qu'elle soit.

L'ascenseur s'arrêta au dixième étage et les portes s'ouvrirent sur des bruits de perceuse et de coups de marteau. Des bâches en plastique pendaient du plafond. Je n'avais pas remarqué qu'un étage du Crossfire était en travaux et je tendis le cou pour jeter un coup d'œil.

— Quelqu'un descend ? demanda l'homme qui se trouvait le plus près de la porte en regardant par-dessus son épaule.

Je secouai la tête bien qu'il ne se fût pas adressé directement à moi. Personne d'autre ne se manifesta. Tout le monde attendait que les portes se referment.

Elles demeurèrent aussi immobiles que les occupants de la cabine.

Quand l'homme entreprit d'appuyer sur les boutons du panneau de contrôle sans obtenir de résultat, je compris ce qui se passait.

Gideon.

Réprimant un sourire, je m'excusai pour me frayer un passage vers la sortie. Quelqu'un s'engagea à ma suite, les portes de l'ascenseur se refermèrent derrière nous et la cabine redémarra.

— Qu'est-ce que c'est que ce bordel ? s'exclama l'homme en parcourant du regard les portes fermées des trois autres ascenseurs.

Légèrement plus grand que moi, il portait un pantalon de costume avec une chemise à manches courtes et une cravate.

Le tintement annonçant l'arrivée d'une autre cabine fut presque étouffé par le bruit des travaux. Quand les portes coulissèrent, Gideon en sortit, l'air furieux.

Il était tellement sexy que j'eus envie de lui sauter au cou. Et aussi, je le reconnais, parce que sa façon de jouer au mâle dominant avec moi m'excitait prodigieusement.

Pour toi, je serais prêt à empêcher la Terre de tourner.

Parfois, j'avais l'impression que c'était ce qu'il faisait.

Marmonnant dans sa barbe, l'homme en polo-cravate grimpa dans la cabine que Gideon venait de quitter et les portes se refermèrent sur lui.

Gideon cala la main sur sa hanche. Il avait la même tenue que la toute première fois que je l'avais vu : un costume noir trois pièces visiblement hors de prix, avec une chemise noire et des boutons de manchettes en or et onyx.

À l'époque, j'avais eu d'emblée envie de m'approprier son corps et de le chevaucher follement.

De nombreuses semaines s'étaient écoulées depuis, mais les envies qu'il m'inspirait n'avaient pas changé.

— Eva, commença-t-il de sa voix de velours, ce n'est pas ce que tu crois. Corinne est venue parce que je ne prends pas ses appels...

Je levai la main pour l'interrompre et regardai l'heure à la superbe montre qu'il m'avait offerte.

225

— J'ai une demi-heure. Je préfère qu'on tire un coup, plutôt que de parler de ton ex, si ça ne te dérange pas.

Il demeura immobile et silencieux l'espace d'une longue minute, s'efforçant de jauger mon humeur. Je vis les rouages de son corps et de son esprit passer du mode méfiance au mode vivement intéressé. Ses yeux s'étrécirent, son regard s'assombrit. Ses pommettes s'empourprèrent et son souffle s'accéléra. Sa posture se modifia comme son sang s'échauffait, son désir se déployant telle une panthère s'étirant au terme d'une sieste paresseuse.

Le courant d'énergie sexuelle qui crépita entre nous à cet instant fut presque palpable. En réponse, une langueur irrépressible me gagna tout entière et une douce palpitation s'éleva au creux de mon ventre. Le vacarme qui nous entourait ne faisait qu'accroître mon excitation et les battements de mon cœur.

Gideon sortit son portable de sa poche intérieure, pressa une touche d'appel rapide et le porta à son oreille sans me quitter des yeux.

— Je vais avoir une demi-heure de retard. Si ça ne convient pas à Anderson, reporte son rendez-vous.

Il raccrocha, glissa négligemment son téléphone dans sa poche.

— J'ai tellement envie de toi, lui dis-je, la voix enrouée.

Il s'approcha de moi, le regard ardent.

— Viens, dit-il en posant la main sur mes reins.

La pression et la chaleur de sa main à cet endroit précis déclenchait toujours un délicieux frisson d'impatience en moi. Je tournai la tête vers lui. À en juger par l'ombre de sourire qui flottait sur ses lèvres, il savait pertinemment ce que je ressentais.

Il écarta la bâche de plastique et nous passâmes de l'autre côté. Il y avait la lumière du soleil, des murs de ciment et des bâches en plastique absolument partout. À travers celles qui pendaient du plafond, on apercevait les silhouettes floues des ouvriers. De la musique et des appels nous parvenaient par intermittence par-delà le vacarme du chantier.

Gideon me conduisit à travers le dédale de rideaux de plastique. Il savait visiblement où il allait, et mon impatience grandissait à chaque pas. Nous atteignîmes une porte qu'il ouvrit et il me fit entrer dans ce qui avait été un bureau d'angle.

La ville s'étalait à mes pieds, jungle urbaine ultramoderne hérissée d'immeubles qui se dressaient vers le ciel tels de fiers témoins de son passé. Des volutes de vapeur tourbillonnaient à intervalles irréguliers dans le ciel sans nuages, et le flot continu et miroitant des voitures évoquait les affluents d'un fleuve.

J'entendis la clef tourner dans la serrure et pivotai. Gideon ôtait déjà sa veste. La pièce était meublée : un bureau, des fauteuils et un coin salon avec canapés et table basse, le tout couvert de housses.

Avec une lenteur délibérée, il retira son gilet, sa cravate et sa chemise. Je le contemplai, subjuguée par sa perfection virile.

— On risque d'être interrompus, me prévint-il. Ou entendus.

— Ça t'ennuierait ?

— Seulement si ça t'ennuie, toi.

Il se rapprocha de moi, sa braguette ouverte laissant apparaître l'élastique de son caleçon.

— Tu dis ça pour me provoquer, répliquai-je. Tu ne prendrais pas le risque que nous soyons interrompus.

— Ça ne m'arrêterait pas. Je ne vois pas ce qui pourrait m'arrêter une fois que je serai en toi.

Il me prit mon sac des mains et le posa sur un fauteuil.

— Tu as trop de vêtements.

Ses bras m'encerclèrent et il tira sur la fermeture Éclair de ma robe tout en me frôlant les lèvres des siennes.

— Je ferai en sorte de ne pas trop te salir.

— J'aime que tu me salisses.

J'enjambai ma robe et je m'apprêtais à dégrafer mon soutien-gorge quand il me hissa sur son épaule.

Un glapissement de surprise m'échappa et je lui frappai les fesses des deux mains. Il répliqua par une claque cinglante sur les miennes, puis ramassa ma robe et la lança avec une telle adresse qu'elle atterrit pile sur sa veste. Alors qu'il traversait la pièce en direction du coin salon, il baissa ma culotte de façon à me découvrir entièrement les fesses.

Attrapant le coin de la housse qui recouvrait le canapé, il la rabattit avant de m'y déposer en position assise, puis s'agenouilla devant moi.

— Tout va bien, mon ange ? s'enquit-il en faisant glisser ma culotte le long de mes jambes pour m'en débarrasser.

— Oui, soufflai-je. Tout va bien.

Je souris, lui effleurai la joue d'une caresse.

Je savais que sa question englobait tout, depuis mes parents jusqu'à mon travail. Il vérifiait toujours dans quel état d'esprit je me trouvais avant de prendre possession de mon corps.

Il se plaça entre mes jambes écartées et fit glisser mes fesses jusqu'au bord du canapé, exposant ma fente à la caresse de son regard.

— Alors, dis-moi ce qui a éveillé l'appétit de cette jolie petite chatte.

— Toi.

— Excellente réponse.

— Tu portes le même costume que lorsque je t'ai vu pour la première fois. J'ai eu tellement envie de te

228

baiser à l'époque, mais je ne pouvais pas. Maintenant, je peux.

Il m'écarta doucement les cuisses, son pouce effleurant mon clitoris. Mon vagin se contracta comme une bouffée de plaisir me traversait.

— Moi aussi, je peux, répondit-il en inclinant la tête en avant.

Je m'agrippai à l'assise du canapé et mon ventre durcit quand la pointe de sa langue courut le long de ma fente. Il la fit passer sur le pourtour de l'ouverture, m'agaça un instant avant de la plonger en moi. Mes reins se creusèrent violemment.

— Laisse-moi te raconter quels fantasmes tu m'as inspirés ce jour-là, ronronna-t-il avant de caresser mon clitoris de la langue, tout en me tenant aux hanches pour m'empêcher de me cabrer. Je t'ai imaginée sous moi, nue sur des draps de satin noir, les cheveux déployés autour de toi, le regard sauvage et ardent tandis que mon sexe coulissait dans ta petite fente soyeuse.

— Mon Dieu, Gideon ! gémis-je, séduite par l'image qu'il venait de faire naître dans mon esprit.

Je vivais un fantasme devenu réalité – le ténébreux dieu du sexe vêtu d'un costume superbement coupé mettait à mon service sa bouche conçue pour rendre folles toutes les femmes.

— Je t'ai imaginée, les poignets cloués sur le matelas par mes mains, alors que je te forçais à me recevoir, encore et encore, reprit-il d'une voix rauque. Tes petites pointes de sein toutes dures dans ma bouche. Tes lèvres rouges et enflées de m'avoir longuement sucé. La pièce résonnant de ces petits bruits sexy que tu émets... de ces gémissements qui t'échappent quand tu jouis.

Je gémis bel et bien, et me mordis la lèvre quand il se mit à laper mon clitoris. Spontanément, je calai la jambe sur son épaule nue, et la chaleur de sa peau me brûla.

— Je veux tout ce que tu veux.

— Je sais, répondit-il en levant la tête pour me sourire.

La succion de ses lèvres sur mon clitoris me fit basculer dans la jouissance. Un cri haletant m'échappa et mes jambes se mirent à trembler.

J'étais encore toute palpitante quand il m'allongea sur le canapé et se positionna au-dessus de moi, son sexe en érection émergeant du caleçon qu'il avait baissé juste assez pour le libérer. Comme je tendais les mains pour le toucher, il me saisit les poignets et les plaqua au-dessus de ma tête.

— C'est ainsi que je t'aime. Entravée, prisonnière, livrée à mon désir.

Il me scrutait d'un regard intense, les lèvres encore luisantes de mon plaisir, le souffle court. Je fus à la fois frappée et fascinée par le contraste entre ce mâle sur le point de me posséder sauvagement et l'homme d'affaires civilisé que j'avais désiré au premier regard.

— Je t'aime, articulai-je quand son sexe investit lentement ma fente.

— Mon ange...

Il enfouit le visage au creux de mon épaule avec un gémissement, et, d'une poussée ferme, me pénétra jusqu'à la garde. Pressé contre moi, il ondula des hanches comme s'il voulait s'enfoncer encore plus profondément.

— Eva, j'ai tellement besoin de toi !

L'accent de désespoir qui vibrait dans sa voix me prit par surprise. J'aurais voulu le caresser, mais il persistait à m'en empêcher, et son sexe qui allait et venait en moi me rendait folle. J'arquai le dos pour venir à sa rencontre, incapable de m'en empêcher, luttant avec lui pour atteindre le point de non-retour.

Ses lèvres m'effleurèrent la tempe.

— Tu étais tellement parfaite, dans le hall tout à l'heure, si fraîche et si pimpante dans ta petite robe jaune.

Ma gorge se noua.

— Gideon.

— Le soleil t'éclairait à contre-jour et je me suis dit que tu ne pouvais pas être réelle.

Je luttai pour libérer mes poignets.

— Laisse-moi te toucher.

— Je t'ai suivie parce que je ne supportais pas d'être loin de toi et, quand je t'ai rejointe, tu étais brûlante de désir pour moi.

Me maintenant les poignets d'une main, il glissa l'autre sous mes fesses, me souleva alors qu'il se retirait et revint puissamment en moi.

— Oh oui, c'est bon ! C'est si bon de te sentir en moi...

J'étais trempée, et mon sexe l'enserrait avidement.

— Je veux jouir sur toi, et en toi, et dans toutes les positions, murmura-t-il.

— Moi aussi je le veux.

— Même quand je suis en toi, ça ne me suffit pas, haleta-t-il, ponctuant ses paroles de profonds coups de reins. J'ai besoin de toi comme un fou.

— Gideon, laisse-moi te toucher.

— J'ai capturé un ange.

Il s'empara de mes lèvres en un baiser à la fois sauvage et passionné.

— J'ai mis mes sales pattes sur toi. Je t'ai profanée. Et tu adores ça.

— Je t'aime, Gideon. *Toi.*

Je me tordis sous lui et mes cuisses lui enserrèrent les hanches.

— Baise-moi, Gideon ! Baise-moi fort !

Il s'agenouilla pour me donner ce que je lui réclamais, me pilonna comme un forcené tandis qu'il me chuchotait à l'oreille des paroles enfiévrées entrecoupées de gémissements. Et les pieds du canapé grinçaient sur le béton nu au rythme de ses coups de reins.

Les bruits obscènes de ce coït furieux m'isolaient du monde extérieur au point que j'en oubliai la présence des ouvriers à quelques mètres de nous. Nous luttions pied à pied, tendus vers un même but, l'union de nos corps illustrant la violence de nos émotions.

— Je veux jouir dans ta bouche, souffla-t-il, un filet de sueur roulant le long de sa tempe.

L'imaginer se soulageant de la sorte suffit à m'envoyer au septième ciel. Mon sexe se contracta spasmodiquement autour du sien tandis que la déferlante de l'orgasme se répandait dans mon corps entier tel un raz de marée. Gideon continua d'onduler savamment des hanches pour prolonger mon plaisir jusqu'à ce que je m'affaisse sous lui.

— Maintenant, Eva, ordonna-t-il d'un ton pressant.

Il s'écarta et je m'agenouillai pour le prendre en bouche.

Il éjacula à la première succion et se répandit sur ma langue à longs traits puissants. J'avalai tout, consciente de son souffle erratique entrecoupé de gémissements.

Penché au-dessus de moi, les abdominaux brillants de sueur, il me tenait la tête. Ma bouche se promenait le long de son sexe et je creusai les joues pour accentuer mes succions.

— Arrête, supplia-t-il en me repoussant. Tu vas me refaire bander.

Je m'abstins de lui faire remarquer qu'il n'avait pas débandé.

Il encadra mon visage de ses mains et s'empara de ma bouche. Nos saveurs respectives se mêlèrent.

— Merci.

— Merci pour quoi ? m'étonnai-je. C'est toi qui as fait tout le travail.

— Je ne considère pas que te faire jouir est un travail, mon ange, répliqua-t-il avec un sourire de mâle comblé. Ce serait plutôt un privilège.

Je m'assis sur mes talons.

— Tu me tues. Ça devrait être interdit d'être aussi beau et sexy et de dire ce genre des trucs par-dessus le marché. C'est trop. Ça me fait griller les neurones et fondre complètement.

Son sourire s'élargit et il m'embrassa à nouveau.

— Je connais ça.

13

Peut-être était-ce dû au fait que je venais de m'envoyer en l'air. Ou peut-être était-ce mon radar sexuel, comme disait Cary. Quoi qu'il en soit, il me suffit de la voir pour deviner que Megumi avait couché avec l'homme avec qui elle était censée rompre. Et qu'elle s'en voulait.

— Alors ? *On* ou *Off* ? demandai-je en m'appuyant au comptoir de l'accueil.

— Oh, j'ai rompu ! répondit-elle d'un air morne. Après avoir couché avec lui. Je pensais que ce serait libérateur. Et puis, qui sait combien de temps va durer ma prochaine traversée du désert.

— Tu regrettes déjà d'avoir décidé de rompre ?

— Pas vraiment, non. Mais après coup, il a fait comme s'il était vexé que je me sois servie de lui comme d'un objet sexuel. Ce qui est le cas, je le reconnais, mais vu qu'il ne veut pas s'investir dans une relation, j'ai cru que ça ne le dérangerait pas.

— Et maintenant, tu ne sais plus où tu en es, conclus-je avec un sourire compatissant. Souviens-toi que c'est le mec qui ne t'a pas donné signe de vie depuis vendredi. Il n'est pas à plaindre s'il s'en sort avec un déjeuner en compagnie d'une jolie fille doublé d'un orgasme.

— Ouais, c'est vrai, concéda-t-elle en ébauchant un sourire. Au fait, tu comptes aller au gymnase ce soir ? ajouta-t-elle.

— Je devrais, mais mon père est en ville et je me cale sur son programme. S'il décide d'y aller, tu seras la bienvenue, mais je ne le saurai pas avant d'être à la maison. Tu sais quoi ? enchaînai-je. Tu n'as qu'à rentrer avec moi après le boulot. Si mon père a envie d'aller au gymnase, je te prêterai une tenue et, s'il n'a pas envie, on fera autre chose.

— Bonne idée.

Une bonne idée qui nous rendrait service à toutes les deux. D'un côté, mon père constaterait que ma vie était on ne peut plus normale, de l'autre, Megumi ne passerait pas la soirée à se torturer à propos de Michael.

— Parfait. On se retrouve à 17 heures.

— Tu habites ici ? demanda Megumi en contemplant la façade de mon immeuble. Sympa !

Comme toutes celles de ma rue, elle était décorée de motifs ornementaux caractéristiques d'un style architectural révolu. L'intérieur avait été modernisé, et on avait adjoint à la façade une marquise de verre ultramoderne qui s'harmonisait étonnamment bien avec son style d'origine.

J'adressai un sourire à Paul quand il nous ouvrit la porte.

Quand nous atteignîmes le palier de mon étage, un instant plus tard, je dus faire un effort pour ne pas jeter un coup d'œil à la porte de Gideon. Un jour, peut-être, amènerais-je une amie dans un endroit où nous habiterions ensemble...

J'en avais envie. J'avais envie de bâtir un nid avec lui.

J'ouvris la porte de chez moi et débarrassai Megumi de son sac une fois à l'intérieur.

— Fais comme chez toi, lui dis-je. Je vais prévenir mon père que nous sommes là.

Les yeux comme des soucoupes, elle balaya du regard le séjour prolongé par une cuisine digne d'un chef.

— C'est carrément immense ! s'exclama-t-elle.

— On n'a pas besoin d'autant de place, à vrai dire.

— Mieux vaut trop que pas assez.

— En effet.

J'allais m'engager dans le couloir menant à la chambre d'amis quand ma mère émergea du couloir qui se trouvait de l'autre côté du séjour – et desservait ma chambre et celle de Cary. Je m'immobilisai, surprise de la voir vêtue d'une jupe et d'un chemisier qui m'appartenaient.

— Maman ? Qu'est-ce que tu fais ici ?

Ses yeux rougis demeurèrent braqués sur un point au niveau de ma taille. Elle était si pâle que je crus d'abord qu'elle avait forcé sur le maquillage – ce qui ne lui ressemblait pas. Je réalisai alors qu'elle avait utilisé mon maquillage. Bien qu'on nous ait parfois prises pour des sœurs, mes yeux gris et mon teint discrètement cuivré (que je tenais de mon père) requéraient une palette de teintes assez éloignée des tons pastel qu'utilisait ma mère.

Une sensation de malaise s'insinua en moi.

— Maman ?

— Je dois y aller, dit-elle, gardant les yeux obstinément baissés. Je ne m'étais pas rendu compte qu'il était si tard.

— Pourquoi portes-tu mes vêtements ? demandai-je alors même que je connaissais la réponse.

— J'ai taché ma robe. Je te les rendrai, dit-elle.

Elle passa devant moi d'un pas rapide avant de s'immobiliser en découvrant Megumi dans le séjour.

J'étais clouée sur place, absolument incapable de bouger. Je calai les poings sur mes hanches, en proie à un mélange de colère et de déception.

— Bonsoir, Monica, dit Megumi, qui s'approcha d'elle et la serra dans ses bras.

— Megumi. Bonsoir, répondit ma mère, se triturant visiblement les méninges pour trouver autre chose à dire. Ça me fait plaisir de vous revoir. Je serais volontiers restée bavarder avec vous deux, mais je suis affreusement pressée.

— Clancy est en bas ? demandai-je.

— Non, je vais prendre un taxi, répondit-elle en tournant la tête vers moi, tout en s'abstenant toujours de croiser mon regard.

— Megumi, ça ne t'ennuie pas de partager un taxi avec ma mère ? Je suis désolée de te faire faux bond, je ne me sens pas bien tout à coup.

Elle me dévisagea et prit soudain conscience de mon changement d'humeur.

— Pas de problème, assura-t-elle.

Ma mère me regarda enfin et je ne trouvai strictement rien à lui dire. J'étais aussi dégoûtée par son expression coupable que par le fait qu'elle ait trompé Stanton.

Mon père choisit ce moment pour nous rejoindre. Il pénétra dans la pièce vêtu d'un jean et d'un T-shirt, pieds nus et les cheveux encore mouillés de la douche.

Comme d'habitude, la chance n'était pas de mon côté.

— Papa, je te présente mon amie Megumi. Megumi, voici mon père, Victor Reyes.

Celui-ci s'avança vers Megumi pour lui serrer la main en veillant à faire un grand détour pour éviter de s'approcher de ma mère. Ce qui n'empêcha pas un véritable arc électrique de se former entre eux.

— Je pensais qu'on pourrait passer la soirée tous les trois, lui dis-je pour combler le silence gêné qui suivit, mais je n'en ai plus trop envie.

— Il faut que je rentre, répéta ma mère en ramassant son sac. Megumi, vous vouliez partager un taxi avec moi ?

— Oui, volontiers, répondit cette dernière.

Elle vint me serrer dans ses bras et me glissa à l'oreille :

— Je t'appelle plus tard.

— Merci, dis-je en lui pressant la main avant qu'elle s'éloigne.

À peine la porte d'entrée se fut-elle refermée que je fonçai en direction de ma chambre.

— Eva, attends ! lança mon père derrière moi.

— Je n'ai pas envie de te parler pour le moment.

— Ne fais pas l'enfant, voyons.

— Pardon ? m'écriai-je en faisant volte-face. C'est mon beau-père qui paie le loyer de cet appartement. Il l'a choisi pour des raisons de sécurité, parce qu'il ne voulait pas que Nathan puisse m'atteindre. Tu y as pensé pendant que tu baisais sa femme ?

— Reste polie, je te prie. Tu es toujours ma fille.

— C'est vrai. Et tu sais quoi ? lançai-je. C'est la première fois de ma vie que j'en ai honte.

Allongée sur mon lit, je fixai le plafond. J'aurais voulu me réfugier auprès de Gideon, mais je savais qu'il avait rendez-vous avec le Dr Petersen.

À la place, j'avais envoyé un message à Cary.

Besoin de toi. Rentre le + tôt poss.

Il n'était pas loin de 19 heures quand on frappa à ma porte.

— Baby girl ? C'est moi. Ouvre.

Je m'empressai de lui ouvrir et me jetai à son cou. Il me souleva de terre, referma la porte d'un coup de pied et me porta jusqu'au lit. Il s'assit ensuite à côté de moi et glissa le bras autour de mes épaules. Son odeur si familière me réconforta. Je me laissai aller contre lui, tellement reconnaissante de son indéfectible amitié.

— Mes parents ont couché ensemble, lui confiai-je au bout d'un moment.

— Je sais, oui.

Je penchai la tête en arrière pour le regarder. Il grimaça.

— Je les ai entendus quand je suis parti bosser cet après-midi.

— Beurk ! fis-je en sentant mon estomac se retourner.

— C'est l'effet que ça m'a fait aussi, marmonna-t-il en caressant mes cheveux. Ton père est sur le canapé, l'air complètement abattu. Tu lui as dit quelque chose ?

— Oui. Une énorme vacherie. Et maintenant, je m'en veux. Il faudrait que je lui parle. Le truc, c'est que je me sens davantage solidaire de Stanton que de lui, alors que d'habitude, ce type m'indiffère plutôt.

— Il a toujours été gentil avec ta mère et toi. Et ce n'est jamais cool d'être celui qui est trompé.

Je laissai échapper un gémissement.

— Je crois que ça me dérangerait moins s'ils avaient fait ça ailleurs. Je ne dis pas que ce serait moins moche, mais qu'ils l'aient fait chez Stanton n'arrange pas les choses.

— Je suis d'accord avec toi.

— Qu'est-ce que tu dirais de déménager ?

Cary arqua les sourcils.

— Parce que tes parents ont tiré un coup ici ?

— Non, dis-je en me levant pour arpenter la chambre. C'est pour des raisons de sécurité que Stanton avait choisi cet appartement, parce qu'à l'époque Nathan représentait encore une menace. Mais maintenant... c'est différent.

— Où voudrais-tu emménager ? Ailleurs à New York, dans un appart qui serait dans nos moyens respectifs ? Ou carrément dans une autre ville ?

— Je ne veux pas quitter New York, lui assurai-je. Tu bosses ici, et moi aussi.

Et Gideon.

— D'accord, comme tu veux, répondit Cary en haussant les épaules. Quoi que tu décides, je suis partant.

Je retournai auprès de lui et l'étreignis.

— Tu veux bien commander un truc à dîner pendant que je vais parler avec mon père ?

— Une envie particulière ? s'enquit-il.

— Non. Surprends-moi.

J'allai rejoindre mon père sur le canapé. Il était en train de surfer sur ma tablette, mais il la posa à côté de lui quand je m'assis.

— Je suis désolée à propos de ce que je t'ai dit tout à l'heure, commençai-je. Je ne le pensais pas.

— Si, tu le pensais, répondit-il en se grattant la nuque. Et je ne te le reproche pas. Je ne suis pas fier de moi. Je n'ai aucune excuse. J'ai passé l'âge. Ta mère aussi.

Je m'assis en tailleur face à lui, une épaule en appui contre le dossier du canapé.

— Il y a une super alchimie entre vous. Je sais ce que c'est.

Il me soumit à un examen attentif, son regard gris soudain grave.

— Tu connais ça avec Cross. Je l'ai senti quand il était venu dîner. Tu as l'intention de te rabibocher avec lui ?

— J'aimerais bien. Ça te poserait problème ?

— Est-ce qu'il t'aime ?

— Oui, dis-je, et mes lèvres s'incurvèrent sur un sourire. Mais ça va au-delà de cela. Il a besoin de moi. Il serait prêt à tout pour moi.

— Dans ce cas, pourquoi n'êtes-vous plus ensemble ?

— Disons que c'est... compliqué.

— Est-ce que ça ne l'est pas toujours ? répliqua-t-il avec un sourire contrit. Écoute, il faut que tu saches... Je suis tombé amoureux de ta mère au premier regard. Ce qui s'est produit aujourd'hui n'aurait pas dû arriver, mais cela avait un sens pour moi.

— Compris, murmurai-je en lui prenant la main. Il va se passer quoi, à présent ?

— Je rentre à San Diego demain. Pour tâcher de me remettre la tête à l'endroit.

— Avec Cary, on pensait faire un saut à San Diego d'ici une quinzaine, histoire de te faire un petit coucou et de rendre visite au Dr Travis.

— Tu as parlé à Travis de ce qui t'est arrivé ?

— Oui. Tu m'as sauvé la vie en me mettant en contact avec lui. Je ne t'en remercierai jamais assez. Maman m'avait adressée à je ne sais combien de psys plus prétentieux les uns que les autres et je n'avais accroché avec aucun. Ils me donnaient l'impression de n'être rien d'autre qu'un sujet d'étude. Le Dr Travis m'a permis de me sentir normale. Et puis, c'est chez lui que j'ai rencontré Cary.

— Je vous y prends à parler de moi dans mon dos, vous deux, intervint Cary à point nommé. Je sais que

241

je suis un être fascinant, mais vous feriez mieux de ne pas trop vous fatiguer les mâchoires parce que vous allez en avoir besoin. J'ai commandé des tonnes de plats thaïs !

Mon père prit le vol de 11 heures le lendemain matin et je dus laisser le soin à Cary de l'accompagner à l'aéroport. Nous nous fîmes nos adieux avant que je parte travailler en promettant de mettre au point les détails de notre week-end à San Diego par téléphone.

J'étais dans un taxi, en route pour le boulot, quand Brett m'appela. Je faillis laisser la boîte vocale s'enclencher, puis décidai que repousser l'échéance ne m'avancerait à rien.

— Salut, Brett.

— Salut, beauté, répondit-il de sa voix aussi suave que du chocolat liquide. Prête pour la grande première de *Golden* ?

— Je ferai en sorte de l'être. À quelle heure sommes-nous censés arriver à Times Square ?

— À 18 heures.

— Très bien. Et comment faut-il que je m'habille ?

— Tu seras superbe quoi que tu portes.

— Espérons ! Comment se passe ta tournée ?

— C'est du délire, Eva ! s'écria-t-il avant de laisser échapper un rire rauque très sexy qui me rappela des tas de souvenirs. À des années-lumière de *Chez Pete*.

— Ah, *Chez Pete* ! m'exclamai-je avec nostalgie.

Je n'oublierais jamais ce bar et les folles soirées que j'y avais passées, même si certaines étaient un peu floues dans ma mémoire.

— J'imagine qu'il te tarde d'être à demain, ajoutai-je.

— Tu m'étonnes ! Je meurs d'impatience de te revoir, Eva.

— Ce n'est pas ce que je voulais dire, et tu le sais très bien.

— Je suis impatient de vivre ce lancement, c'est vrai aussi, admit-il en lâchant de nouveau ce rire troublant. J'aurais bien aimé te voir ce soir, mais je prends un vol de nuit à JFK. Demain soir, en revanche, pas d'excuse, on dîne ensemble !

— Cary peut venir ? Je l'ai déjà invité pour le lancement de la vidéo. Vu que vous vous connaissez, je me suis dit que ça ne te dérangerait pas. Enfin pas trop, quoi.

— Pas la peine d'amener ta ceinture de chasteté ambulante, Eva, ricana-t-il. Je sais me tenir.

Le taxi se gara devant le Crossfire et le chauffeur coupa le compteur. Je réglai la course et descendis, laissant la portière ouverte pour permettre à l'homme qui l'avait hélé de prendre ma place.

— Je croyais que tu aimais bien Cary, biaisai-je.

— Je l'aime bien, oui, mais pas autant que de t'avoir pour moi tout seul. Qu'est-ce que tu dirais d'un compromis ? Cary vient au lancement, mais on dîne en tête à tête ?

— D'accord, concédai-je en songeant que je ferais passer la pilule en demandant à Gideon de choisir l'un de ses restaurants. Je m'occupe des réservations, d'accord ?

— Génial.

— Il faut que je te laisse. Je viens juste d'arriver au boulot.

— Envoie-moi ton adresse par texto que je sache où passer te prendre.

— Ce sera fait, dis-je en m'engageant dans la porte à tambour. À demain.

— J'ai hâte ! Tiens-toi prête pour 17 heures.

Je rangeai mon portable dans mon sac et me dirigeai vers les ascenseurs. Quand j'arrivai au vingtième étage, Megumi m'ouvrit la porte de l'agence et me fourra son portable sous le nez dès que j'atteignis le comptoir.

— Non, mais tu y crois, toi ? s'exclama-t-elle.

Les sourcils froncés, je lus : *Trois appels manqués de Michael.*

— Je hais ce genre de mecs ! se lamenta-t-elle. La douche écossaise perpétuelle. Ils ne veulent que toi jusqu'à ce qu'ils t'aient eue, et après ils veulent autre chose.

— Tu n'as qu'à le lui dire.

— Tu crois ?

— Oui, sois directe. Si tu continues à filtrer ses appels, tu vas devenir dingue. Mais n'accepte aucun rendez-vous. Si tu couches encore avec lui, c'est la cata garantie.

— Absolument, approuva Megumi. Coucher n'est pas bon, même quand c'est bon.

J'éclatai de rire et me dirigeai vers mon bureau. Je n'avais pas vraiment le temps de m'attarder. Ces temps-ci, Mark jonglait avec plusieurs projets à la fois, dont trois campagnes en phase de finalisation. Les créatifs turbinaient et les maquettes commençaient à s'aligner sur son bureau.

À 10 heures, Mark et moi débattions des différentes approches possibles pour la campagne d'un cabinet d'avocats spécialisés dans les divorces. Trouver le bon dosage entre la compassion à manifester au client qui traverse une épreuve douloureuse et la mise en valeur des qualités les plus appréciées chez un avocat – à savoir sa capacité à se montrer rusé et sans pitié – n'était pas franchement évident.

— Je n'aurai jamais besoin d'un de ces gus, déclara-t-il soudain, sa remarque tombant comme un cheveu sur la soupe.

— Non, répondis-je, une fois que j'eus capté qu'il parlait des avocats spécialistes du divorce. Tu n'en auras jamais besoin. J'ai hâte de féliciter Steven quand je le verrai tout à l'heure.

Le sourire de Mark révéla ses dents légèrement de travers qui lui conféraient un je-ne-sais-quoi d'atten-drissant.

— Je n'ai jamais été aussi heureux, Eva, dit-il sim-plement.

Un peu avant 11 heures, alors que nous étions pas-sés à la campagne d'un fabricant de guitares, la son-nerie de mon téléphone retentit dans mon bureau. Je courus répondre et mon speech d'accueil fut inter-rompu par un glapissement suraigu.

— Oh, Eva ! Je viens d'apprendre qu'on sera ensemble au lancement du truc des Six-Ninths, demain soir !

— Ireland ?

— Qui veux-tu que ce soit ?

La sœur de Gideon était dans un tel état de surex-citation qu'elle paraissait nettement plus jeune que ses dix-sept ans.

— J'*adooore* les Six-Ninths ! Brett est *trop* sexy ! Et Darrin Rumfeld ! C'est le batteur. Il est *trop* craquant !

Je ris.

— Et tu aimes aussi leur musique ? risquai-je, railleuse.

— Pff ! Évidemment ! Écoute, enchaîna-t-elle, adop-tant soudain un ton très sérieux. Je pense que tu devrais essayer de parler à Gideon demain. Tu sais, genre je passe juste dire bonjour. Si tu entrouvres la porte, il va se ruer à l'intérieur, je te promets. Tu lui manques, un truc de folie.

245

Je m'adossai à mon siège et entrai dans son jeu.

— Tu crois ?

— C'est évident !

— Ah bon ? Et pourquoi ça ?

— Je ne sais pas... Sa voix change quand il parle de toi, par exemple. Je ne peux pas t'expliquer, mais je te promets qu'il meurt d'envie de te récupérer. C'est toi qui lui as suggéré de m'inviter ?

— Pas exactement...

— Ha ! Je le savais ! Il fait toujours tout ce que tu lui demandes ! s'esclaffa-t-elle. Et merci, au fait.

— C'est lui qu'il faut remercier. J'ai hâte de te revoir.

Ireland était la seule personne de sa famille pour qui Gideon éprouvait une affection sans tache – même s'il s'efforçait de ne pas le montrer. Par crainte d'être déçu peut-être, ou par crainte d'abîmer quelque chose de rare et, par là même, de précieux, je ne savais pas trop. En revanche, je savais qu'Ireland vénérait son frère. Malgré cela et malgré son cruel besoin d'amour, Gideon avait gardé ses distances avec elle.

— Promets-moi que tu essaieras de lui parler, me pressa-t-elle. Tu l'aimes toujours, n'est-ce pas ?

— Plus que jamais, répondis-je avec ferveur.

Elle garda le silence un instant, puis :

— Il a changé depuis qu'il t'a rencontrée.

— C'est bien possible. Moi aussi, j'ai changé.

Mark émergea de son bureau et je me redressai.

— Je dois retourner travailler, mais on reprendra notre conversation demain. Et on en profitera pour organiser cette journée entre filles dont on avait parlé.

— D'accord. À demain, alors !

Je raccrochai, ravie que Gideon ait suivi mon conseil et qu'il ait invité Ireland au lancement. Nous progressions, que ce soit ensemble ou séparément.

— À petits pas, murmurai-je avant de me remettre au travail.

À l'heure du déjeuner, Mark et moi rejoignîmes Steven dans un bistro français. Même dans une grande salle pleine de monde, le compagnon de mon patron était facile à repérer.

Steven Ellison était du genre costaud – grand, large d'épaules et très musclé. Il avait monté sa propre entreprise dans le bâtiment et préférait travailler sur les chantiers avec son équipe plutôt que de rester assis dans son bureau. Mais c'était surtout sa tignasse rousse qui attirait immédiatement le regard.

— Salut, toi, dis-je en déposant un baiser sur sa joue, profitant de ce que je pouvais manifester plus de familiarité avec lui qu'avec mon patron. Félicitations.

— Merci, ma belle. Mark s'est enfin décidé à faire de moi un honnête homme.

— Il faudrait plus que le mariage pour y arriver, rétorqua Mark en tirant une chaise pour moi.

— Quand ai-je manqué d'honnêteté vis-à-vis de toi ? s'insurgea Steven.

— Hmm… voyons voir, fit Mark en prenant place à côté de moi. Quand tu as juré que le mariage n'était pas fait pour toi, peut-être ?

— Ah, mais je n'ai jamais dit que ce n'étais pas fait pour moi ! rectifia Steven en m'adressant un clin d'œil. Juste que ce n'était pas pour tout le monde.

— Tu sais qu'il était dans tous ses états à l'idée de te faire sa demande ? avouai-je à Steven. Il faisait peine à voir.

— Voilà, déclara Mark en ouvrant le menu. Eva peut témoigner du traitement honteusement cruel que tu m'as infligé.

— Compatis à mon sort, Eva, se défendit Steven. Je lui ai présenté la plus douce des demandes avec vin, fleurs et violons. J'avais passé des jours à répéter. Et il m'a repoussé sans pitié.

Il leva les yeux au ciel, mais je sentis que la blessure n'était pas encore complètement cicatrisée. Et quand Mark posa la main sur la sienne et la serra, je sus que j'avais vu juste.

— Alors, raconte, comment s'y est-il pris pour te reconquérir ? demandai-je, bien que Mark m'ait déjà donné sa version.

— Ç'a été affreux ! s'exclama Steven une fois que la serveuse fut passée prendre notre commande. Il suait à grosses gouttes et s'épongeait le front sans arrêt.

— On est en été, marmonna Mark.

— Ce qui est inexcusable, vu qu'à New York les restaurants et les théâtres sont climatisés, poursuivit Steven sans relever. Bref, il a été comme cela toute la soirée, et quand nous avons pris le chemin du retour, je me suis dit qu'il n'allait pas le faire. Qu'il n'allait pas se décider à prononcer ces fichus mots. J'en étais à penser que j'allais être obligé de renouveler ma demande, histoire d'en finir. À envisager qu'il dise non de nouveau...

— Je n'ai jamais dit non, intervint Mark.

— ... auquel cas, je serais bon pour l'embarquer de force sur le premier avion en partance pour Vegas parce que je ne rajeunis pas...

— Et que tu ne t'arranges pas avec l'âge, grommela Mark.

Steven fit mine de lui jeter un regard noir.

— Et là, alors que nous venons de descendre de la limousine et que je me creuse les méninges comme un malade pour me souvenir de la sublimissime demande en mariage que j'avais concoctée à son intention, tout à trac, il m'attrape par les épaules et m'éructe à la face : « Steve, nom de Dieu ! Tu *dois* m'épouser. »

J'éclatai de rire.

— Texto ? demandai-je.

— Texto, assura Steven en hochant vigoureusement la tête.

— Quel talent ! lançai-je à Mark en levant les pouces. Tu as assuré comme un pro !

— Ah, tu vois ? dit Mark à Steven. Il y en a qui apprécient.

— Vous rédigez vos vœux vous-mêmes ? m'enquis-je. Parce que ça pourrait être vraiment intéressant.

Steven explosa d'un rire si tonitruant qu'il attira l'attention de tout le monde alentour.

— Mark a dû te dire que je meurs d'envie de jeter un coup d'œil à ton classeur de projets, ajoutai-je, fine mouche.

— Justement... répondit Steven.

— Tu n'as pas fait ça ! s'exclama Mark en secouant la tête tandis que Steven pêchait ledit classeur dans une sacoche appuyée contre sa chaise.

Il était énorme et une multitude de bouts de papier s'en échappait de tous côtés.

— Attends un peu de voir le gâteau que j'ai trouvé, déclara Steven en écartant la corbeille à pain pour poser le classeur sur la table.

Je réprimai un sourire en apercevant les intercalaires et la table des matières.

— Je ne veux pas d'un gâteau de mariage en forme de gratte-ciel orné de grues et de panneaux d'affichage, déclara Mark d'un ton ferme.

— Pourquoi ? demandai-je, intriguée. Montre-moi ça, Steven...

De retour chez moi ce soir-là, je laissai tomber mon sac à sa place habituelle, me débarrassai de mes chaussures et m'affalai sur le canapé. Allongée sur le dos, je contemplai le plafond. Je devais retrouver Megumi au CrossTrainer à 18 heures et n'avais donc pas beaucoup de temps devant moi, mais j'avais vraiment besoin de souffler. J'avais mes règles depuis la veille, et je me sentais tout à la fois nerveuse, de mauvaise humeur et fatiguée.

Je soupirai, sachant qu'à un moment ou à un autre, je devrais me décider à parler avec ma mère. Les problèmes s'accumulaient entre nous et remettre les explications à plus tard commençait à m'agacer. J'aurais aimé que ce soit aussi facile avec elle qu'avec mon père, mais le fait que ça ne le soit pas n'était pas une excuse pour me dérober. Quoi qu'elle fasse, c'était ma mère et je l'aimais. Je n'allais pas bien quand nous étions en froid.

Mes pensées dérivèrent alors vers Corinne. J'aurais dû me douter qu'une femme capable de quitter son mari et de faire le trajet Paris-New York pour reconquérir un homme ne lâcherait pas facilement prise. Elle devait pourtant connaître suffisamment Gideon pour se douter qu'elle n'arriverait pas à ses fins en le harcelant.

Et puis, il y avait Brett... Qu'allais-je bien pouvoir faire à son sujet ?

La sonnerie de l'interphone retentit, interrompant mes pensées. Je fronçai les sourcils, puis me levai pour aller répondre. Megumi avait-elle mal compris et cru que nous nous retrouvions chez moi ? Non pas que cela me dérangeait, mais...

— Oui ?

— Mademoiselle Tramell, me dit l'employé de la réception, les inspecteurs Michna et Graves de la police de New York sont ici.

La peur m'étreignit, se déploya en moi telle une coulée de glace.

J'aurais voulu avoir un avocat près de moi. Il y avait trop en jeu.

Mais je ne voulais pas donner l'impression que j'avais quelque chose à cacher.

— Merci, articulai-je avec peine. Dites-leur de monter, je vous prie.

14

Je me ruai sur mon sac, le cœur battant, pour couper la sonnerie de mon téléphone *bis* et le ranger dans une pochette zippée. Je scannai le séjour du regard au cas où j'aurais laissé traîner des choses qui n'auraient pas dû s'y trouver. Je repensai aux roses dans ma chambre et à la carte qui les accompagnait.

Mais à moins que les inspecteurs ne soient munis d'un mandat de perquisition, ils ne pourraient fouiller le séjour.

Je courus fermer la porte de ma chambre et fermai aussi celle de Cary. J'étais essoufflée quand la sonnette de l'entrée retentit. Je dus me forcer à respirer et à marcher lentement jusqu'à la porte et pris une profonde inspiration avant de l'ouvrir.

— Bonjour, inspecteurs, dis-je.

Graves, une femme mince au visage sévère et aux yeux bleus brillants d'intelligence, était aux commandes. Son coéquipier, Michna, plus âgé qu'elle, dégarni et bedonnant, jouait le rôle du partenaire silencieux. Leur numéro était bien rodé – Graves attaquait frontalement et déstabilisait son interlocuteur en le soumettant au feu roulant de ses questions, tandis que Michna se fondait dans le décor, son regard de flic cataloguant absolument tout dans les moindres détails. Leur taux de réussite devait être impressionnant.

— Pouvons-nous entrer, mademoiselle Tramell ? s'enquit Graves d'un ton qui faisait de sa question un ordre.

Elle avait tiré en arrière ses cheveux bruns et portait une veste qui dissimulait son holster d'épaule. Elle avait une sacoche à la main, notai-je.

— Certainement, dis-je en m'effaçant pour les laisser entrer. Puis-je vous offrir quelque chose ? Du café ? Un verre d'eau ?

— Je veux bien un verre d'eau, accepta Michna.

Je les invitai à me suivre jusqu'à la cuisine et sortis une bouteille d'eau minérale du frigo. Les deux inspecteurs s'arrêtèrent devant le comptoir du petit déjeuner – Graves ne me quittant pas des yeux, Michna balayant la pièce du regard.

— Vous rentrez du travail ? demanda-t-il.

Il connaissait sans doute déjà la réponse, mais je dis tout de même :

— Je suis arrivée il y a cinq minutes. Voulez-vous vous asseoir dans le séjour ?

— Non, ici, c'est très bien, assura Graves en posant sa sacoche de cuir usé sur le comptoir. Nous aimerions vous poser quelques questions, si cela ne vous dérange pas. Et vous montrer des photos.

Je me raidis. Pourrais-je supporter de regarder les photos que Nathan avait prises de moi ? À moins qu'il ne s'agisse de photos de la scène du crime ou... des clichés d'autopsie. Mais je savais que c'était hautement improbable.

— Que se passe-t-il ? risquai-je.

— De nouveaux éléments sont apparus qui pourraient être liés à la mort de Nathan Barker, répondit Michna. Nous suivons toutes les pistes et vous pourrez peut-être nous aider.

— Je veux bien essayer, répondis-je. Mais je ne vois pas trop comment.

— Le nom d'Andrei Yedemsky vous est-il familier ? voulut savoir Graves.

— Pas du tout. Qui est-ce ?

Elle sortit de sa sacoche une liasse de clichés 20 x 25 et la posa devant moi.

— C'est lui. L'avez-vous déjà vu ?

Je pris les photos d'une main tremblante. Sur la première, un homme en imperméable parlait à un autre qui s'apprêtait à grimper dans un cabriolet. Assez bel homme, traits réguliers, cheveux très blonds, teint hâlé.

— Non. Il me semble que si je l'avais vu, je m'en souviendrais. Suis-je censée le connaître ? demandai-je.

— Nous avons trouvé des photos de vous chez lui. Des photos de vous marchant dans la rue. Il y avait les mêmes chez Barker.

— Je ne comprends pas. Comment se les est-il procurées ?

— Par Barker, sans doute, intervint Michna.

— C'est ce que vous a dit ce Yedemsky ? Pourquoi Nathan lui aurait-il donné des photos de moi ?

— Yedemsky ne nous a rien dit, répondit Graves. Il est mort. Assassiné.

Je sentis poindre un début de migraine.

— Je ne comprends pas. Je ne connais pas cet homme et j'ignore pour quelle raison il aurait eu des photos de moi.

— Andrei Yedemsky faisait partie de la mafia russe, expliqua Michna. On le suspectait d'être impliqué dans le trafic d'alcool, d'armes, mais aussi de femmes. Il est possible que Barker ait eu l'intention de vous vendre à lui.

Je m'écartai du comptoir en secouant la tête, incapable d'intégrer cette information. Je voulais bien admettre que Nathan ait pu me traquer. Il m'avait haïe dès le premier jour, n'avait pas supporté que son père se remarie plutôt que de porter éternellement le deuil de sa mère. Et sa haine n'avait fait que croître quand je l'avais fait condamner à l'internement psychiatrique et à me verser cinq millions de dollars de dommages et intérêts. Mais cette histoire de mafia russe ? De trafic sexuel ? Cela me dépassait.

Graves feuilleta la liasse de photos jusqu'à ce qu'elle en trouve une représentant un bracelet de saphirs sertis de platine. La règle en forme de L qui reposait à côté indiquait qu'il s'agissait d'un cliché de police.

— Reconnaissez-vous ceci ?

— Oui. Ce bracelet appartenait à la mère de Nathan. Il l'avait fait agrandir à sa taille par un bijoutier et ne s'en séparait jamais.

— Yedemsky le portait quand il est mort, m'apprit-elle d'un ton neutre. En guise de souvenir, sans doute.

— Souvenir de quoi ?

— Du meurtre de Barker.

Je croisai le regard sagace de Graves.

— Vous voulez dire que ce Yedemsky pourrait être responsable de la mort de Nathan ? Mais alors... qui a tué Yedemsky ?

Elle soutint mon regard.

— Tout indique qu'il a été exécuté par la mafia russe.

— C'est une supposition ou vous en êtes sûrs ?

Je voulais vérifier qu'ils avaient la preuve que Gideon n'avait rien à voir avec la mort de Nathan.

Je savais que c'était lui qui avait tué Nathan, pour me protéger. Et je savais aussi qu'il ne commettrait jamais un meurtre pour détourner les soupçons et échapper à la prison.

Ma question tira un froncement de sourcils à Michna.

— Nous en sommes sûrs, répondit Graves. Le meurtre de Yedemsky a été enregistré par des caméras de surveillance. Un de ses associés n'a pas apprécié que Yedemsky couche avec sa fille mineure.

Une bouffée d'espoir me submergea, aussitôt suivie d'une onde de frayeur.

— Qu'est-ce qui va se passer, à présent ? Qu'est-ce que ça signifie ?

— Connaissez-vous des gens ayant des liens avec la mafia russe ? demanda Michna.

— Non ! m'exclamai-je, choquée par cette question. C'est... je n'en ai jamais entendu parler que dans les médias ! Je n'arrive même pas à croire que Nathan ait pu avoir des relations avec ces gens-là. D'un autre côté, cela faisait des années que je ne l'avais pas vu...

La gorge nouée, je regardai Graves.

— Je veux tourner la page, articulai-je. Je veux qu'il cesse de me pourrir la vie. Est-ce que cela arrivera un jour ? Ou est-ce qu'il continuera de me hanter même après sa mort ?

Graves rassembla prestement les photos, le visage indéchiffrable.

— Nous avons fait tout ce qui était en notre pouvoir. À partir de maintenant, c'est à vous qu'il revient de répondre à cette question.

J'arrivai au CrossTrainer à 18 h 15. J'y allai parce que je l'avais promis à Megumi et que je lui avais déjà fait faux bond la fois précédente. J'y allai aussi parce que j'étais dans un tel état de nerfs que j'avais besoin de me défouler.

Après le départ de la police, j'avais envoyé un message à Gideon pour lui dire qu'il fallait que je le voie, mais quand je rangeai mon sac dans mon vestiaire, il ne m'avait toujours pas répondu.

Lorsque je rejoignis Megumi, l'un des employés du gymnase chargés des nouveaux membres et des invités lui expliquait le fonctionnement de la machine sur laquelle s'était porté son choix. Je la laissai à son affaire, grimpai sur un tapis de course que je réglai en mode marche rapide le temps de m'échauffer, puis passai en mode course. Une fois mon rythme de croisière atteint, je laissai dériver mes pensées.

Se pouvait-il que nous soyons enfin libres, Gideon et moi, de reprendre le cours de notre vie et d'aller de l'avant ?

Comment ? Pourquoi ?

Les questions qui tourbillonnaient dans ma tête étaient justement celles que je brûlais d'envie de poser à Gideon – en espérant qu'il n'aurait pas davantage de réponses que moi. Il ne pouvait être impliqué dans la mort de Yedemsky. Je ne le croyais pas.

Je courus jusqu'à ce que les cuisses et les mollets me brûlent, jusqu'à dégouliner de sueur, jusqu'à ce que mes poumons me fassent atrocement souffrir. Ce fut Megumi qui mit fin à mon supplice en se plantant devant mon tapis de course et en agitant désespérément les bras pour attirer mon attention.

— Tu es carrément impressionnante ! s'exclama-t-elle. Une vraie machine.

Je ralentis progressivement, passai en mode jogging, puis en mode marche avant d'arrêter complètement. Quand je descendis de la machine, les effets de mon entraînement intensif se firent instantanément ressentir.

— Je déteste courir, avouai-je, haletante.

Megumi demeurait élégante même en tenue de sport – en l'occurrence, un débardeur vert chartreuse à rayures bleu électrique assorti à ses leggings.

— Je me sens archinulle comparée à toi, dit-elle en me donnant un coup d'épaule. J'ai fait le circuit du débutant en regardant les beaux mecs. Le moniteur qui s'est occupé de moi n'était pas mal, mais j'aurais préféré que ce soit *lui* qui s'occupe de moi.

Je suivis du regard la direction qu'indiquait son doigt.

— C'est Daniel. Tu veux que je te le présente ?

— Et comment !

Je m'avançai avec elle vers les matelas du centre de la salle et fis signe à Daniel quand il croisa mon regard. Megumi s'empressa de retirer l'élastique qui retenait ses cheveux en queue-de-cheval. Elle avait un teint parfait et j'enviais sincèrement sa bouche.

— Content de te revoir, Eva, fit Daniel en me tendant la main. Tu me présentes ?

— Mon amie Megumi. C'est sa première visite.

— Je t'ai vue t'entraîner avec Tara, dit Daniel en gratifiant Megumi de son sourire à dix mille dollars. Moi, c'est Daniel. Si tu as besoin d'aide pour quoi que ce soit, n'hésite pas à me le faire savoir.

— Je risque de te prendre au mot, le prévint-elle en lui serrant la main.

— Je t'en prie. Tu as des objectifs de fitness précis ?

Tandis qu'ils engageaient la conversation, je parcourus la salle du regard à la recherche d'une machine facile, histoire de leur laisser le temps de faire connaissance, et aperçus soudain un visage familier.

Sur les matelas, la journaliste que je ne portais pas particulièrement dans mon cœur enchaînait les levers d'haltère de cinq kilos. Ses cheveux sombres étaient nattés à l'africaine, et son short moulant mettait en valeur ses jambes d'une longueur vertigineuse et son ventre plat.

— Salut, Deanna.

— Je vous demanderais bien si vous venez souvent ici, répondit-elle en reposant son haltère sur son support, mais c'est un peu cliché. Comment ça va, Eva ?

— Ça va. Et vous ?

Son sourire avait ce quelque chose de factice qui avait le don de me hérisser le poil.

— Ça ne vous dérange pas que Gideon Cross étouffe ses crapuleries avec son fric ?

Gideon avait donc vu juste – Ian Hager avait disparu de la circulation une fois leur arrangement financier conclu.

— Si j'étais convaincue que vous cherchez vraiment la vérité, je vous répondrais.

— Tout ce que je vous dis est vrai, Eva. J'ai parlé avec Corinne Giroux.

— Oh, vraiment ? Comment va son mari ?

Deanna laissa échapper un rire perlé.

— Gideon devrait vous recruter pour gérer son image publique.

Elle avait fait mouche et je me sentis légèrement déstabilisée.

— Pourquoi ne pas aller le trouver à son bureau et lui balancer ce que vous avez sur le cœur ? Lui jeter un verre à la figure ou le gifler ?

— Parce que ça ne l'atteindrait pas.

J'essuyai la sueur qui coulait sur mes tempes en songeant qu'elle avait certainement raison. Je savais mieux que personne que Gideon pouvait se comporter comme un salaud sans cœur.

— Peut-être, mais ça vous soulagerait.

— Je sais parfaitement ce qui me soulagerait, Eva. Reprenez vos exercices. Nous aurons l'occasion de nous reparler bientôt, j'en suis sûre.

Je la regardai s'éloigner, persuadée qu'elle gardait un atout dans sa manche, et agacée de ne pas savoir lequel.

— Une copine à toi ? s'enquit Megumi en me rejoignant.

— Pas vraiment.

Mon estomac émit un gargouillis signifiant que j'avais brûlé toutes les calories du bœuf bourguignon dont je m'étais régalée au déjeuner.

— L'exercice me donne toujours faim à moi aussi, dit-elle avec un sourire complice. Tu veux qu'on dîne ensemble ?

— Bonne idée, répondis-je tandis que nous gagnions les douches. Je vais appeler Cary pour lui proposer de se joindre à nous.

— Excellente idée ! s'enthousiasma-t-elle. T'ai-je dit que je le trouvais craquant ?

— Plus d'une fois, oui, répondis-je en saluant Daniel de la main avant de quitter la salle.

Dans le vestiaire, juste avant de jeter ma serviette dans le panier de linge sale, j'en caressai du bout des doigts le logo brodé. Les mêmes serviettes se trouvaient dans la salle de bains de Gideon.

Un jour prochain, ce serait peut-être lui que j'appellerais pour lui proposer d'aller dîner.

Le pire était peut-être derrière nous.

Notre choix se porta sur un restaurant indien voisin du gymnase. Cary nous y rejoignit en compagnie de Trey, main dans la main. Notre table se trouvait juste à côté de l'entrée, devant la vitrine, de plain-pied avec la pulsation de la ville.

Assis sur des coussins à même le sol, nous bûmes un peu trop de vin et nous amusâmes des commentaires que les passants inspiraient à Cary.

Je voyais presque les petits cœurs danser dans les yeux de Trey quand il regardait Cary, et je me réjouis de constater que ce dernier se montrait ouvertement affectueux en retour. Je connaissais assez Cary pour savoir que, lorsqu'il était vraiment amoureux, il limitait au strict minimum les démonstrations d'affection en public. Je choisis pourtant de considérer les multiples attentions qu'il eut pour Trey comme un signe de rapprochement entre eux plutôt que comme la preuve de son désintérêt.

Au cours du repas, Megumi reçut un message de Michael qu'elle ignora. Cary lui demanda si elle se montrait volontairement distante pour le rendre dingue et elle lui raconta toute l'histoire.

— S'il rappelle, laisse-moi répondre, dit-il.

— Surtout pas ! intervins-je.

— Quoi ? répliqua Cary en battant innocemment des cils. Je lui dirai qu'elle est trop occupée pour prendre l'appel pendant que Trey aboiera des ordres sexuels à l'arrière-plan.

— Diabolique ! commenta Megumi en se frottant les mains. Bon, je ne crois pas que ça marcherait avec Michael, mais en cas de besoin, je ne manquerai pas de te rappeler ton offre.

Tout en les écoutant, je consultai discrètement mon portable *bis* et fus très déçue de constater que Gideon ne m'avait toujours pas répondu.

Cary tendit ostensiblement le cou au-dessus de la table.

— Tu attends un appel de ton primate ?

— Quoi ? s'écria Megumi. Tu as un mec et tu ne m'as rien dit ?

J'adressai un regard noir à Cary.

— C'est compliqué, répondis-je.

— C'est tout sauf compliqué, contra-t-il. C'est un plan cul pur et dur.

— Et Cross ? s'étonna Megumi en me regardant.

— Qui ça ? répliqua Cary.

— Cross. Il veut renouer avec Eva, expliqua Megumi.

Ce fut au tour de Cary de me foudroyer du regard.

— Tu lui as parlé ? Quand ça ?

— Il a appelé ma mère. Il n'a jamais dit qu'il voulait renouer.

— Tu serais prête à plaquer ton nouveau mec pour un coup de revenez-y avec Cross ? me demanda Cary avec un sourire rusé. J'avoue qu'il assurait méchamment.

— C'est vrai ? me demanda Megumi en me donnant un coup de genou. La vache... Et il est beau comme un dieu par-dessus le marché, ajouta-t-elle en s'éventant de la main.

— On pourrait parler d'autre chose que de ma vie sexuelle ? lançai-je en cherchant du regard un soutien du côté de Trey.

Il capta aussitôt le message.

— Cary m'a dit que vous assistez à la première d'une vidéo à Times Square demain soir ? J'ignorais que ce genre de truc était encore considéré comme un événement.

J'attrapai avec gratitude la bouée de sauvetage qu'il me lançait.

— J'étais étonnée, moi aussi, avouai-je.

— Il faut dire qu'il y aura ce bon vieux Brett Kline, intervint Cary en se penchant vers Megumi comme pour lui confier un secret. Un petit Brett en coulisses... Un petit Brett sur le siège arrière...

Je plongeai les doigts dans mon verre et lui envoyai des gouttelettes de vin à la figure.

— Eh ! Tu fais quoi, là, Eva ? s'exclama-t-il. Je suis mouillé !

— Si tu ne la boucles pas, tu finiras noyé.

De retour chez moi, à 21 h 45, je n'avais toujours pas eu de nouvelles de Gideon. Megumi avait pris le métro pour rentrer chez elle, tandis que Cary, Trey et moi partagions un taxi.

Les garçons foncèrent droit dans la chambre de Cary tandis que je m'attardais dans la cuisine, taraudée par l'envie de courir jusqu'à l'appartement voisin.

J'étais sur le point de sortir sa clef de mon sac quand Cary apparut, torse nu.

Il sortit une bombe de crème Chantilly du frigo et fit une pause avant de repartir.

— Ça va ?

— Ouais, ça va.

— Tu as parlé avec ta mère ?

— Non, mais j'ai l'intention de le faire.

— Tu as envie de me parler d'autre chose ? demanda-t-il.

— Va t'amuser, répondis-je en lui faisant signe de dégager. Je vais bien. On discutera demain.

— À propos de demain, à quelle heure je dois me tenir prêt ?

— Brett est censé passer nous chercher à 17 heures. Tu pourrais peut-être me retrouver au Crossfire, non ?

— Sans problème.

Il se pencha pour planter un baiser au sommet de mon crâne.

— Bonne nuit, baby girl.

J'attendis que la porte de sa chambre se referme, raflai mes clefs et gagnai l'appartement voisin. Il était silencieux et enténébré, et je sus d'emblée qu'il était désert. J'en fis pourtant le tour par acquit de conscience. Je n'arrivais pas à me défaire de l'idée que quelque chose clochait.

Où diable était Gideon ?

Je décidai d'appeler Angus. Je retournai dans mon appartement, sortis mon portable *bis* de mon sac et l'emportai dans ma chambre.

Où je découvris Gideon en proie à l'un de ses cauchemars.

Je claquai la porte et la verrouillai. Il se débattait et cambrait le dos en émettant un sifflement de douleur. Il était en jean et T-shirt, étendu à même le couvre-lit comme s'il s'était endormi en m'attendant.

Son ordinateur portable était tombé par terre, encore ouvert, et des feuilles étaient répandues sur le lit.

Je me précipitai vers lui et m'efforçai de trouver un moyen de le réveiller qui ne me mette pas en danger, sachant qu'il se haïrait s'il me blessait accidentellement.

Soudain, il se mit à hurler.

— Jamais ! Tu ne la toucheras plus jamais !

Je me pétrifiai.

Il se cabra violemment, puis gémit et se recroquevilla sur le flanc, frissonnant.

Son gémissement me galvanisa. Je grimpai sur le lit et lui touchai l'épaule. La seconde d'après, j'étais sur le dos, Gideon au-dessus de moi, le regard fixe et vide. La peur me paralysa.

— Tu vas voir ce que ça fait, murmura-t-il d'un ton menaçant en pressant ses hanches contre les miennes dans une abjecte imitation de l'amour que nous partagions.

Je tournai la tête et lui mordis le bras.

— Merde !

Il s'écarta et j'en profitai pour sauter du lit et m'enfuir en courant.

— Eva !

Je fis volte-face, prête à me battre.

Il glissa hors du lit, manqua d'atterrir sur les genoux avant de trouver son équilibre et de se redresser.

— Je suis désolé. Je me suis endormi... Bon sang, je suis désolé.

— Tout va bien, dis-je avec un calme forcé. Détends-toi.

Il fourragea dans ses cheveux d'une main nerveuse. Il avait les yeux rouges, le souffle court et le visage luisant de sueur.

Luttant contre la peur qui s'attardait en moi, je m'approchai. Les cauchemars de Gideon faisaient partie de notre vie, nous n'avions d'autre choix que de les affronter.

— Tu te souviens de ton rêve ?

Il déglutit bruyamment, puis secoua la tête.

— Je ne te crois pas.

— Bon sang, Eva, tu dois me...

— Tu rêvais de Nathan. Ça t'arrive souvent ? demandai-je en lui prenant la main.

— Je ne sais pas.

— Ne me mens pas.

— Je ne te mens pas ! s'énerva-t-il. Je me souviens rarement de mes rêves.

Je l'entraînai vers la salle de bains.

— Les inspecteurs de police sont passés chez moi tout à l'heure.

— Je sais.

Sa voix m'inquiéta. Combien de temps avait duré son cauchemar ? De l'imaginer seul, souffrant, en proie aux tourments que son propre esprit lui infligeait me fit mal.

— Ils t'ont aussi rendu visite ?

— Non, mais ils ont enquêté dans mon entourage.

J'allumai la lumière. Il s'immobilisa et m'étreignit la main.

— Eva !

— File sous la douche, champion. On parlera après.

Il prit mon visage entre ses mains, ses pouces me caressant les pommettes.

— Tu vas trop vite. Ralentis.

— Je ne veux pas faire une fixation sur chacun de tes cauchemars, répliquai-je.

— Attends, murmura-t-il en appuyant son front contre le mien. Je t'ai fait peur. Je me suis fait peur. Je voudrais juste qu'on reprenne nos esprits.

Je me radoucis et posai la main à plat sur son torse, là où son cœur battait à coups redoublés.

Il enfouit le nez dans mes cheveux.

— Laisse-moi te sentir, mon ange. Te toucher. Te dire que je suis désolé.

— Tout va bien.

— Non, tout ne va pas bien, objecta-t-il. J'aurais dû t'attendre chez nous.

Je me laissai aller contre lui, troublée et ravie par l'idée d'un « chez-nous ».

— J'ai surveillé mon portable toute la soirée dans l'espoir que tu m'enverrais un message.

— J'ai travaillé tard, dit-il en glissant les mains sous mon chemisier pour caresser mon dos nu. Et ensuite, je suis venu ici. Je voulais te faire une surprise... te faire l'amour...

— J'ai l'impression qu'on va enfin pouvoir respirer, murmurai-je en agrippant son T-shirt. Les inspecteurs... Je crois qu'on est tirés d'affaire.

— Explique-toi.

— Nathan avait un bracelet qu'il ne quittait jamais...

— Un bracelet de saphirs, oui. Très féminin.

— Oui, confirmai-je en levant les yeux vers lui.

— Continue.

— La police a retrouvé ce bracelet au poignet d'un homme qui s'est fait assassiner. Un membre de la mafia russe. Selon eux, il s'agirait d'un règlement de comptes.

Gideon blêmit.

— C'est intéressant...

— C'est tordu, oui. Ils ont parlé de photos de moi et de trafic sexuel, ce qui ne cadre absolument pas avec...

Il posa l'index sur mes lèvres pour me faire taire.

— C'est intéressant parce que Nathan portait ce bracelet quand je l'ai quitté.

Je regardai Gideon prendre sa douche tout en me lavant les dents. Ses mains étalaient le savon sur son corps avec des gestes rapides et précis, si bien que ce ne fut l'affaire que de quelques minutes avant qu'il sorte de la cabine. Il attrapa une serviette et s'essuya vigoureusement.

Quand il eut terminé, il vint derrière moi, me saisit par les hanches et m'embrassa la nuque.

— Je n'ai aucun lien avec la mafia, murmura-t-il.

Je croisai son regard dans le miroir.

— Cela t'ennuie d'être obligé de me le dire ?

— Je préfère te le dire avant que tu me poses la question.

— Quelqu'un s'est donné du mal pour te protéger, dis-je en pivotant face à lui. Tu crois qu'il peut s'agir d'Angus ?

— Non. Raconte-moi comment on a tué ce type.

Je fis courir mes doigts sur son ventre, savourai le frémissement que déclencha ce frôlement.

— C'est un de ses proches qui l'a exécuté. Pour se venger. Il était sous surveillance, apparemment, et à en croire Graves ils ont une vidéo comme preuve.

— C'est donc quelqu'un qui est lié à la mafia ou aux forces de l'ordre, ou aux deux. Quel que soit le responsable, il s'agit d'un bouc émissaire qu'on peut accuser sans risques.

— Dès lors que ça te permet de t'en tirer, peu importe qui a manigancé ça.

Il déposa un baiser sur mon front.

— Au contraire, c'est très important, Eva, dit-il doucement. Parce que pour me protéger, il fallait être au courant de ce que j'avais fait.

15

Je me réveillai en sursaut vers 5 heures du matin. Les vestiges d'un rêve dans lequel je croyais que Gideon et moi étions encore séparés s'accrochaient à moi. Le poids du chagrin et de la solitude me terrassèrent pendant plusieurs minutes. J'aurais aimé que Gideon soit près de moi. Pouvoir me lover contre lui.

Nous n'avions pas fait l'amour la veille, en partie parce que j'avais mes règles, mais aussi parce que nous avions envie de savourer le bonheur simple d'être ensemble. Blottis l'un contre l'autre, nous avions regardé la télé jusqu'à ce que l'épuisement dû à ma course de folie au gymnase me rattrape.

J'aimais ces moments tranquilles où nous nous contentions d'être dans les bras l'un de l'autre, l'attirance sexuelle affleurant sous la surface. J'aimais sentir son souffle sur ma peau et la façon dont mes courbes épousaient son corps musclé, comme si nous avions été conçus l'un pour l'autre.

Je soupirai, ne sachant que trop ce qui me mettait à cran. Nous étions jeudi et Brett allait arriver à New York – s'il n'était pas déjà là.

Gideon et moi commencions tout juste à trouver notre rythme et la réapparition de Brett dans ma vie n'aurait pu tomber à un pire moment. Je redoutais l'incident, le geste ou le regard mal interprété qui serait source de nouveaux problèmes entre Gideon et moi.

Ce serait la première fois que nous apparaîtrions en public depuis notre « rupture ». Et être auprès de Brett alors que mon cœur, lui, serait avec Gideon s'annonçait comme un véritable supplice.

J'allai dans la salle de bains pour me rafraîchir, puis enfilai un short et un T-shirt. J'avais besoin d'être avec Gideon. Nous avions besoin de passer du temps ensemble avant que le jour se lève pour de bon.

Je quittai sans bruit mon appartement et tandis que je m'approchais de sa – *notre* – porte, j'eus l'impression de braver un interdit.

Après avoir déposé mes clefs sur le comptoir du petit déjeuner, je m'engageai dans le couloir. Mon cœur se serra quand je découvris que la chambre d'amis était vide, mais je persistai à le chercher parce que je *savais* qu'il était là.

Je le découvris dans la chambre principale, étreignant mon oreiller. Le drap, qui avait glissé bas sur ses hanches, révélait son dos puissant, ses bras musclés et la naissance de ses fesses.

Cet homme était un fantasme incarné. Et il m'appartenait.

Je l'aimais tellement.

Et je voulais que, pour une fois, ce soit le plaisir et non la peur, la tristesse et le regret qui le réveillent.

Je me dévêtis silencieusement à la pâle lueur de l'aurore, réfléchissant aux différentes façons de satisfaire mon homme. Je voulais faire courir ma bouche et mes mains sur son corps, le sentir frémir, entendre son souffle se bloquer dans sa gorge. Je voulais réaffirmer notre complicité, mon engagement total et irrévocable vis-à-vis de lui avant que la dure réalité reprenne ses droits.

Il remua quand mon genou s'enfonça dans le matelas. Je rampai vers lui, pressai les lèvres au creux de ses reins avant de remonter lentement le long de son dos.

— Hmm... Eva, ronronna-t-il en s'étirant légèrement.

— Une chance que tu aies prononcé mon nom, champion, soufflai-je avant de lui mordiller l'omoplate. Tu aurais passé un sale quart d'heure autrement.

Je m'étendis sur lui et pris le temps de savourer l'exquise chaleur de son corps.

— Il est tôt pour toi, non ? murmura-t-il, aussi heureux que moi de ce contact.

— Affreusement tôt, acquiesçai-je. Tu serres mon oreiller dans tes bras.

— Il porte ton odeur. Ça m'aide à dormir.

J'écartai ses cheveux et l'embrassai dans le cou.

— C'est beau ce que tu viens de dire. J'aimerais pouvoir passer toute la journée enroulée comme ça autour de toi.

— Tu te souviens que je veux t'emmener en weekend ?

— Oui, dis-je, mes doigts glissant sur le renflement de son biceps. J'ai hâte.

— On partira vendredi, dès que tu auras fini ta journée, et on rentrera juste à temps pour reprendre le travail lundi matin. Tu n'auras besoin que de ton passeport.

— Et de toi.

Je déposai un baiser sur son épaule, puis débitai à toute allure :

— J'ai envie de toi et je suis venue faire l'amour avec toi, mais ce n'est peut-être pas une bonne idée. Je veux dire, c'est le dernier jour, mais si le sang te dégoûte – ce que je comprendrais parfaitement vu que ça n'a jamais été mon truc...

— Mon truc, c'est toi, Eva. Je veux te faire l'amour de toutes les façons possibles.

Je m'écartai pour le laisser se retourner, comme il en manifestait l'intention, et admirai le jeu de ses muscles sous sa peau. Il était décidément plus beau que jamais. Et plus excité que je ne m'y attendais, ce dont il ne me serait pas venu à l'idée de me plaindre.

— Assieds-toi, le dos contre la tête de lit, lui ordonnai-je.

Il s'exécuta docilement, son air ensommeillé et son début de barbe ajoutant à son charme. Je grimpai à califourchon sur ses cuisses. Et fus aussitôt consciente de cette attraction qui nous aimantait, de cette aura de danger qu'il exsudait même quand il était au repos. Gideon était indompté et ne serait jamais domestiqué. Telle une panthère qui a toujours des griffes même lorsqu'elles sont rentrées.

C'était l'un de mes plus grands bonheurs. Avec moi, Gideon s'adoucissait sans pour autant trahir sa nature. C'était toujours l'homme dont j'étais tombée amoureuse – impitoyable –, et cependant, il avait changé. Il était tout pour moi – tout ce que je désirais et tout ce dont j'avais besoin réuni en un seul homme, si imparfait soit-il.

Écartant ses cheveux de son visage, je fis courir la pointe de ma langue sur sa lèvre inférieure. Ses mains puissantes se refermèrent sur mes hanches. Ses lèvres s'entrouvrirent et sa langue caressa la mienne.

— Je t'aime, murmurai-je.

— Eva.

Il inclina la tête et prit les rênes. Ses lèvres, si fermes et si douces à la fois, se pressèrent contre les miennes. Sa langue s'enfonça dans ma bouche, la lécha, la goûta, m'arrachant des frissons. Son sexe durcit entre nous, et je sentis sa peau chaude et soyeuse contre mon ventre.

Les pointes de mes seins se dressèrent en réponse et je les frottai contre son torse.

Sa main enveloppa ma nuque pour m'immobiliser tandis qu'il m'embrassait avec ardeur, sa bouche inquisitrice et avide. Gémissante, je me cambrai vers lui en enfouissant les doigts dans ses cheveux.

— Dieu que tu m'excites, gronda-t-il, repliant les genoux pour me plaquer contre lui. Regarde-toi, ajouta-t-il en soupesant mes seins, ses pouces en caressant les pointes. Tu es sublime.

Une douce chaleur se déploya en moi.

— Gideon...

— Parfois, tu es glaciale, la blonde inaccessible, dit-il en insinuant la main entre mes cuisses. Et puis tu es aussi comme ça, toute chaude et assoiffée de sexe. À vouloir que je te caresse partout et que je te fourre.

— Je suis comme ça *à cause de toi*. C'est toi qui me fais cet effet-là. Depuis le premier jour.

Le regard de Gideon glissa sur moi, vite remplacé par sa main. Quand ses doigts effleurèrent le galbe de mon sein en même temps que mon clitoris, je crus défaillir.

— Je te veux, articula-t-il d'une voix rauque.

— Et je suis là... toute nue.

Sa bouche s'incurva sur un lent sourire.

— J'avais remarqué.

Du bout du doigt, il suivit le pourtour de mon sexe, et je me soulevai pour lui faciliter l'accès, mes mains glissant sur ses épaules.

— Mais je ne parlais pas de sexe, murmura-t-il. Même si je veux aussi cela.

— Avec moi.

— Uniquement avec toi, acquiesça-t-il, son pouce jouant doucement avec la pointe de mon sein. Pour toujours.

Je gémis, m'emparai de son sexe et fis coulisser ma main de haut en bas.

— Je te regarde, mon ange, et je te veux. Je veux être avec toi, t'écouter, te parler. Je veux t'entendre rire et te bercer quand tu pleures. Je veux être auprès de toi, respirer le même air que toi, partager ta vie. Je veux me réveiller à tes côtés jour après jour. Je te *veux*.

Je murmurai son nom et l'embrassai tendrement.

— Je te veux aussi, soufflai-je.

Il fit rouler la pointe de mon sein entre ses doigts et agaça si habilement mon clitoris qu'un doux soupir m'échappa. Son sexe durcit dans ma main en écho à mon désir.

Le soleil commençait à se lever, repoussant les ombres de la nuit, mais le monde extérieur me paraissait à des années-lumière. L'instant était d'une intimité à la fois brûlante et douce qui m'emplissait de joie.

Mes mains le cajolaient avec une tendresse empreinte de respect, je n'avais d'autre but que de lui faire plaisir et de lui montrer combien je l'aimais. Il me caressait pareillement, et ses yeux étaient comme des fenêtres ouvertes sur son âme blessée – une âme qui avait autant besoin de moi que j'avais besoin d'elle.

— Je suis heureux avec toi, Eva. Tu me rends heureux.

— Je te rendrai heureux jusqu'à la fin de tes jours, lui promis-je en agitant le bassin, le désir tel un torrent de lave dans mes veines. C'est mon souhait le plus cher.

Inclinant la tête, Gideon donna un coup de langue sur le bout de mon sein. Cette brève caresse me fit l'effet d'un coup de fouet.

— J'adore tes seins. Tu sais cela ?

— Ah, c'est donc ça qui t'a séduit : les pare-chocs !

— Continue de te moquer, mon ange. Offre-moi un prétexte pour te flanquer la fessée. J'adore aussi tes fesses, figure-toi.

La main plaquée dans mon dos, il rapprocha mon buste de sa bouche. Mon mamelon se retrouva captif de sa douce moiteur. Les joues de Gideon se creusèrent et mon sexe, avide d'accueillir le sien, se contracta en réponse à la succion de ses lèvres.

Je le sentais partout, sur moi, en moi. Sa chaleur. Sa passion. Entre mes mains, son sexe raide palpitait et l'extrémité engorgée était toute luisante.

— Dis-moi que tu m'aimes, le suppliai-je.

— Tu le sais, fit-il en soutenant mon regard.

— Imagine que je ne te l'ai jamais dit. Que tu ne m'entendes jamais prononcer ces mots.

Il poussa un long soupir.

— Crossfire, lâcha-t-il.

Mes mains s'immobilisèrent.

Il déglutit.

— C'est le mot que tu utilises quand les choses vont trop loin, quand c'est trop intense. Je l'utilise aussi parce que c'est ce que je ressens avec toi. Tout le temps.

— Gideon, je...

Je demeurai sans voix.

— Quand c'est toi qui le prononces, ça veut dire arrête. Quand c'est moi, ça veut dire ne t'arrête jamais. Quoi que tu me fasses, je veux que tu continues, ajouta-t-il en me caressant la joue.

— Laisse-moi faire, soufflai-je en me positionnant au-dessus de lui.

274

— Oui, mon ange.

Ses doigts abandonnèrent ma fente, et une seconde plus tard, je m'empalai sur son sexe.

— Doucement, murmura-t-il, ses paupières voilant à demi son regard tandis qu'il se léchait les doigts avec une sensualité qui me bouleversa.

Il était si merveilleusement impudique et décadent.

— Aide-moi.

Ça m'était toujours plus difficile de le prendre de cette façon. Il me saisit aux hanches et me fit coulisser lentement sur lui...

— Tu sens comme je suis dur ? Tu sens l'effet que tu me fais, mon ange ?

Mes cuisses se mirent à trembler quand il caressa un point sensible en moi. Déjà frémissante, je lui agrippai les poignets.

— Ne jouis pas, dit-il de ce ton autoritaire qui suffisait souvent à me faire basculer dans l'orgasme. Pas tant que je ne serai pas complètement en toi.

— Gideon...

La douce friction de sa pénétration prudente me rendait folle.

— Rappelle-toi combien c'est bon de me sentir en toi, mon ange. Quand ta petite chatte gourmande a quelque chose autour de quoi se contracter quand tu jouis.

En réaction à l'intonation rauque de sa voix, je me contractai spontanément.

— Dépêche-toi...

— C'est à toi de me laisser entrer, répondit-il, une lueur amusée dans le regard.

Il me força à m'incliner en arrière, modifiant l'angle de ma descente. Je glissai d'un coup et le prit entièrement en moi.

— C'est dingue ! lâcha-t-il en renversant la tête en arrière. Tu me serres comme un poing.

— Mon amour, soufflai-je, suppliante.

Il était fiché en moi si profondément, me comblait si totalement que j'avais du mal à reprendre mon souffle.

Il darda sur moi un regard ardent.

— C'est ça que je veux. Toi et moi, sans rien entre nous.

— Rien... haletai-je.

Je me contorsionnai irrépressiblement, le corps et l'esprit taraudés par le besoin de jouir.

— Là... chuchota Gideon d'un ton apaisant. Je vais m'occuper de toi.

Il porta le pouce à sa bouche, le lécha, puis glissa la main entre nous et exerça une pression experte sur mon clitoris. Un flot brûlant courut sur ma peau tandis qu'un voile de sueur la recouvrait.

La flèche de l'orgasme me traversa, et mes muscles internes se contractèrent spasmodiquement. Gideon émit un grondement animal et je sentis son sexe enfler en moi.

Mais il ne jouit pas, ce qui rendit mon orgasme plus intime. J'étais ouverte, vulnérable, déchirée par le plaisir. Et il me regardait voler en éclats, parfaitement maître de lui. Son immobilité renforçait ce lien que je sentais entre nous.

Une larme roula sur ma joue.

— Viens là, dit-il d'une voix rauque, ses mains remontant dans mon dos pour m'attirer contre lui.

Il cueillit la larme solitaire de la pointe de la langue, puis frotta le bout du nez contre ma joue. Les seins pressés contre son torse, j'enroulai les bras autour de sa taille et me serrai contre lui, le corps secoué de frissons post-orgasmiques.

— Tu es si belle, murmura-t-il. Si douce et tendre. Embrasse-moi, mon ange.

Je lui offris mes lèvres. Nous échangeâmes un baiser ardent et moite, mélange érotique de son désir inassouvi et de mon amour débordant.

Je plaquai les mains à l'arrière de sa tête et l'immobilisai. Il fit de même avec moi, l'un et l'autre partageant une sorte de conversation muette. Ses lèvres scellées aux miennes, sa langue baisait ma bouche alors même que son sexe demeurait immobile en moi.

Son baiser trahissait une tension sous-jacente, et je sus que les événements qui devaient avoir lieu ce soir-là l'inquiétaient lui aussi. Je creusai les reins et me cambrai comme si je cherchais à ne plus faire qu'un avec lui. Il me mordilla la lèvre inférieure.

— Ne bouge pas, dit-il d'un ton âpre en me prenant par la nuque. Je veux jouir rien que de te sentir autour de moi.

— Jouis en moi, chuchotai-je.

Nous étions étroitement enlacés, cramponnés l'un à l'autre, nos lèvres et nos langues s'accouplant frénétiquement.

Gideon m'appartenait corps et âme. Et pourtant, une partie de moi-même n'en revenait toujours pas que je puisse le posséder ainsi, qu'il soit nu dans un lit que nous partagions, dans un appartement que nous partagions, qu'il soit en moi, comme une partie de moi-même, qu'il prenne tout l'amour et la passion que je lui donnais et qu'il m'offre tellement plus en retour.

— Je t'aime, soufflai-je en contractant mes muscles intimes.

— Eva, mon Dieu.

Un frisson le parcourut, et il explosa. Il gémit dans ma bouche, ses mains se crispèrent sur mon cuir chevelu et son souffle haletant se déversa entre mes lèvres.

Je le sentis se répandre en moi et un nouvel orgasme commença à pulser doucement au creux de mon ventre.

Ses mains me caressaient inlassablement le dos, son baiser reflétant un mélange parfait d'amour et de désir. La gratitude et le besoin qu'il exprimait, je les reconnaissais parce que je les éprouvais aussi.

C'était un miracle que je l'aie rencontré, qu'il me fasse ressentir tout cela, que je puisse aimer un homme aussi profondément, que je puisse l'aimer physiquement en dépit de mon passé. Et que je sois capable de mon côté de lui offrir le même refuge.

J'appuyai la joue contre son torse, à l'écoute des battements sourds de son cœur.

— Eva, dit-il avec un soupir rauque, ces réponses que tu attends de moi... Je suis disposé à te les donner si tu me poses des questions.

Je le tins dans mes bras un long moment, attendant que nos corps récupèrent et que ma panique s'estompe. Il était encore en moi. Nous étions aussi proches qu'on peut l'être, mais cela ne lui suffisait pas. Il lui en fallait plus, sur tous les plans. Il n'abandonnerait pas avant de m'avoir possédée tout entière, d'avoir infiltré tous les aspects de ma vie.

Je m'écartai de lui et le regardai.

— Je ne vais pas me sauver, Gideon. Tu n'es pas obligé de parler si tu ne te sens pas prêt.

— Je suis prêt, déclara-t-il, et son regard qui soutenait le mien était empreint de détermination. J'ai surtout besoin que *toi*, tu sois prête, Eva. Parce que je compte bientôt te poser une question et qu'il faudra me donner la bonne réponse.

— C'est trop tôt, murmurai-je, la gorge serrée. Je ne sais pas si j'en serai capable.

Je changeai légèrement de position pour mettre de la distance entre nous, mais il me ramena contre lui.

— Mais tu ne vas pas te sauver, répliqua-t-il d'un ton farouche. Et moi non plus. Alors pourquoi repousser l'inéluctable ?

— Il ne faut pas que tu voies les choses de cette façon. Nous traînons beaucoup de casseroles, toi et moi. Si nous ne faisons pas attention, l'un de nous deux – ou les deux – risque de se braquer, de se fermer complètement à l'autre et...

— Demande-moi ce que tu veux, Eva, ordonna-t-il.

— Gideon...

— Tout de suite.

Contrariée par son obstination, je ruminai une minute, puis décidai que, quelles que soient ses raisons, il y avait bel et bien un certain nombre de questions qui méritaient des réponses.

— Le Dr Lucas, attaquai-je. Sais-tu pourquoi il a menti à ta mère ?

Il crispa les mâchoires et son regard se durcit.

— Pour protéger son beau-frère.

— *Quoi ?* m'exclamai-je en me redressant. Le frère d'Anne ? La femme avec qui tu couchais ?

— Que je baisais, rectifia-t-il froidement. Tous les membres de la famille d'Anne travaillent dans le domaine de la santé mentale. Absolument tous. Elle-même est psy. Tu ne l'as pas découvert au cours de tes recherches sur Google ?

Je hochai vaguement la tête. La façon dont il avait craché le mot *psy* m'inquiétait davantage que le fait qu'il soit au courant de mes recherches. Était-ce pour cette raison qu'il n'en avait jamais consulté ? Et à quel point m'aimait-il pour faire l'effort d'aller voir Petersen en dépit de son mépris ?

— Je ne l'ai pas compris tout de suite, poursuivit-il. J'ignorais pourquoi Lucas avait menti. Il est pédiatre, il est censé se soucier des enfants, nom de Dieu !

— Pédiatre ou pas, là n'est pas la question. Il est censé se comporter en être humain ! m'emportai-je. Quand je pense qu'il a osé me mentir en me regardant droit dans les yeux !

Il avait rejeté tous les torts sur Gideon... cherché à creuser un fossé entre nous...

— Ce n'est que lorsque je t'ai rencontrée que j'ai commencé à comprendre, dit-il, sa main se crispant sur ma taille. Il aime Anne. Peut-être autant que je t'aime. Assez en tout cas pour lui pardonner de l'avoir trompé et pour couvrir les agissements de son frère – afin de lui épargner la vérité. Ou la honte.

— Il ne devrait pas avoir le droit d'exercer la médecine.

— Je ne peux qu'être d'accord.

— Pourquoi son cabinet se trouve-t-il dans un immeuble qui t'appartient ?

— J'ai acheté l'immeuble parce que son cabinet s'y trouvait. Ça me permet de le garder à l'œil et de savoir si ses affaires sont florissantes... ou pas.

La façon dont il avait prononcé ces derniers mots me fit m'interroger. Avait-il quelque chose à voir avec le ralentissement des affaires de Lucas ? Quand Cary avait été hospitalisé, il avait eu droit à un traitement de faveur car Gideon était l'un des généreux donateurs de l'établissement. Quelle était l'étendue de son influence ?

S'il existait des moyens de nuire à Lucas, j'étais certaine qu'il les connaissait tous.

— Et le beau-frère ? demandai-je. Qu'est-ce qu'il est devenu ?

— Je suis allé le trouver et je lui ai dit que si par malheur il décidait d'ouvrir un cabinet ou s'il s'en prenait à un autre enfant, je consacrerais tout mon temps et tout mon argent à le poursuivre en justice au civil et au pénal pour le compte de ses victimes. Peu de temps après, il s'est suicidé.

Il débita cette dernière information d'un ton si dénué d'inflexion que les poils se hérissèrent sur ma nuque. Un courant froid me traversa et je frissonnai.

Il me frotta les bras pour me réchauffer, mais ne m'attira pas contre lui.

— Hugh était marié. Il avait un enfant. Un petit garçon.

— Gideon, dis-je en le serrant dans mes bras.

Son père s'était suicidé, lui aussi.

— Ce que Hugh a choisi de faire n'est pas ta faute. Tu n'es pas responsable de la décision qu'il a prise.

— Tu crois ? demanda-t-il d'une voix glaciale.

— J'en suis sûre, murmurai-je en resserrant mon étreinte. Quant à l'enfant… La mort de son père lui aura peut-être évité de subir ce que tu as subi. Tu y as songé ?

— Oui, soupira-t-il. Mais il ne sait pas qui était son père. Il sait juste qu'il est parti, volontairement, et l'a abandonné. Il pensera que son père ne l'aimait pas assez pour rester.

— Mon amour. Tu n'as rien à te reprocher.

J'attirai sa tête à moi et le forçai à l'appuyer contre moi. Je ne savais pas quoi dire. Je ne pouvais pas trouver d'excuses à Geoffrey Cross, et je savais que c'était à lui que pensait Gideon, et au petit garçon qu'il avait été.

— J'ai besoin de toi près de moi, Eva, souffla-t-il, se décidant à m'entourer de ses bras. Mais tu restes sur la réserve. Ça me rend fou.

Je le berçai tendrement.

— Si je suis prudente, c'est parce que je tiens énormément à toi, justement.

— Je sais que je n'ai pas le droit de te demander de vivre avec moi quand on ne peut même pas dormir dans le même lit, mais je sais que je t'aimerai mieux que n'importe quel autre homme. Je prendrai soin de toi et je te rendrai heureuse. Je sais que je peux le faire.

— Tu le fais déjà.

J'écartai les cheveux de ses tempes et eus envie de pleurer en voyant le désespoir dans son regard.

— Je veux que tu saches que je resterai avec toi, ajoutai-je.

— Tu as peur.

— Pas de toi, assurai-je en tâchant de rassembler mes pensées de façon cohérente. Je ne peux pas... je ne peux pas me contenter d'être une extension de toi.

Ses traits s'adoucirent.

— Eva, murmura-t-il, je ne peux pas changer qui je suis et je ne veux pas non plus te changer toi. Je veux juste qu'on soit nous-mêmes... ensemble.

Ne sachant que répondre, je l'embrassai. Moi aussi, je voulais qu'on partage notre vie, qu'on soit ensemble de toutes les façons possibles. Mais j'avais le sentiment que nous n'y étions prêts ni l'un ni l'autre.

— Toi et moi, on tient déjà à peine debout tout seuls, murmurai-je contre ses lèvres. On progresse, mais on est encore loin du compte. Et il ne s'agit pas seulement de tes cauchemars.

— Dis-moi de quoi il s'agit, alors.

— De tout. Je ne sais pas... Ce n'est pas une bonne chose que je vive dans un appartement dont Stanton paie le loyer, maintenant que Nathan n'est plus une menace. D'autant que mes parents ont renoué.

Il haussa les sourcils.

— Renoué ? Tu veux dire... ?

— Oui, confirmai-je.

— Emménage chez moi, suggéra-t-il en me caressant le dos.

— Pour zapper la phase d'indépendance et continuer à vivre aux crochets de quelqu'un ?

— Bordel, on peut partager le loyer si ça te fait plaisir, s'agaça-t-il.

— Ha, ha ! m'esclaffai-je. Comme si j'avais les moyens de payer ne serait-ce qu'un tiers du loyer de ton penthouse ! Et Cary ne les a pas davantage, du reste.

— Dans ce cas, on emménagera ici ou bien à côté en faisant mettre le bail à nos noms. Peu importe l'endroit, Eva.

Je l'observai sans mot dire. Ce qu'il proposait me faisait envie, mais j'avais aussi très peur de tomber dans un piège qui nous ferait mal à tous les deux.

— Ce matin, tu es venue me rejoindre à peine réveillée, me rappela-t-il. Tu n'aimes pas être loin de moi, toi non plus. Alors à quoi bon se torturer ? Partager le même espace devrait être le cadet de nos soucis.

— Je ne veux pas tout gâcher, Gideon, dis-je en lui caressant le torse du bout des doigts. J'ai *besoin* que notre couple fonctionne.

Il s'empara de ma main, la plaqua sur son cœur.

— Moi aussi, j'ai besoin que notre couple fonctionne, Eva. Et je veux des soirées et des matins comme ceux que nous venons de vivre.

— Personne ne sait que nous nous voyons. Comment veux-tu passer de la rupture à la vie commune du jour au lendemain ?

— Il suffit d'enclencher le processus dès aujourd'hui. Tu vas assister au lancement de la vidéo avec Cary, et je viendrai vous saluer en compagnie d'Ireland...

— Elle m'a appelée, l'interrompis-je, et m'a conseillé de venir te trouver. Elle aimerait qu'on se remette ensemble.

— C'est une fille intelligente, déclara-t-il avec un sourire qui me fit espérer qu'il se déciderait un jour à s'ouvrir à elle. Voilà, l'un de nous deux approchera l'autre histoire de bavarder, je saluerai Cary, et on n'aura pas besoin de feindre l'attraction réciproque. Demain midi, je t'invite à déjeuner. Le *Bryant Park Grill* serait idéal. Bref, on sort du placard et on se montre ensemble.

Cela semblait si merveilleusement facile, mais...

— Tu ne crois pas que c'est risqué ?

— La découverte du bracelet de Nathan sur le cadavre d'un criminel ouvre la porte au doute raisonnable. Nous n'avons besoin de rien d'autre.

Nous échangeâmes un long regard rempli d'espoir, d'excitation et d'attentes quant à un avenir qui, la veille encore, nous paraissait tellement incertain.

Il me toucha la joue.

— Tu as réservé une table au *Tableau One* pour ce soir.

— Oui, acquiesçai-je. J'ai dû utiliser ton nom pour obtenir une table, mais Brett m'a invitée à dîner et je tenais à aller dans un endroit qui ait un lien avec toi.

— Ireland et moi avons une réservation à la même heure. Nous nous joindrons à vous.

La perspective me rendit nerveuse, et je me tortillai gauchement. Le sexe de Gideon durcit en moi.

— Heu...

— Ne t'inquiète pas, murmura-t-il, ses pensées prenant un tour nettement plus charnel. Ce sera amusant.

— Mais oui, bien sûr.

Glissant un bras autour de mes hanches, l'autre sous mes omoplates, Gideon me souleva et me fit basculer sur le lit avant de s'allonger sur moi.

— Fais-moi confiance.

Je voulus répondre, mais il me fit taire d'un baiser.

Je pris une douche et m'habillai chez Gideon, puis repassai chez moi pour récupérer mon sac en m'efforçant de ne pas donner l'impression que je débarquais de l'appartement voisin. C'était facile de se préparer chez Gideon car il avait rempli la salle de bains de tous les produits de toilette et de beauté que j'utilisais, et acheté assez de vêtements et de lingerie pour que mon propre dressing devienne inutile.

C'était plus que je n'avais besoin, mais Gideon était ainsi.

J'étais en train de rincer la tasse que j'avais utilisée pour boire un café vite fait quand Trey apparut.

Il m'adressa un sourire timide. Vêtu d'un bas de jogging de Cary et de la chemise qu'il portait la veille, il semblait pourtant comme chez lui.

— Bonjour, me dit-il.

— Salut, répondis-je en rangeant ma tasse dans le lave-vaisselle. Ça m'a fait plaisir que tu viennes dîner hier.

— Moi aussi. J'ai passé une bonne soirée.

— Café ? proposai-je.

— Je veux bien, oui. Je suis censé me préparer pour aller bosser, mais je traîne.

— Je connais le syndrome.

Je lui préparai une tasse de café et la posai devant lui. Il s'en empara et la souleva en manière de remerciement.

— Je peux te poser une question ? fit-il.

— Je t'écoute.

— Tu aimes bien Tatiana aussi ? Ça ne te fait pas bizarre qu'on vienne ici à tour de rôle ?

— Pour être franche, je ne connais pas vraiment Tatiana, avouai-je avec un haussement d'épaules. Elle ne passe pas de temps avec Cary et moi comme tu le fais.

— Ah.

Il était temps que je parte. Je me dirigeai vers l'entrée et lui pressai l'épaule au passage.

— Bonne journée, Trey.

Je consultai mes messages dans le taxi en regrettant de ne pas être allée au travail à pied, car le chauffeur n'avait pas remonté la vitre de séparation et considérait apparemment comme superflu l'emploi d'un déodorant.

Brett m'avait envoyé un texto à 6 heures du matin : *Atterri ! Hâte de te voir ce soir !*

Je répondis par un simple smiley.

Megumi paraissait en forme, notai-je en arrivant. Will, en revanche, affichait une mine sinistre. Je rangeais mon sac dans un tiroir quand il se planta sur le seuil de mon box, les bras croisés.

— Qu'est-ce qui t'arrive ? demandai-je.

— Au secours. Je suis en manque de glucides.

Je m'esclaffai.

— Je trouve très mignon que tu t'obliges à suivre ce régime pour ta copine.

— Je ne devrais pas me plaindre, dit-il. Elle a perdu trois kilos – qui lui allaient très bien selon moi – et maintenant elle est superbe et débordante d'énergie. Mais moi... je me traîne comme une limace. Mon organisme n'est pas conçu pour ça.

— Et donc, tu me proposes de déjeuner avec toi, c'est ça ?

— S'il te plaît, gémit-il en joignant les mains. Tu es l'une des rares femmes que je connaisse qui apprécie vraiment de manger.

— Mon arrière-train est là pour te donner raison, répondis-je avec une moue contrite. Mais d'accord, je suis partante.

— C'est toi la meilleure, Eva, assura-t-il en reculant.

Il entra en collision avec Mark et s'excusa.

— Il n'y a pas de mal, répondit Mark avec un sourire.

— L'équipe de Drysdel arrive à 9 h 30, lui rappelai-je tandis que Will s'éloignait.

— Oui, et j'ai justement une idée que j'aimerais soumettre aux stratèges de campagne avant leur arrivée.

J'attrapai ma tablette et me levai en songeant que ça allait être serré.

— On travaille à flux tendu, là, patron, le taquinai-je.

— C'est la seule façon de travailler. Allez, on fonce !

La journée passa à toute vitesse, mais j'étais dans un tel état d'excitation que j'eus l'impression de m'ennuyer à chaque seconde. Mon réveil aux aurores et la platée de raviolis polonais que je m'octroyai au déjeuner ne parvinrent pas à me calmer.

J'éteignis mon ordinateur à 17 heures précises et passai aux toilettes pour troquer ma jupe et mon chemisier pour une petite robe de jersey bleu pâle. J'enfilai une paire de sandales à semelles compensées, accrochai des créoles en argent à mes oreilles et convertis ma sage queue-de-cheval en un chignon à la diable, puis gagnai le hall.

Alors que je m'approchais de la porte à tambour, j'aperçus Cary sur le trottoir en train de discuter avec Brett. Je ralentis et pris le temps de contempler mon ancien amant.

Les cheveux courts de Brett étaient naturellement blond foncé, mais il décolorait les pointes en blond platine, un look qui lui allait particulièrement bien, d'autant qu'il avait la peau bronzée et les yeux vert émeraude. Sur scène, il était souvent torse nu, mais aujourd'hui, il portait un pantalon noir et un T-shirt rouge sang révélant les tatouages qui sinuaient le long de ses bras.

Il tourna la tête pour jeter un coup d'œil dans le hall et je me remis en marche. Mon pouls s'emballa quand, m'ayant aperçue, un sourire adoucit ses traits et creusa une fossette que j'avais un jour adorée.

Décidément, il était plus sexy que jamais.

Me sentant soudain un peu trop exposée, je sortis mes lunettes de soleil et les chaussai à la hâte. Je pris une longue inspiration avant de m'engager dans la porte à tambour. Mon regard accrocha aussitôt la Bentley garée juste devant la limousine de Brett.

— Eva ! s'exclama celui-ci après avoir émis un long sifflement. Tu es plus sublime chaque fois que je te vois !

Le cœur battant follement, j'adressai un sourire crispé à Cary.

— Salut.

— Tu es magnifique, baby girl, dit-il en me tendant la main.

Du coin de l'œil, je vis Angus descendre de la Bentley. Ce bref instant de distraction m'empêcha de voir Brett se rapprocher de moi. Une fraction de seconde après que sa main se fut posée sur ma taille, je compris qu'il allait m'embrasser et détournai la tête juste à temps. Tièdes et familières, ses lèvres m'effleurèrent le coin de la bouche. Je reculai en chancelant et marchai sur les pieds de Cary qui m'attrapa aux épaules.

Rouge de honte et désorientée, je regardai tout autour de moi, évitant délibérément de poser les yeux sur Brett.

Et croisai le regard bleu de Gideon.

16

Planté devant la porte du Crossfire, Gideon me fixait si intensément que j'en tressaillis.

« Pardon », articulai-je silencieusement. Je me sentais d'autant plus mal que je savais ce que j'aurais ressenti si Corinne l'avait embrassé l'autre jour.

— Salut, fit Brett, trop concentré sur moi pour remarquer l'homme en costume sombre qui serrait les dents et les poings à quelques pas de là.

— Salut, répondis-je, regrettant de toute mon âme de ne pas pouvoir rejoindre Gideon. On y va ?

Sans attendre les garçons, je m'engouffrai à l'arrière de la limousine. J'étais à peine assise que je sortis mon téléphone *bis* de mon sac pour envoyer un message à Gideon : *Je t'aime*.

Brett prit place à côté de moi et Cary le suivit.

— Je n'arrête pas de voir ta belle gueule partout, mon vieux, lui fit remarquer Brett.

— Eh, ouais, que veux-tu ? soupira Cary avec un sourire en coin à mon intention.

Avec son jean destroy, son T-shirt couture et ses bracelets de force en cuir assortis à ses boots, il avait un look d'enfer.

— Le reste du groupe a pris l'avion avec toi ? demandai-je.

— Ouais, ils sont tous là, répondit-il, révélant de nouveau sa fossette. Darrin s'est effondré sur son lit à la seconde où il est entré dans sa chambre d'hôtel.

— Je ne sais pas comment il fait pour jouer de la batterie pendant des heures. Rien que de le regarder, ça m'épuise.

— Sur scène, tu carbures à l'adrénaline si bien que tu ne sens pas la fatigue.

— Comment va Erik ? s'enquit Cary.

Il avait dans son ton plus qu'un vague intérêt, et je me demandai – pas pour la première fois – s'il ne s'était pas passé quelque chose entre le bassiste du groupe et lui. Pour autant que je le sache, Erik était hétéro, mais certains détails, ici ou là, suggéraient qu'il s'était peut-être laissé tenter par une expérience avec mon meilleur ami.

— Erik règle des problèmes qui sont apparus pendant la tournée, répondit Brett. Et Lance est allé rejoindre une fille qu'il a rencontrée la dernière fois qu'on était à New York. Ils seront tous là tout à l'heure.

— Une vie de rock star, le taquinai-je.

Brett haussa les épaules et sourit.

Je détournai les yeux, regrettant d'avoir proposé à Cary de m'accompagner. Sa présence m'empêchait de dire à Brett que j'aimais quelqu'un et qu'il n'y avait aucun espoir pour nous.

Une relation avec Brett n'aurait rien eu de commun avec ce que je partageais avec Gideon. Je me serais souvent retrouvée seule lorsqu'il était en tournée. J'aurais eu tout le temps d'accomplir ce qui m'apparaissait comme indispensable avant de vivre en couple : subvenir à mes besoins, voir mes amis quand je le voulais et rester seule quand j'en avais envie. La combinaison gagnante, en quelque sorte – les avantages du petit ami sans sacrifier son indépendance.

Mais même si le fait de passer directement de la fac à un engagement définitif m'inquiétait, je savais que Gideon était l'homme de ma vie. Notre problème venait de ce que nous n'étions pas en phase côté timing – j'estimais qu'il n'y avait aucune raison de précipiter les choses tandis qu'il estimait qu'il n'y avait aucune raison d'attendre.

— On est arrivés, annonça Brett en regardant la foule de l'autre côté de la vitre.

Malgré la chaleur moite, Times Square était aussi noir de monde qu'à l'accoutumée. Les marches rouge rubis de Duffy Square étaient encombrées de gens qui se photographiaient, et les trottoirs peinaient à contenir le flot des piétons. Un peu partout, des officiers de police scrutaient la foule d'un œil vigilant. Des acteurs de rue s'interpellaient à grands cris et les parfums qui s'échappaient des street cars rivalisaient avec les odeurs nettement moins appétissantes de la ville.

Les immenses panneaux publicitaires lumineux accrochés aux immeubles se livraient une compétition acharnée pour attirer l'attention. Cary figurait sur l'un d'eux, une femme debout derrière lui l'enlaçant. Des cameramen et des perchistes s'agglutinaient autour d'un écran vidéo mobile placé sur une plateforme de traveling disposée face aux gradins que formait l'escalier rouge.

Brett descendit de la limousine le premier et fut bombardé par les hurlements de ses fans – des femmes pour la plupart. Il les gratifia de son sourire ravageur et agita la main, puis se retourna et m'aida à descendre. L'accueil que je reçus fut nettement moins chaleureux, et se refroidit carrément quand Brett glissa le bras autour de ma taille. L'apparition de Cary, en revanche, déclencha des murmures approbateurs, et lorsqu'il chaussa une paire de lunettes noires, il eut droit à une salve de cris excités et de miaulements suraigus.

D'abord désorientée par l'impact sensoriel, je me ressaisis quand j'aperçus Christopher Vidal Junior en grande conversation avec l'animateur d'un célèbre talk-show. Le demi-frère de Gideon portait avec élégance chemise et cravate bleu marine – il était là pour le boulot. Ses cheveux auburn accrochaient le regard, même dans la pénombre que les bâtiments qui nous entouraient projetaient sur la place. Il me fit signe lorsqu'il me repéra, attirant sur moi l'attention de l'animateur. Je lui rendis son salut.

Les musiciens des Six-Ninths se tenaient au pied des gradins, signant des autographes, visiblement ravis. Je me tournai vers Brett.

— Va les rejoindre, lui conseillai-je.

— Sûr ? demanda-t-il en me dévisageant, histoire de s'assurer que je ne lui en voulais pas de m'abandonner.

— Évidemment, répondis-je. C'est ta soirée de consécration. Profites-en. Je serai là quand le show commencera.

— Ça marche, dit-il avec un grand sourire. Ne bouge pas d'ici.

Il courut rejoindre ses musiciens. Cary et moi gagnâmes la tente surmontée du logo de Vidal Records. Protégée de la foule par un cordon de vigiles, elle formait une minuscule oasis de calme dans la folie de Times Square.

— Tu as du pain sur la planche avec celui-là, baby girl, observa Cary. J'avais oublié comment c'était entre vous deux.

— *Était* étant le mot clef, répliquai-je.

— Il a changé, poursuivit-il. Il est plus... posé, je dirais.

— Tant mieux pour lui. Surtout avec ce qui lui arrive en ce moment.

— Tu n'es pas un tout petit peu curieuse de vérifier s'il est ou non resté le dieu du sexe qui te rendait folle ?

— L'alchimie ne disparaît pas du jour au lendemain, Cary, répliquai-je d'un ton de vertueux reproche. Et je suis sûre qu'il a eu de multiples occasions d'affermir son fabuleux talent, depuis le temps.

— *Affermir*, ah, j'adore ton humour, baby girl ! s'exclama-t-il en remuant les sourcils. Et toi ? Toujours aussi *ferme* dans tes convictions ?

— Je fais facilement illusion, répliquai-je.

— Ho, ho, regarde qui est là, murmura-t-il en indiquant discrètement Gideon qui s'approchait de nous avec Ireland. Et droit sur nous. S'ils se battent pour toi, j'assisterai au spectacle depuis les gradins.

— Sympa, dis-je en lui donnant un coup de coude.

Malgré la chaleur étouffante, Gideon demeurait d'une élégance folle dans son costume trois pièces. Et avec sa longue jupe évasée et son petit bustier moulant qui laissait voir son ventre, Ireland était à couper le souffle, elle aussi.

— Eva ! s'écria-t-elle.

Elle s'élança vers moi, sans se soucier de son frère, me serra dans ses bras, puis recula pour m'inspecter de la tête aux pieds.

— Magnifique ! Il va s'en mordre les doigts.

Je tendis le cou et scrutai le visage de Gideon, derrière elle, inquiète à l'idée qu'il puisse être en colère contre Brett.

Ireland se tourna vers Cary et l'étreignit à son tour, le prenant de court. Entre-temps, Gideon m'avait rejointe. Il referma doucement les mains sur mes bras et déposa un baiser sur chacune de mes joues, à la française.

— Bonsoir, Eva, dit-il de cette voix un peu rauque qui avait le don de me chavirer. Ça me fait plaisir de te voir.

Je n'eus même pas besoin de feindre la surprise. J'étais si troublée par sa présence que je cillai à plusieurs reprises.

— Heu... bonsoir, Gideon.

— Elle n'est pas adorable ? intervint Ireland sans s'embarrasser de subtilité.

Le regard de Gideon restait braqué sur moi.

— Elle l'est toujours. Puis-je te parler une minute, Eva ?

— Bien sûr.

J'adressai un haussement d'épaules à Cary et laissai Gideon m'entraîner à l'écart.

— Tu es en colère ? demandai-je dès que nous eûmes fait quelques pas. Je t'en supplie, ne le sois pas.

— Bien sûr que je le suis, dit-il d'un ton égal. Mais ni contre toi ni contre lui.

— Ah.

Je ne voyais absolument pas de quoi il parlait.

Il s'immobilisa et me fit face.

— Cette situation est intolérable. Je pouvais la supporter quand on n'avait pas d'autre choix, mais maintenant... Tu m'appartiens, ajouta-t-il, le regard farouche. Je veux que le monde entier le sache.

— J'ai dit à Brett que je t'aimais toujours. À Cary, aussi. À mon père. À Megumi. Je n'ai jamais menti à propos de mes sentiments pour toi.

— Eva !

Christopher se matérialisa à mes côtés et m'attira à lui pour m'embrasser sur la joue.

— Je suis si heureux que Brett vous ai amenée. J'ignorais que vous aviez été ensemble, tous les deux, figurez-vous.

Je me forçai à sourire, hyper-consciente du regard acéré de Gideon.

— C'est de l'histoire ancienne.

— Pas tant que ça, répliqua-t-il en souriant. Vous êtes ici, non ?

— Christopher, fit Gideon en guise de salut.

— Gideon.

Le sourire de Christopher ne vacilla pas, mais se refroidit notablement.

— Tu n'étais pas obligé de venir, enchaîna-t-il, puisque je couvre l'événement.

Ils étaient demi-frères, mais ne se ressemblaient guère physiquement. Gideon était plus grand, plus musclé, et indéniablement plus ténébreux – à tout point de vue. Christopher était certes bel homme et avait un sourire séduisant, mais il ne possédait pas une once du magnétisme de son aîné.

— C'est pour Eva que je suis ici, rétorqua Gideon d'un ton suave.

— Vraiment ? fit Christopher en me regardant. Je croyais que Brett et vous...

— Brett est un ami, coupai-je.

— La vie privée d'Eva ne te regarde pas, intervint Gideon.

— Pas plus que toi, riposta Christopher en dardant sur lui un regard si hostile qu'il me mit mal à l'aise. Le fait que *Golden* soit inspiré d'une histoire vraie, et que Brett et Eva soient ici ensemble est capital pour la promotion des Six-Ninths et de Vidal Records.

— La chanson est le point final de cette histoire.

Christopher fronça les sourcils et sortit son téléphone. Il consulta l'écran, puis foudroya Gideon du regard.

— Appelle Corinne, tu veux ? Elle n'arrive pas à te joindre et ça la rend folle.

— Je lui ai parlé il y a moins d'une heure, dit Gideon.

— Arrête de lui adresser des signaux contradictoires, aboya Christopher. Si tu ne tiens pas à lui parler, tu n'aurais pas dû aller chez elle hier soir.

Je me raidis et mon cœur manqua un battement. En voyant Gideon crisper les mâchoires, je me souvins que j'avais vainement attendu une réponse de sa part à mes messages. Je l'avais trouvé dans ma chambre à mon retour, mais il ne m'avait pas expliqué pourquoi il ne m'avait pas répondu. Et il ne m'avait surtout pas dit qu'il était allé chez Corinne.

Ne m'avait-il pas déclaré, en revanche, qu'il ne prenait pas ses appels ?

Je reculai d'un pas, l'estomac noué. Je m'étais sentie décalée toute la journée, et devoir affronter par-dessus le marché la haine palpable entre les deux frères me fut insupportable.

— Si vous voulez bien m'excuser.

— Eva, dit sèchement Gideon.

— J'ai été ravie de vous revoir tous les deux, débitai-je mécaniquement avant de tourner les talons pour aller rejoindre Cary.

Gideon me rattrapa, me saisit par le coude et me chuchota à l'oreille :

— Elle ne cesse de m'appeler au bureau et sur mon portable. Il fallait que je mette les choses au point.

— Tu aurais dû me le dire.

— Nous avions à parler de choses plus importantes.

Brett regardait dans notre direction. Il était trop loin pour que je puisse distinguer son expression, mais à en juger par sa posture, il était tendu. La foule se pressait autour de lui pour tenter de l'approcher, le cernait de toutes parts, mais il n'avait d'yeux que pour moi.

De m'avoir vue avec Gideon gâchait ce qui aurait dû être pour lui une soirée fabuleuse. Comme je l'avais craint, notre pseudo-sortie du placard était un fiasco.

— Gideon, fit la voix crispée de Christopher derrière nous, je n'avais pas fini de te parler.

Gideon lui lança un coup d'œil par-dessus son épaule.

— Je suis à toi dans une minute.

— Je n'ai pas le temps d'attendre.

— Lâche-moi, Christopher, répliqua Gideon en le gratifiant d'un regard si glacial que je frissonnai malgré la chaleur. Tu n'as pas envie de faire une scène qui détournerait l'attention du public des Six-Ninths.

Christopher fulmina une longue minute, puis parut réaliser que son frère ne plaisantait pas. Grommelant un juron, il se retourna et se retrouva nez à nez avec Ireland.

— Laisse-les tranquilles, dit-elle, les poings sur les hanches. Je veux qu'ils se remettent ensemble.

— Ne te mêle pas de ça.

— Si je veux, répliqua-t-elle en fronçant le nez. Tu me fais visiter ? ajouta-t-elle, mutine.

Christopher hésita, puis soupira et lui prit le coude pour l'entraîner à sa suite. Ils étaient proches, visiblement, et l'idée que Gideon n'ait pas pu tisser ce genre de lien avec eux m'attrista.

Il me frôla la joue du bout des doigts pour attirer mon attention, et si infime qu'elle fût, il y avait tant d'amour dans cette caresse, une telle possessivité, que quiconque nous regardait ne pouvait pas ne pas l'avoir remarqué.

— Dis-moi que tu sais qu'il ne s'est rien passé avec Corinne.

Je soupirai.

— Je sais que tu n'as rien fait avec elle.

— Merci. Elle n'est pas elle-même en ce moment. Je ne l'avais jamais vue aussi... je ne sais pas. Exigeante. Irrationnelle.

— Dévastée ?

— Peut-être. Oui, admit-il, et son expression s'adoucit. Elle ne s'est pas comportée ainsi quand on a rompu nos fiançailles.

J'eus de la peine pour eux deux. Les ruptures douloureuses ne sont drôles pour personne.

— C'était elle qui avait rompu la première fois, lui rappelai-je. Cette fois, c'est toi. C'est toujours plus difficile d'être celui qu'on abandonne.

— J'essaie de la calmer, mais il faut que tu me promettes qu'elle ne se dressera pas entre nous.

— Je ne la laisserai pas faire. Et je ne veux pas que tu t'inquiètes au sujet de Brett.

Il hésita avant de me répondre.

— Je serai inquiet, mais je ferai face.

Il était évident qu'il lui en avait coûté de faire cette concession.

— Bon, il faut que j'aille m'occuper de Christopher, ajouta-t-il, la bouche pincée. Ça va aller ?

— Oui, et toi ?

— Ça ira – tant que Kline ne t'embrasse pas.

L'avertissement était on ne peut plus clair.

— Pareil pour moi.

— S'il s'avise de m'embrasser, il est mort !

J'éclatai de rire.

— Tu sais très bien ce que je voulais dire.

Il me prit la main et caressa ma bague du pouce.

— Crossfire.

Mon cœur se serra de la plus délicieuse façon qui soit.

— Moi aussi, je t'aime, champion.

Brett réussit à échapper à ses fans et se dirigea vers la tente, l'air sombre.

— Tu t'amuses bien ? demandai-je pour le dérider.

— Il veut te reprendre, déclara-t-il sans préambule.

— Oui, répondis-je.

— Si tu comptes lui donner une deuxième chance, je devrais y avoir droit, moi aussi.

— Brett...

— Je sais que c'est difficile avec moi vu que je suis tout le temps sur la route...

— Sans compter que tu vis à San Diego, lui rappelai-je.

— ... mais je pourrais revenir ici assez souvent, et tu pourrais me rejoindre, en profiter pour découvrir de nouveaux endroits. Et puis, ma tournée se termine en novembre. Rien ne m'empêche de passer les vacances ici.

Il plongea son regard vert dans le mien et je fus comme aimantée. L'attirance était là, grésillant entre nous.

— Ton père est toujours en Californie, reprit-il, tu auras donc plus d'une raison de venir.

— Tu serais une raison suffisante, Brett. Mais... je ne sais pas quoi dire. Je suis amoureuse de lui.

Il croisa les bras, adoptant la posture du délicieux mauvais garçon qu'il était.

— Je m'en fous. Ça ne marchera pas entre vous, et je serai là, Eva.

Je le dévisageai et réalisai que rien ne le convaincrait sinon le temps.

Il se rapprocha de moi, fit courir sa main le long de mon bras. Il me dominait de toute sa hauteur, la tête inclinée vers moi, et je me souvins d'autres fois où nous nous étions tenus ainsi, juste avant qu'il me plaque contre le mur le plus proche pour me posséder brutalement.

— Il suffira d'une seule fois, me murmura-t-il à l'oreille. Dès que je serai en toi, tu te rappelleras ce qu'on a partagé, toi et moi.

Je déglutis, la gorge sèche.

— Ça n'arrivera pas, Brett.

Sa bouche s'incurva lentement sur un sourire aussi ravageur que redoutable.

— On verra bien.

— Ils sont encore plus sexy en chair et en os, déclara Ireland le regard rivé sur les Six-Ninths qui accordaient une interview exclusive à l'animateur de talk-show avant le lancement de la vidéo. Et toi aussi, Cary, ajouta-t-elle.

Ce dernier lui sourit, révélant l'étincelante blancheur de ses dents.

— Ma foi, merci beaucoup, ma belle.

— Alors comme ça… reprit-elle en posant sur moi ce regard bleu tellement semblable à celui de Gideon, tu sortais avec Brett Kline ?

— Pas vraiment. On se voyait de temps en temps, rien de plus.

— Tu l'aimais ?

Je réfléchis un instant.

— Je n'en étais peut-être pas loin, je crois. En d'autres circonstances, j'aurais pu tomber amoureuse de lui. C'est un mec super. Et toi ? enchaînai-je. Tu vois quelqu'un ?

— Oui, répondit-elle. Je l'aime vraiment bien – plus que ça, même –, mais c'est embêtant parce qu'il ne peut pas dire à ses parents qu'il sort avec moi.

— Pourquoi donc ?

— L'escroquerie du père de Gideon a pratiquement ruiné ses grands-parents.

— Mais tu n'y es pour rien ! m'exclamai-je.

— D'après Rick, ses parents trouvent bien commode que Gideon soit aussi riche aujourd'hui, marmonna-t-elle.

— Commode ? Ils trouvent ça *commode* ? m'insurgeai-je.

— Mon ange.

Je vis volte-face. Je n'avais pas entendu Gideon arriver.

— Quoi ? demandai-je.

Il se contenta de me dévisager. J'étais tellement irritée qu'il me fallut une bonne minute avant de remarquer l'ombre de sourire qui flottait sur ses lèvres.

— Ne commence pas, l'avertis-je, les yeux étrécis, avant de reporter mon attention sur Ireland. Tu diras aux parents de Rick de consulter le site de la Fondation Crossroads.

— Si tu as fini de te sentir offensée à ma place, dit Gideon en s'approchant si près qu'il me frôla le dos, sache que la vidéo sera diffusée dans cinq minutes.

Je cherchai Brett du regard. Il avait retrouvé la foule et me faisait signe de le rejoindre.

Je regardai Cary, les sourcils arqués.

— Vas-y, dit-il. Je reste ici avec Ireland et Cross.

Je me dirigeai vers le groupe et souris en découvrant à quel point ils étaient excités.

— C'est un instant historique, les garçons, déclarai-je.

— Tu parles, ricana Darrin. Ce lancement a été organisé uniquement pour qu'il soit diffusé simultanément à la télé et sur Internet. C'était le seul moyen pour Vidal de les inciter à couvrir l'événement. J'espère que ce sera payant parce qu'il fait une chaleur à crever !

L'animateur annonça le lancement exclusif de la vidéo, et le logo du spectacle qui figurait à l'écran céda la place au clip tandis que les premiers accords de la chanson retentissaient.

Sur l'écran, Brett apparut, assis sur un tabouret de bar au centre d'une flaque de lumière, face à un micro, comme au concert. Il commença à chanter de sa voix rauque d'ange déchu. L'effet que cette voix eut sur moi fut puissant et immédiat, comme toujours.

La caméra effectua un lent travelling arrière qui révéla une piste de danse devant la scène. Tous les danseurs qui s'y trouvaient étaient vêtus en noir et blanc, à l'exception d'une jeune femme à la longue chevelure blonde parée d'une robe aux couleurs éclatantes.

Le choc de cette vision me pétrifia. La caméra s'appliquait à filmer l'actrice blonde de dos ou de profil, mais elle était de toute évidence censée me représenter. Elle était de la même taille que moi et coiffée exactement comme je l'étais avant de me faire couper les cheveux. Elle avait mes hanches voluptueuses et mes fesses rebondies, et son profil ressemblait suffisamment au mien pour qu'on comprenne d'emblée qui elle était censée incarner.

Je passai les trois minutes qui suivirent dans un état de stupeur horrifiée. Les paroles de *Golden* étaient sexuellement explicites et la jeune femme accomplissait tous les gestes évoqués dans la chanson – elle s'agenouillait devant un sosie de Brett, s'envoyait en l'air avec lui dans les toilettes d'un bar et s'asseyait à califourchon sur ses genoux sur la banquette arrière d'une Mustang 67 identique à celle que possédait Brett quand je l'avais connu. Ces évocations de souvenirs intimes étaient entrecoupées de plans américains de Brett en train de chanter sur scène avec ses musiciens.

Le fait que ce soit des acteurs qui interprètent nos rôles m'aida un peu à encaisser le choc, mais un seul regard au visage de Gideon m'apprit que lui recevait ces images de plein fouet. Il assistait à la reconstitution d'une des périodes les plus débridées de ma vie et tout était très réel à ses yeux.

Le clip s'acheva sur un gros plan du visage de Brett, inspiré et tourmenté, une larme roulant sur sa joue.

Je me tournai vers lui.

Son sourire disparut lentement quand il découvrit mon expression.

Je n'arrivais pas à croire qu'ils aient fait un clip aussi personnel et l'idée que des millions de spectateurs allaient le voir me révulsait.

— Waouh ! s'exclama l'animateur en se rapprochant du groupe, son micro à la main. Brett, on sent que vous avez mis beaucoup de vous-même dans ce clip. Est-ce cette chanson qui vous a permis de retrouver Eva ?

— De manière indirecte, oui.

— Eva, est-ce vous qui interprétez votre propre rôle dans le clip ?

Je cillai, réalisant qu'il s'adressait à moi comme étant la *vraie* Golden sur une chaîne de télé nationale.

— Non, ce n'est pas moi.

— Que vous inspire *Golden* ?

Je m'humectai les lèvres.

— C'est une superbe chanson et le groupe qui l'interprète est excellent.

— C'est aussi une chanson qui parle d'une magnifique histoire d'amour, enchaîna le présentateur avec un grand sourire face à la caméra.

Mais je ne l'écoutais déjà plus et cherchais Gideon du regard. Je ne le voyais nulle part.

L'animateur posa encore quelques questions aux Six-Ninths et je m'écartai, tâchant toujours de le repérer. Cary me rejoignit, Ireland sur ses talons.

— Sacrée vidéo, commenta-t-il.

Je lui adressai un regard désespéré avant de demander à Ireland :

303

— Tu sais où est ton frère ?

— Christopher l'a fait chier, il est parti, m'apprit-elle. Il a demandé à Christopher de me raccompagner à la maison.

Étouffant un juron, je sortis mon portable *bis* de mon sac et m'empressai de taper un message : *Je t'aime. Dis-moi qu'on se voit ce soir.*

J'attendis une réponse. Voyant qu'elle ne venait pas après quelques minutes, je gardai le téléphone à la main en priant pour qu'il se mette à vibrer.

Brett s'approcha.

— On a terminé. Tu veux qu'on se casse ?

— Je veux bien, oui, répondis-je. Ireland, enchaînai-je, je serai absente les deux prochains week-ends. On essaie de se voir après ?

— Quand tu veux, dit-elle avant de me serrer dans ses bras.

Je me tournai vers Cary et lui pressai la main.

— Merci d'être venu.

— Tu rigoles ? Ça faisait longtemps que je ne m'étais pas autant amusé.

Brett et lui échangèrent une poignée de main compliquée.

— Bravo, mon vieux, le félicita Cary. Tu m'as bluffé.

— Merci d'être venu. À un de ces quatre, j'espère.

Brett posa la main au creux de mes reins et nous nous éloignâmes.

17

Gideon ne se montra pas au *Tableau One*.

D'une certaine façon, je lui en fus reconnaissante parce que je ne voulais pas que Brett s'imagine que j'avais programmé l'interruption. Mis à part son entêtement à renouer avec moi, il avait beaucoup compté pour moi par le passé et je tenais à ce que nous restions amis – dans la mesure du possible.

J'étais cependant préoccupée, car je ne cessais de me demander ce que pensait et ce que ressentait Gideon.

L'appétit coupé, je ne fis que picorer. Quand Arnoldo Ricci passa nous saluer, très beau et élégant dans sa veste de chef cuisinier, je fus gênée d'avoir laissé autant de nourriture dans mon assiette.

Arnoldo Ricci jouissait d'une grande notoriété et comptait parmi les amis personnels de Gideon. Et c'était parce que Gideon possédait des parts dans l'établissement que j'avais choisi de dîner ce soir-là au *Tableau One*. Si Gideon avait le moindre doute quant à la façon dont s'était passée la soirée, il pourrait interroger des gens en qui il avait toute confiance.

Bien entendu, j'espérais qu'il me faisait suffisamment confiance pour me croire *moi*, mais je savais que notre relation avait ses points faibles, notre possessivité mutuelle étant l'un d'eux.

— Ça me fait plaisir de vous revoir, Eva, déclara Arnoldo avec son adorable accent italien.

Il m'embrassa sur la joue, puis tira une chaise et s'assit à notre table.

— Bienvenue au *Tableau One*, ajouta-t-il en tendant la main à Brett.

— Arnoldo est fan des Six-Ninths, expliquai-je. Il était avec nous le soir où on est venus voir ton concert avec Gideon.

— Content de vous rencontrer, dit Brett en serrant la main d'Arnoldo, un sourire contrit aux lèvres. Vous avez assisté aux deux spectacles ?

Arnoldo comprit qu'il faisait allusion à la bagarre entre Gideon et lui après le concert.

— Aux deux, oui, répondit-il. Eva compte beaucoup pour Gideon.

— Elle compte aussi beaucoup pour moi, répondit Brett en portant sa chope de bière *Nastro Azzuro* à ses lèvres.

— Dans ce cas, fit Arnoldo en souriant, *Che vinca il migliore* – Que le meilleur gagne.

— Je ne suis pas un lot qu'on remporte, m'insurgeai-je. Et je ne suis pas un cadeau, par-dessus le marché !

Arnoldo me coula un regard un coin et ne me contredit pas. Je ne pouvais pas le lui reprocher : il savait que j'avais embrassé Brett et avait vu le résultat sur Gideon.

— Ton plat ne t'a pas plu, Eva ? s'inquiéta-t-il en s'apercevant que mon assiette était encore à demi pleine.

— C'était très copieux, fit remarquer Brett.

— Et Eva a un bon coup de fourchette.

— C'est vrai ? s'étonna Brett.

Je haussai les épaules. Commençait-il à réaliser que nous savions bien peu de choses l'un de l'autre ?

— C'est l'un de mes nombreux défauts.

— À mes yeux, c'est une qualité, intervint Arnoldo. Le lancement de la vidéo s'est bien passé ? ajouta-t-il à l'adresse de Brett.

— Je crois, oui, répondit celui-ci sans me quitter des yeux.

Je me contentai d'acquiescer car je ne voulais pas gâcher ce qui était censé être une consécration pour le groupe. Le mal était fait, de toute façon. Et je ne pouvais reprocher à Brett ses intentions – seulement son exécution.

— Ils sont bien partis pour la gloire internationale, dis-je.

— Je pourrai dire que j'ai assisté à vos débuts, déclara Arnoldo en souriant à Brett. J'ai acheté votre premier single sur iTunes quand c'était le seul que vous aviez !

— Votre soutien nous aura été utile, assura Brett. Sans nos fans, on n'en serait pas là.

— Vous n'en seriez pas là si vous n'étiez pas aussi doués, rectifia Arnoldo. Vous prendrez bien un dessert, Eva ? ajouta-t-il en me regardant. Et du vin.

Quand il s'adossa à sa chaise, je compris qu'Arnoldo avait l'intention de jouer les chaperons. Et si je me fiais au sourire narquois de Brett, il l'avait compris lui aussi.

— Alors, Eva, embraya Arnoldo, comment va la délicieuse Shawna ?

Je soupirai intérieurement. Au moins Arnoldo était-il amusant à regarder quand il jouait les baby-sitters.

La limousine prêtée à Brett par Vidal Records pour la soirée me déposa devant chez moi peu après

22 heures. J'invitai Brett à monter car je ne voyais pas comment ne pas le faire sans paraître grossière. La façade de l'immeuble ainsi que la présence du portier de nuit et du réceptionniste le prirent de court.

— Ça paie bien, la pub, dis-moi, fit-il alors que nous nous dirigions vers les ascenseurs.

Il y eut un cliquetis de talons sur le marbre, puis :
— Eva !

Je reconnus la voix de Deanna et levai les yeux au ciel.

— Alerte journaliste ! murmurai-je avant de me retourner. Bonsoir, Deanna, claironnai-je en la gratifiant d'un sourire tendu.

— Bonsoir, répondit-elle.

Elle détailla Brett de la tête aux pieds avant de lui tendre la main.

— Brett Kline, si je ne m'abuse ? Deanna Johnson.

— Enchanté, Deanna, répondit-il, passant instantanément en mode charme.

— Que puis-je faire pour vous ? demandai-je tandis qu'ils échangeaient une poigné de main.

— Désolée d'interrompre votre soirée. Je n'avais pas réalisé que vous étiez de nouveau ensemble jusqu'à ce que j'assiste à la première, tout à l'heure. Si je comprends bien, votre altercation avec Gideon Cross n'a pas eu de conséquences fâcheuses ? ajouta-t-elle à l'adresse de Brett.

— Je suis perdu, là, répondit-il en arquant les sourcils.

— J'avais cru comprendre que vous aviez échangé quelques coups après une querelle.

— Celui qui vous a dit ça a beaucoup d'imagination.

Gideon lui avait-il fait la leçon ? Ou Brett avait-il appris à éviter les chausse-trapes à force de se frotter aux médias ?

Je détestais l'idée que Deanna m'ait épiée un peu plus tôt, qu'elle ait épié Gideon, surtout – car c'était sur lui qu'elle faisait une fixation. J'étais juste plus facile d'accès.

— Une source peu fiable, je suppose, dit-elle avec un sourire crispé.

— Cela arrive, fit Brett avec désinvolture.

Elle reporta son attention sur moi.

— J'ai vu Gideon avec vous aujourd'hui, Eva. Mon photographe a pris d'excellents clichés de vous. Je comptais vous demander de faire une déclaration à ce sujet, mais maintenant que je vois avec qui vous êtes, avez-vous un commentaire à faire sur la nature de votre relation avec Brett ?

Brett répondit à ma place, tout sourire.

— Je crois que *Golden* est très explicite à ce sujet. Eva et moi partageons des souvenirs ainsi qu'une amitié.

— Excellente citation, merci, dit-elle en me scrutant.

Je lui rendis son regard sans sourire.

— Bon, eh bien, je ne vais pas vous retenir plus longtemps, reprit-elle. Je vous remercie de m'avoir accordé un peu de temps.

— Il n'y a pas de quoi, dis-je en tirant Brett par le bras. Bonne soirée.

Je l'entraînai jusqu'aux ascenseurs et ne me détendis qu'une fois les portes refermées.

— Je peux savoir pourquoi une journaliste s'intéresse à ce point à ta vie privée ? me demanda-t-il.

Je lui jetai un coup d'œil. Nonchalamment appuyé contre la paroi du fond, les mains agrippées de part et d'autre de ses hanches à la barre de cuivre, il formait un tableau on ne peut plus sexy. Mais mes pensées étaient avec Gideon. Il me tardait de le retrouver et de lui parler.

— C'est une ex de Gideon et elle a une dent contre lui.

— Et ça ne t'inquiète pas plus que ça ?

— Non, pas au sens où tu l'entends.

L'ascenseur s'arrêta à mon étage et je me dirigeai vers ma porte, détestant devoir passer devant celle de Gideon pour l'atteindre.

Je fus déçue de ne pas trouver Cary vautré sur le canapé. Apparemment, il n'était pas encore rentré car toutes les lumières étaient éteintes. Cary laissait toujours des lumières allumées quand il était là.

J'actionnai l'interrupteur et je me retournai juste à temps pour surprendre l'expression médusée de Brett quand les spots du plafond éclairèrent la pièce. Ça me faisait toujours bizarre quand les gens réalisaient pour la première fois que j'étais riche.

— Je me demande si je ne me suis pas trompé de carrière, déclara-t-il en fronçant les sourcils.

— Ce n'est pas moi qui paie le loyer, Brett. C'est mon beau-père. Pour l'instant, du moins, précisai-je en allant poser mon sac sur un tabouret de la cuisine.

— Vous évoluez dans les mêmes cercles, Cross et toi ?

— Parfois.

— Je suis trop différent de toi, c'est ça ?

Sa question me désarçonna, même si elle était pertinente.

— Je ne juge pas les gens en fonction de leurs revenus, Brett. Tu veux boire quelque chose ?

— Non, ça va.

Je désignai le canapé et nous nous y installâmes.

— Alors comme ça, la vidéo ne t'a pas plu, dit-il en étendant le bras sur le dossier du canapé.

— Je n'ai pas dit ça !

— Tu n'as pas eu besoin. J'ai vu ta tête.

— J'ai trouvé ça très... personnel.

Il dardait sur moi un regard si intense que je me sentis rougir.

— Je n'ai rien oublié te concernant, Eva. La vidéo le prouve.

— C'est parce qu'il n'y avait pas grand-chose à se rappeler, fis-je remarquer.

— Tu crois que je ne te connais pas, mais je parie que je connais des aspects de ta personnalité que Cross n'a jamais vus et ne verra sans doute jamais.

— Il peut en dire autant.

— Possible, concéda-t-il, ses doigts tambourinant silencieusement sur le coussin du canapé. Je suis censé prendre l'avion à l'aube demain, mais je peux décaler mon vol. Viens avec moi. On se produit à Seattle et à San Francisco ce week-end. Tu seras rentrée dimanche soir.

— Je ne peux pas. J'ai des projets.

— Le week-end d'après, on sera à San Diego. Rejoins-moi là-bas, insista-t-il en me caressant le bras du bout des doigts. Ce sera comme au bon vieux temps. Avec vingt mille spectateurs de plus !

Je tressaillis, stupéfaite.

— Figure-toi que j'ai justement prévu d'aller à San Diego avec Cary à cette date-là.

— Super ! On se remettra ensemble le week-end prochain, alors.

— On se croisera, rectifiai-je.

Il se leva et je l'imitai.

— Tu t'en vas ?

Il se rapprocha de moi.

— Pourquoi ? Tu veux que je reste ?

— Brett...

— Pigé, dit-il avec un sourire contrit qui fit battre mon cœur un peu plus vite. On se revoit le week-end prochain, alors.

Je le raccompagnai jusqu'à la porte.

— Je te remercie de m'avoir invitée ce soir, murmurai-je, étrangement triste qu'il s'en aille si tôt.

— Désolé que tu n'aies pas aimé la vidéo.

— Elle m'a plu, dis-je en lui prenant la main. Vous avez fait un travail fantastique. C'est juste que ça m'a fait un drôle d'effet de me voir de l'extérieur, tu comprends ?

— Ouais, je comprends.

Il posa sa main libre sur ma joue, puis se pencha pour m'embrasser.

Je tournai la tête si bien qu'il ne fit que m'effleurer la joue du bout du nez. L'odeur de son eau de toilette mêlée à celle de sa peau raviva des souvenirs brûlants. La proximité de son corps m'était elle aussi douloureusement familière.

J'avais été follement entichée de lui autrefois. J'avais rêvé qu'il ressente la même chose pour moi, et maintenant que c'était le cas, la victoire me paraissait douce-amère.

Brett referma la main sur le haut de mon bras et le gémissement qui lui échappa se répercuta en moi.

— Je me souviens de ce que j'éprouvais quand j'étais en toi, Eva, murmura-t-il d'une voix enrouée. J'ai hâte de retrouver cette sensation.

— Merci pour le dîner, dis-je, réalisant soudain que je respirais trop vite.

Je le sentis sourire contre ma joue.

— Appelle-moi. Je t'appellerai de toute façon, mais ce serait sympa que tu m'appelles de temps en temps. D'accord ?

— D'accord, soufflai-je, la gorge serrée.

L'instant d'après, il était parti et je courus chercher mon portable *bis* dans mon sac. Pas de message de Gideon. Pas d'appel manqué, pas de texto.

J'attrapai mes clefs, quittai mon appartement et me ruai dans le sien. Il était plongé dans le noir. Dès que j'ouvris la porte, je sus qu'il n'était pas là.

Je retournai chez moi avec la sérieuse impression que quelque chose ne tournait pas rond, laissai tomber mes clefs sur le comptoir et fonçai prendre une douche.

J'eus beau laisser l'eau couler longuement sur mon corps pour me détendre, la sensation de malaise persista au creux de mon estomac. Tout en faisant mousser le shampoing, je passai en revue les événements de la journée, de plus en plus irritée à l'idée que Gideon puisse être ailleurs qu'avec moi.

Tout à coup, je sentis sa présence.

Je me retournai et le vis qui entrait en dénouant sa cravate. Son air las et fatigué m'inquiéta davantage que s'il avait été en colère.

— Salut, lançai-je.

Il me regarda tout en se déshabillant avec des gestes rapides et méthodiques. Une fois nu, il me rejoignit dans la douche, m'attira contre lui et me serra avec force.

— Qu'est-ce qui t'arrive ? soufflai-je en lui rendant son étreinte. Tu es fâché à cause de la vidéo ?

— Je hais cette vidéo. J'aurais dû prendre la précaution de la visionner, sachant que cette chanson parle de toi.

— Je suis désolée.

Il s'écarta et baissa les yeux sur moi. Il était infiniment plus sexy que Brett. Et ce que j'éprouvais pour lui – ce que nous éprouvions l'un pour l'autre – était infiniment plus profond.

— Corinne a appelé juste avant la fin du clip. Elle était... hystérique. Ingérable. Ça m'a inquiété et je suis allé la voir.

Je pris une profonde inspiration pour lutter contre la bouffée de jalousie qui m'avait envahie. Je n'avais pas le droit d'être jalouse après la soirée que je venais de passer avec Brett.

— Comment c'était ?

Doucement, il m'incita à incliner la tête en arrière.

— Ferme les yeux.

— Réponds-moi, Gideon.

— Je vais le faire, dit-il en rinçant mes cheveux pleins de mousse. Je crois avoir compris la nature du problème. Elle prend des antidépresseurs et ne réagit pas bien du tout au traitement.

— Ah !

— Elle était censée en parler avec son médecin, mais elle ne s'est même pas rendu compte que son comportement devenait franchement anormal. Il a fallu que je lui parle pendant des heures pour qu'elle s'en aperçoive, et comprenne d'où venait le problème.

Je relevai la tête et m'essuyai les yeux en m'efforçant de juguler l'irritation qui me gagnait à la pensée d'une autre femme monopolisant l'attention de mon homme. Je ne pouvais m'empêcher d'imaginer qu'elle s'inventait des problèmes rien que pour qu'il passe du temps avec elle.

Gideon prit ma place sous le jet et l'eau ruissela sur son corps magnifique, soulignant les reliefs de ses muscles.

— Qu'est-ce qu'elle va faire, maintenant ? demandai-je.

Il haussa les épaules.

— Elle doit voir son médecin demain pour qu'il lui prescrive un nouveau dosage ou un autre antidépresseur.

— Et tu es censé l'aider à traverser cette épreuve ?

— Je ne suis pas responsable de Corinne.

Il soutint mon regard, m'assurant silencieusement qu'il comprenait mes craintes et ma colère.

— Du reste, je le lui ai dit, reprit-il. Et j'ai appelé Giroux pour le lui dire aussi. C'est à lui de s'occuper de sa femme.

Il attrapa son flacon de shampoing sur l'étagère où se trouvaient ses affaires de toilette. Il les avait apportées quasiment à la minute où j'avais accepté de sortir avec lui, de même qu'il avait rempli son appartement de tous les produits, vêtements et accessoires que j'utilisais au quotidien.

— Je ne lui cherche pas d'excuses, ajouta-t-il. Mais Deanna lui avait envoyé sur son portable des photos de nous deux à Times Square.

— Génial, marmonnai-je. Je comprends mieux pourquoi elle était en embuscade dans le hall tout à l'heure.

— Elle a fait cela ? dit-il d'une voix sourde

Si sourde que j'eus pitié de Deanna l'espace d'une demi-seconde. La pauvre l'ignorait encore, mais elle creusait sa propre tombe.

Gideon pencha la tête en arrière pour se rincer les cheveux, et j'en profitai pour admirer ses biceps qui se gonflaient au rythme de ses mouvements.

Il était si éminemment, merveilleusement, délicieusement viril.

Je m'humectai les lèvres, excitée par sa vue en dépit de l'agacement que suscitaient ses ex. Je me rapprochai de lui, versai un peu de gel douche au creux de ma paume et fis courir mes mains sur son torse. Un gémissement lui échappa et il baissa les yeux sur moi.

— J'aime que tu me touches, murmura-t-il.

— Ça tombe bien parce que j'aime te toucher.

Il me caressa la joue, son regard s'adoucit, puis il me scruta, cherchant peut-être à déceler une lueur d'excitation dans mes yeux. Il ne devait pas y en avoir.

J'avais envie de lui – en permanence –, mais j'avais surtout envie de savourer le plaisir d'être ensemble. Pas facile avec quelqu'un d'aussi excitant que Gideon.

— Ça me manquait, dit-il. Être rien qu'avec toi.

— Il semblerait que tout nous tombe dessus d'un coup en ce moment, tu ne trouves pas ? On n'a pas le temps de souffler, il y a toujours quelque chose, répondis-je en lui effleurant le ventre.

Le désir bourdonnait entre nous, accompagné de la merveilleuse certitude d'être en compagnie d'un être précieux et indispensable.

— Mais on ne s'en sort pas trop mal, non ? ajoutai-je.

Ses lèvres se posèrent sur mon front.

— Mieux que pas trop mal, assura-t-il. Mais j'ai hâte d'être à demain. De t'emmener loin d'ici et de t'avoir toute à moi.

Cette délicieuse perspective m'arracha un sourire.

— Moi aussi, j'ai hâte.

Gideon me réveilla quand il se glissa hors du lit.

La télévision était toujours allumée, son coupé. Je m'étais endormie blottie contre lui, ravie de me retrouver seule avec lui après ces heures et ces jours passés loin l'un de l'autre.

— Où vas-tu ? murmurai-je.

— Me coucher, dit-il en me caressant la joue. Je suis mort de fatigue.

— Reste.

— Ne me demande pas ça.

Je soupirai. Ses craintes étaient fondées.

— Je t'aime, soufflai-je.

S'inclinant sur moi, il pressa ses lèvres sur les miennes.

— N'oublie pas de glisser ton passeport dans ton sac.

— Je n'oublierai pas. Tu es sûr que je ne dois rien prendre d'autre ?

— Certain.

Il m'embrassa encore, ses lèvres s'attardant sur les miennes.

Puis il disparut.

Le lendemain, j'enfilai une robe portefeuille en jersey, idéale pour une journée de travail suivie d'un voyage en avion. Je n'avais pas la moindre idée de l'endroit où Gideon comptait m'emmener, mais avec cette robe, je savais que je serais à l'aise quelle que soit la durée du vol.

Quand j'arrivai à l'agence, Megumi se contenta d'agiter les doigts pour me saluer car elle était au téléphone. Je venais à peine de m'asseoir à mon bureau que Mme Field – la présidente exécutive de Waters, Field & Leaman – apparut sur le seuil en tailleur-pantalon gris perle, plus sûre d'elle que jamais.

— Bonjour, Eva, me salua-t-elle. Dites à Mark de passer à mon bureau quand il arrivera.

— Entendu, acquiesçai-je tout en admirant le triple rang de perles qui ornait son cou.

Quand je transmis le message à Mark cinq minutes plus tard, il secoua la tête.

— Je te parie qu'on n'a pas décroché la campagne Adrianna Vineyards.

— Tu crois ?

— J'ai horreur de ces appels d'offres à l'emporte-pièce. Ce n'est pas la qualité et l'expertise qu'ils cherchent, mais un crève-la-faim prêt à se brader !

Le travail remarquable que Mark avait accompli avec la vodka Kingsman lui avait valu d'être sélectionné pour cet appel d'offres et nous avions laissé tomber tous les projets en cours pour soumettre notre proposition dans les temps.

— Tant pis pour eux, dis-je.

— Je sais, mais... je voudrais pouvoir tout rafler. Souhaite-moi de me tromper.

Je levai les pouces avant qu'il tourne les talons pour rejoindre le bureau de Christine Field. Mon téléphone sonna au moment où je m'apprêtais à aller chercher un café.

— Bureau de Mark Garrity. Eva Tramell à l'appareil.

— Eva, ma chérie.

La voix larmoyante de ma mère me tira un long soupir.

— Bonjour, maman. Comment vas-tu ?

— Cela t'ennuierait qu'on se voie ? On pourrait peut-être déjeuner ensemble ?

— Aujourd'hui ?

— Si tu n'as rien de prévu, dit-elle en prenant une inspiration proche du sanglot. J'ai vraiment besoin de te voir.

— D'accord, répondis-je, l'estomac instantanément noué par l'anxiété – je ne supportais pas de sentir ma mère aussi bouleversée. Tu veux qu'on se retrouve quelque part ?

— Je passerai te chercher avec Clancy. Tu prends bien ta pause à midi, n'est-ce pas ?

— Oui. Je serai devant l'immeuble.

— Parfait. Je t'aime, ajouta-t-elle après une seconde d'hésitation.

— Je sais, maman. Moi aussi je t'aime.

Je raccrochai, gardai un instant les yeux fixés sur le téléphone, puis adressai un texto à Gideon pour reporter notre déjeuner.

Il était temps que je renoue avec ma mère.

Une bonne dose de caféine pour affronter la journée à venir me paraissant plus qu'indispensable, je me levai pour rejoindre la salle de repos.

À midi pile, je descendis dans le hall. Plus les heures passaient, plus j'étais pressée de m'évader avec Gideon. Loin de Corinne, de Deanna, de Brett.

Je venais de franchir le portique de sécurité quand je le vis.

Jean-François Giroux.

Debout devant le comptoir d'accueil, il faisait très européen et était très séduisant. Ses cheveux ondulés étaient un peu plus longs que sur les photos que j'avais vues de lui, son teint moins hâlé et sa bouche plus ferme. Le vert de ses yeux était plus surprenant en vrai, quand bien même ils étaient injectés de sang. À en juger par la valise à roulettes qui se trouvait à ses pieds, il avait débarqué au Crossfire directement de l'aéroport.

— Les ascenseurs sont vraiment aussi lents ? demanda-t-il à l'un des agents de sécurité avec un accent à couper au couteau. Ce n'est pas possible qu'il faille plus de vingt minutes pour descendre du dernier étage.

— M. Cross arrive, se contenta de répondre l'agent.

Comme s'il avait senti mon regard peser sur lui, Giroux tourna la tête dans ma direction et plissa les yeux. S'écartant du comptoir, il s'avança vers moi.

Son costume était plus près du corps que ceux que portait Gideon, notai-je. Il y avait quelque chose de trop net et de rigide chez cet homme dont je devinais qu'il exerçait le pouvoir en appliquant les règles quoi qu'il advienne.

— Eva Tramell ? s'enquit-il à ma grande surprise.

— Monsieur Giroux, répondis-je en lui tendant la main.

Il l'accepta, et me surprit davantage encore en m'embrassant sur les deux joues. Froidement, mécaniquement, certes, mais là n'était pas le problème. Il avait beau être français, le geste était familier venant d'un homme que je ne connaissais ni d'Ève ni d'Adam.

Il recula et je le gratifiai d'un haussement de sourcils perplexe.

— Auriez-vous un moment à m'accorder ? demanda-t-il sans me lâcher la main.

— Je crains que ce ne soit pas possible aujourd'hui, répondis-je en me libérant.

L'immensité du hall et les nombreuses allées et venues offraient un certain anonymat, mais avec Deanna qui risquait de rôder dans les parages, j'avais tout intérêt à me montrer prudente.

— J'ai un déjeuner et je pars tout de suite après le travail.

— Demain peut-être ?

— Non, je quitte la ville. Pas avant lundi.

— Vous quittez la ville. Avec Cross ?

J'inclinai la tête de côté et le dévisageai un instant, m'efforçant de lire en lui.

— Cela ne vous regarde absolument pas, répliquai-je. Mais il se trouve que oui.

J'avais décidé de lui dire la vérité afin qu'il sache que Gideon avait une autre femme que Corinne dans sa vie.

— Cela ne vous dérange pas, enchaîna-t-il d'un ton nettement plus froid, qu'il se soit servi de ma femme pour vous rendre jalouse et vous récupérer ?

— Gideon entretient des liens amicaux avec Corinne. Il est normal que des amis passent du temps ensemble.

— Vous êtes blonde, mais vous n'êtes quand même pas assez naïve pour gober ça !

— Vous êtes stressé, mais pas au point de ne pas réaliser que vous êtes odieux.

Je perçus la présence de Gideon avant que sa main se pose sur mon bras.

— Excusez-vous, Giroux, dit-il d'une voix dangereusement douce. Et faites en sorte d'être sincère.

Giroux lui lança un regard si plein de haine et de mépris que je me sentis mal à l'aise.

— Me faire attendre ainsi manquait de classe, Cross. Même venant de vous.

— Si l'insulte avait été intentionnelle, vous le sauriez, répliqua Gideon, les lèvres pincées. Vos excuses, Giroux. J'ai toujours fait preuve de politesse et de respect vis-à-vis de Corinne. J'attends la même courtoisie de votre part vis-à-vis d'Eva.

Aux yeux des personnes qui passaient, Gideon devait apparaître calme et détendu, mais je sentais la fureur qui l'habitait. Je la sentais chez les deux hommes – brûlante chez l'un, glaciale chez l'autre, la tension entre eux allant croissant. J'eus l'impression que l'espace se resserrait autour de nous, ce qui était délirant vu la taille du hall et la prodigieuse hauteur de plafond.

Craignant que la situation ne dégénère, je saisis la main de Gideon et la serrai doucement.

Giroux baissa les yeux sur nos mains jointes, puis croisa mon regard.

— Pardonnez-moi, dit-il en inclinant légèrement la tête à mon intention. Vous n'êtes en rien fautive.

— Ne nous laisse pas te mettre en retard, murmura Gideon en caressant la jointure de mes doigts.

Mais je ne pus m'empêcher de m'attarder.

— Vous devriez être auprès de votre femme, dis-je à Giroux.

— C'est elle qui devrait être auprès de moi, rectifia-t-il.

Je me rappelai qu'il n'avait pas cherché à récupérer sa femme quand elle l'avait quitté, occupé qu'il était à rejeter la faute sur Gideon plutôt qu'à arranger son mariage.

— Eva !

Juchée sur des Louboutin couleur chair, en robe de soie sans manches assortie, ma mère se dirigeait vers moi. Dans ce hall dallé de marbre noir, on ne pouvait pas ne pas la remarquer.

— Ne la fais pas attendre, mon ange, dit Gideon. Un instant, Giroux.

J'hésitai une fraction de seconde avant de me décider à la rejoindre.

— Au revoir, monsieur Giroux.

— Mademoiselle Tramell, répondit-il en détachant les yeux de Gideon. À une prochaine fois.

Je n'avais d'autre choix que de les laisser ensemble, mais cela ne me plaisait pas. Gideon m'accompagna pour aller saluer ma mère et je levai vers lui un regard inquiet.

Il me rendit mon regard, me rassurant silencieusement, et je vis dans ses yeux le même pouvoir latent, la même maîtrise sans faille que j'y avais vus lors de notre première rencontre. Il s'en sortirait avec Giroux. Il s'en sortait toujours.

— Profitez bien de votre déjeuner, dit-il en embrassant ma mère sur la joue avant de planter un rapide baiser sur mes lèvres.

Il tourna les talons, et l'intensité du regard que Giroux fit peser sur lui tandis qu'il le rejoignait me perturba.

Ma mère glissa son bras sous le mien, attirant mon attention.

— Bonjour, dis-je, m'efforçant d'oublier mon trouble.

J'attendis qu'elle me demande si ces messieurs allaient se joindre à nous, vu qu'elle n'aimait rien tant que passer du temps en compagnie d'hommes riches et séduisants, mais elle n'en fit rien.

— Vous essayez de vous réconcilier, Gideon et toi ? demanda-t-elle à la place.

— Oui.

Je lui jetai un coup d'œil avant de la précéder vers la porte à tambour. Avec son teint pâle et son regard dépourvu de son éclat habituel, elle paraissait plus fragile que jamais.

Le passage du hall climatisé à la touffeur de la rue grouillante d'activité était toujours un choc qui exigeait un temps d'adaptation. Je saluai Clancy et lui sourit lorsqu'il ouvrit la portière arrière de la berline. Tandis que ma mère se coulait gracieusement sur la banquette, il me rendit mon sourire. Du moins le supposai-je, car sa bouche se tordit légèrement.

— Comment ça va ? lui demandai-je.

Il eut un bref hochement de tête.

— Et vous ?

— Je fais aller.

— Tout va bien se passer, déclara-t-il avant que je me glisse près de ma mère.

J'aurais aimé être aussi confiante que lui.

Les premières minutes de notre déjeuner de déroulèrent dans un silence gêné. Le soleil qui entrait à flots dans la salle du *New American Bistro* ne faisait que rendre notre malaise plus évident.

Puisque c'était elle qui avait demandé à me parler, j'attendis qu'elle se lance. J'avais beaucoup à dire, mais je voulais d'abord savoir ce qui la tracassait le plus.

Le fait d'avoir trahi ma confiance en plaçant un traceur dans ma Rolex ? Ou d'avoir trompé Stanton avec mon père ?

— C'est une très belle montre que tu as là, déclara-t-elle en observant celle qui ornait à présent mon poignet.

— Merci, dis-je en la couvrant de ma main comme pour la protéger.

Cette montre avait à mes yeux une valeur inestimable et une signification profondément personnelle.

— Gideon me l'a offerte.

Ma mère eut l'air horrifié.

— Tu ne lui as pas parlé du traceur, j'espère ?

— Je lui dis tout, maman. Nous n'avons pas de secrets l'un pour l'autre.

— Toi, peut-être. Mais lui ?

— Nous formons un couple solide, dis-je avec assurance. Et qui l'est chaque jour davantage.

— Oh, souffla-t-elle, ses boucles courtes oscillant doucement comme elle hochait la tête. C'est... merveilleux, Eva. Il est en mesure de prendre bien soin de toi.

— Il le fait déjà, de la seule façon qui m'importe, et qui n'a rien à voir avec son argent.

Mon ton amer lui fit pincer les lèvres et froncer les sourcils, chose qu'elle évitait scrupuleusement pour se préserver des rides d'expression.

— Ne sois pas si prompte à dénigrer l'argent, Eva. On risque tous d'en avoir besoin un jour ou l'autre.

Sa remarque eut le don de me faire bouillonner. Sa vie durant, ma mère avait placé l'argent avant tout le reste, sans se soucier des gens – dont mon père – que son comportement pouvait blesser.

— Je ne dénigre pas l'argent, répliquai-je. Mais je refuse de le laisser régenter ma vie. Et avant que tu t'avises de me faire remarquer que c'est facile à dire quand on fréquente Gideon Cross, je peux te garantir que s'il était ruiné, je resterais avec lui.

— Il est trop intelligent pour être ruiné, répliqua-t-elle d'un ton crispé. Et si tu as la chance qu'il t'épouse, tu seras financièrement à l'abri jusqu'à la fin de tes jours.

— On ne verra jamais les choses de la même façon, toi et moi, soupirai-je, exaspérée. Et tu le sais.

Ses doigts impeccablement manucurés jouèrent avec le manche de ses couverts.

— Tu es tellement en colère contre moi.

— Est-ce que tu te rends compte que papa est amoureux de toi ? Tellement amoureux qu'il n'a jamais pu te remplacer dans son cœur. Il ne se mariera sans doute jamais. Il n'y aura jamais de femme dans sa vie pour prendre soin de lui.

Elle déglutit difficilement et une larme roula sur sa joue.

— Je t'interdis de pleurer, articulai-je en me penchant vers elle. Tu n'es pas à plaindre. Ce n'est pas toi la victime dans cette histoire.

— Je n'ai pas le droit d'éprouver de la peine ? rétorqua-t-elle d'une voix dure que je ne lui avais jamais entendue. Je n'ai pas le droit de verser des larmes sur un cœur brisé ? Moi aussi, j'aime ton père. Je donnerais n'importe quoi pour qu'il soit heureux.

— Tu ne l'aimes pas assez.

— Tout ce que j'ai fait, je l'ai fait par amour. *Tout*, Eva, martela-t-elle, avant de laisser échapper un rire sans joie. Mon Dieu... je me demande comment tu supportes de me voir alors que tu as une si piètre opinion de moi.

— Tu es ma mère et tu as toujours pris ma défense. Tu t'es toujours efforcée de me protéger, même si tu t'y prends souvent mal. Je vous aime tous les deux, papa et toi. C'est un homme bien qui mérite d'être heureux.

Elle but une gorgée d'eau, sa main tremblant visiblement.

— Si tu n'étais pas là, je souhaiterais qu'on ne se soit jamais rencontrés. Nous aurions été plus heureux l'un et l'autre. Mais voilà, c'est ainsi, je n'y peux plus rien à présent.

— Tu pourrais vivre avec lui. Le rendre heureux. Apparemment, tu es la seule femme sur terre capable d'accomplir ce miracle.

— C'est impossible, murmura-t-elle.

— Pourquoi ? Parce qu'il n'est pas riche ?

— Oui, dit-elle en portant la main à sa gorge. Parce qu'il n'est pas riche.

Honnêteté brutale. Mon cœur se fendit. Son regard bleu s'emplit d'une tristesse que je ne lui avais jamais vue. D'où lui venait ce besoin désespéré d'argent ? Le saurais-je ou le comprendrais-je jamais ?

— Mais *toi*, tu es riche. Ça ne te suffit pas ?

Après deux divorces, sa fortune personnelle s'élevait à plusieurs millions.

— Non.

Je la dévisageai, incrédule.

Elle détourna la tête et les diamants qui ornaient ses oreilles capturèrent la lumière, étincelant de tous leurs feux.

— Tu ne comprends pas.

— Alors explique-moi. S'il te plaît, maman.

— Un jour, peut-être, dit-elle en me regardant de nouveau. Quand tu seras moins fâchée contre moi.

Je sentis poindre un début de migraine.

— Très bien. Je suis fâchée parce que je ne comprends pas et tu refuses de t'expliquer parce que je suis fâchée. C'est ce qui s'appelle se retrouver dans une impasse.

Son expression se fit suppliante.

— Je suis désolée, ma chérie, dit-elle. Ce qui s'est passé entre ton père et moi...

— Victor. Pourquoi ne l'appelles-tu jamais par son prénom ?

Elle tressaillit.

— Tu as l'intention de me punir encore longtemps ? s'enquit-elle posément.

— Je ne cherche pas à te punir. Je cherche à comprendre.

C'était fou. Nous étions assises là, dans cette grande salle pleine de monde, à tenter de régler des problèmes éminemment personnels, en plus d'être douloureux. J'aurais préféré qu'elle m'invite à déjeuner chez elle, mais je devinais qu'elle avait choisi un lieu public pour éviter que je ne lui fasse une scène.

— Écoute, dis-je, soudain très lasse, Cary et moi allons quitter l'appartement et louer un truc à nous.

Ma mère redressa aussitôt les épaules.

— Quoi ? Mais pourquoi ? Ne commets pas d'imprudences, Eva. Tu n'as pas besoin de...

— Si, l'interrompis-je. Nathan est mort. Gideon et moi avons envie de passer plus de temps ensemble et...

— Quel rapport avec un déménagement ? m'interrompit-elle à son tour, les yeux embués de larmes. Je suis *désolée*, Eva. Que veux-tu que je te dise de plus ?

— Il ne s'agit pas de toi, maman, murmurai-je en m'agitant sur mon siège parce que je ne supportais pas de la voir pleurer. Pour être tout à fait honnête, après ce qui s'y est passé entre papa et toi, je me sens mal à l'aise d'occuper un appartement dont Stanton paie le loyer. Mais la vraie raison, c'est qu'on souhaite vivre ensemble, Gideon et moi. Et commencer notre vie commune dans un endroit à nous me paraît logique.

— Vivre ensemble ?

Les yeux de ma mère s'asséchèrent instantanément.

— Avant le mariage ? ajouta-t-elle. Non, Eva ! Ce serait une erreur monumentale. Et Cary, alors ? C'est toi qui l'as encouragé à venir à New York avec toi.

— Il restera avec moi.

Quelque chose m'interdit de lui avouer que je n'avais pas encore parlé avec Cary de ce projet de colocation avec Gideon ; je savais cependant qu'il serait d'accord. Je serais là plus souvent et le loyer serait moins lourd à supporter s'il était divisé par trois.

— On ne vit pas avec un homme comme Gideon Cross à moins d'être mariée. Crois-moi, ajouta-t-elle en se penchant vers moi. Attends d'avoir la bague au doigt.

— Je ne suis pas pressée de me marier, répliquai-je, alors même que je caressais du pouce la bague que Gideon m'avait offerte.

— Comment peux-tu dire une chose pareille si tu l'aimes ? s'exclama ma mère en secouant la tête.

— C'est trop tôt. Je suis trop jeune.

— Tu as vingt-quatre ans. C'est l'âge idéal, répliqua-t-elle d'un ton déterminé.

Pour une fois, cela ne me dérangea pas – qu'elle reprenne du poil de la bête était l'essentiel.

— Je ne te laisserai pas tout gâcher, Eva, ajouta-t-elle, péremptoire.

— Maman…

— Non, coupa-t-elle, une lueur calculatrice dans le regard. Fais-moi confiance et ne précipite pas les choses. Je me charge de tout.

Et merde. Je ne trouvais pas du tout rassurant qu'elle prenne le parti de Gideon et non le mien dans cette histoire de mariage.

18

Je pensais encore à ma mère en quittant le Crossfire à 17 heures. La Bentley était garée le long du trottoir. Comme je m'en approchais, Angus en descendit et me sourit.

— Bonsoir, Eva.

— Bonsoir, Angus. Comment allez-vous ?

— Très bien, répondit-il en contournant la voiture pour m'ouvrir la portière.

Je scrutai son visage. Que savait-il au juste à propos de Nathan et de Gideon ? En savait-il autant que Clancy ? Ou même davantage ?

Je me glissai sur la banquette arrière, sortis mon téléphone et appelai Cary. Je tombai sur sa messagerie.

— Salut, je voulais juste te rappeler que je ne serai pas là ce week-end. J'aimerais que tu réfléchisses à une colocation à trois avec Gideon – on en reparle à mon retour, d'accord ? Un appartement dans nos moyens respectifs. Enfin, surtout nos moyens à toi et à moi, ajoutai-je, imaginant la tête de Cary. Bon, si tu as besoin de moi et que tu n'arrives pas à me joindre sur mon portable, envoie-moi un mail. Je t'aime.

Je venais d'appuyer sur la touche envoi quand Gideon ouvrit la portière et s'assit près de moi.

— Bonsoir, champion.

Il m'attrapa par la nuque et captura mes lèvres. Sa langue investit si sensuellement ma bouche que cela coupa net le fil de mes pensées. J'étais à bout de souffle quand il me relâcha.

— Bonsoir, mon ange, dit-il de sa belle voix grave.

— Waouh ! soufflai-je.

Il ébaucha un sourire.

— Comment s'est passé le déjeuner avec ta mère ?

Je laissai échapper un gémissement.

— À ce point-là ? dit-il en me prenant la main. Raconte-moi.

— Je ne sais pas. C'était bizarre.

Angus démarra et s'inséra dans le flot de la circulation.

— Bizarre ? répéta Gideon. Ou perturbant ?

— Les deux.

Je jetai un coup d'œil par la fenêtre comme nous ralentissions. Les trottoirs étaient noirs de monde, mais les piétons parvenaient à se frayer un chemin ; les voitures en revanche étaient coincées.

— Elle est tellement obsédée par l'argent. Ce n'est pas nouveau, mais jusqu'à présent, elle faisait comme si souhaiter la sécurité financière était une évidence. Aujourd'hui, elle m'a paru… triste. Résignée.

Du pouce, il me caressa la jointure des doigts.

— Elle se sent peut-être coupable d'avoir trompé son mari.

— Elle devrait. Mais je ne crois pas que ce soit la raison. C'est autre chose… Quoi ? Je n'en ai pas la moindre idée.

— Tu veux que je me renseigne ?

Je tournai la tête et croisai son regard. Je pris le temps de réfléchir avant de répondre :

— Oui. Même si ça me répugne. Autant que d'avoir cherché des informations sur toi, le Dr Lucas ou Corinne... Je passe mon temps à fouiller dans les secrets des gens plutôt que de leur poser directement des questions.

— Interroge ta mère, suggéra-t-il de ce ton d'évidence si typiquement masculin.

— Je l'ai fait. Elle a dit qu'elle répondrait à mes questions quand je ne serais plus fâchée contre elle.

— Ah, les femmes ! soupira-t-il, une lueur amusée dans le regard.

— Que te voulait Giroux ? Tu savais qu'il allait venir te voir ?

Il secoua la tête.

— Il cherche à rejeter ses problèmes de couple sur quelqu'un. Je suis le bouc émissaire.

— Il ferait mieux d'essayer de sauver son mariage en allant consulter un conseiller conjugal.

— Ou en divorçant.

Je me raidis.

— C'est ce que tu veux ?

— Ce que je veux, c'est toi, ronronna-t-il en me lâchant la main pour m'attirer sur ses genoux.

— Démon.

— Tu n'imagines pas à quel point. J'ai prévu un programme diabolique pour toi ce week-end.

Sous la caresse de son regard ardent, mes pensées prirent une direction plus coquine. Alors que j'attirais son visage à moi pour l'embrasser, la Bentley bifurqua abruptement et nous nous retrouvâmes plongés dans la pénombre. Regardant autour de moi, je me rendis compte que nous venions de nous engouffrer dans un parking souterrain. La voiture descendit deux niveaux, se rangea sur un emplacement, puis redémarra aussitôt.

En même temps que quatre autres SUV Bentley noirs, identiques à celui dans lequel nous nous trouvions.

— Que se passe-t-il ? demandai-je tandis que nous gagnions la sortie à la file, deux Bentley devant et deux Bentley derrière.

— Manœuvre de diversion, expliqua-t-il en frottant le nez contre mon cou.

Nous nous insérâmes dans la circulation, chaque Bentley prenant une direction différente.

— Tu crois qu'on est suivis ? m'inquiétai-je.

— Simple mesure de précaution, répondit-il avant de planter délicatement les dents dans ma chair, ce qui fit instantanément durcir les pointes de mes seins. Ce week-end nous appartient.

Adossée contre son bras, je sentis son pouce me caresser le sein.

Il s'empara de ma bouche en un long baiser fougueux lorsque nous pénétrâmes dans un autre parking souterrain. Un instant plus tard, la portière s'ouvrit brusquement, et j'en étais encore à me demander ce qui se passait quand Gideon sortit de la Bentley en me tenant fermement dans ses bras et grimpa à l'arrière d'une autre voiture.

Moins d'une minute plus tard, nous reprenions la route, la Bentley que nous venions de quitter nous précédant avant de s'engager dans une autre direction.

— C'est de la folie, dis-je. Je croyais qu'on devait quitter le pays.

— C'est prévu. Fais-moi confiance.

— Toujours.

Son regard me caressa le visage.

— Je sais.

À partir de là, nous filâmes directement à l'aéroport. Après un bref contrôle de sécurité, nous nous arrêtâmes sur le tarmac. Gideon s'effaça pour me laisser monter à bord d'un de ses jets privés. La cabine était luxueuse sans rien de tapageur. Il y avait un long canapé à droite, une table et des chaises à gauche. Le steward était jeune et beau, et sur le revers de son gilet étaient brodés le logo de Cross Industries, ainsi que son prénom, Eric.

— Bonsoir, monsieur Cross. Mademoiselle Tramell, nous salua-t-il avec un grand sourire. Désirez-vous boire quelque chose avant le décollage ?

— Kingsman et cranberry pour moi, répondis-je.

— La même chose, fit Gideon en se débarrassant de sa veste pour la remettre à Eric qui attendit qu'il retire également son gilet et sa cravate.

J'admirai le spectacle et émis un long sifflement.

— Ce voyage débute sous d'excellents auspices !

— Mon ange, fit Gideon en secouant la tête, le regard rieur.

Un homme en complet bleu marine pénétra dans la cabine. Il salua chaleureusement Gideon, me serra la main une fois qu'il nous eut présentés, puis demanda à voir nos passeports. Il repartit aussi vite qu'il était venu et la porte de la cabine se referma. Gideon et moi sirotions paisiblement nos cocktails, ceinture bouclée, quand l'avion s'élança sur la piste.

— Tu as l'intention de me dire où nous allons ? demandai-je en levant mon verre de cristal pour porter un toast.

Il fit de même.

— Tu ne préfères pas que je te fasse la surprise ?

— Tout dépend de la durée du vol. Je risque d'être rongée par la curiosité avant d'arriver.

— Je crois que tu seras bien trop occupée pour te poser des questions, répondit-il avec un sourire en coin. L'avion est un moyen de transport, après tout.

— Oh.

Je jetai un coup d'œil au petit couloir desservant plusieurs portes à l'arrière de l'avion. L'une d'elles était sans doute celle des toilettes, l'autre celle d'un bureau et la troisième... celle de la chambre.

— On a combien de temps à tuer ? demandai-je.

— Des heures, ronronna-t-il.

— Waouh ! De quoi te faire des tas de choses, champion !

Il secoua la tête.

— Tu oublies que ce week-end, c'est moi qui te fais ce que je veux. Nous avons passé un marché.

— Y compris pendant le voyage ? J'ai comme l'impression que ce n'est pas juste.

— Tu as déjà dit ça.

— Parce que c'était déjà vrai.

Son sourire s'élargit et il but une gorgée.

— Dès que nous serons autorisés à nous lever, je veux que tu ailles dans la chambre, que tu te déshabilles, que tu t'allonges sur le lit et que tu m'attendes.

J'arquai un sourcil.

— Tu adores l'idée de m'avoir nue et à ta disposition, pas vrai ?

— Je le reconnais d'autant plus volontiers que tu m'as un jour confié que la réciproque faisait partie de tes fantasmes.

Réprimant un sourire, j'avalai une gorgée de vodka et en savourai la morsure brûlante au creux de l'estomac.

L'avion prit sa vitesse de croisière et le commandant de bord nous autorisa à détacher nos ceintures.

D'un regard, Gideon m'enjoignit de suivre le programme qu'il venait de m'indiquer.

J'étrécis les yeux, me levai, mon verre à la main, et m'éloignai en prenant tout mon temps, histoire de le provoquer. J'aimais me retrouver à sa merci, de même que j'aimais lui faire perdre la tête. Je ne pouvais nier que ce contrôle qu'il exerçait m'excitait. Je savais à quel point il pouvait être absolu, mais j'avais une confiance totale en lui. Je ne pensais pas qu'il y eût quoi que ce fût que je ne lui aurais pas permis de faire.

Une conviction qui n'allait pas tarder à être mise à l'épreuve des faits, constatai-je en ouvrant la porte de la chambre. Une paire de menottes en soie et daim rouge gisait sur le dessus-de-lit blanc.

Je tournai la tête pour chercher Gideon. Il avait disparu. Son verre vide reposait sur la table, les glaçons qui en tapissaient le fond étincelant comme des diamants.

Le cœur battant, je pénétrai dans la chambre et vidai mon verre. Je ne supportais pas d'être entravée pendant l'acte sexuel, à moins que ce ne fût par Gideon. Avec les mains ou le poids de son corps. Nous n'étions jamais allés plus loin. Je n'étais pas sûre d'en être capable.

Je posai mon verre sur la table de chevet et m'aperçus que ma main tremblait légèrement. Je n'aurais pas su dire si c'était de peur ou d'excitation.

Je savais que Gideon ne me ferait jamais de mal. Il avait tout fait pour que je n'aie jamais peur de lui. Mais que se passerait-il si je le décevais ? Si je ne parvenais pas à lui donner ce dont il avait envie ? Il ne m'avait pas caché qu'un de ses fantasmes consistait à m'attacher complètement de façon à disposer de mon corps à sa guise. Je comprenais ce désir, ce besoin de possession totale. Je ressentais la même chose à son endroit.

Je commençai à me dévêtir. Mes gestes étaient lents, précautionneux, car mon cœur battait déjà trop vite. J'étais si impatiente que j'en haletais presque. J'accrochai mes vêtements sur un cintre de la minuscule penderie, puis grimpai maladroitement sur le lit. Je tenais les menottes de soie entre mes mains, taraudée par le doute et l'incertitude, quand Gideon entra.

335

— Tu n'es pas allongée, dit-il doucement en verrouillant la porte derrière lui.

Je lui montrai les menottes.

— Faites sur mesure, spécialement pour toi, précisat-il en déboutonnant sa chemise de ses doigts agiles. Le rouge est ta couleur.

Il se déshabilla aussi lentement que je l'avais fait, me laissant profiter pleinement du spectacle. Il savait que le contempler agissait sur moi comme un aphrodisiaque.

— Tu crois que je suis prête ? demandai-je à voix basse.

Son regard demeura rivé sur mon visage tandis qu'il ôtait son pantalon. Puis il se redressa et, seulement vêtu de son caleçon noir qui peinait à contenir son érection, il me répondit :

— Je ne te demanderai jamais rien que tu ne sois prête à donner, mon ange. Je te le promets.

Après avoir pris une profonde inspiration, je m'étendis sur le dos et déposai les menottes sur mon ventre. Il s'allongea près de moi, les traits crispés par le désir, souleva ma main et me baisa le poignet.

— Ton cœur bat très vite.

J'acquiesçai en silence.

Il ramassa les menottes et dénoua habilement le ruban de soie écarlate qui reliait les deux bracelets de daim rouge.

— Être attaché aide à s'abandonner, mais il suffit que l'entrave soit symbolique pour que le charme opère.

Mon ventre se contracta quand il défit l'agrafe des bracelets. Il en posa un sur sa cuisse et souleva l'autre.

— Donne-moi ton poignet, mon ange.

Je m'exécutai et mon souffle s'accéléra quand il referma le bracelet autour de mon poignet. Le contact velouté du daim là où battait mon pouls était étrangement excitant.

— Ce n'est pas trop serré ? s'enquit-il.

— Non.

— Il faut que tu aies conscience de l'entrave sans que cela te fasse mal.

— Ça ne me fait pas mal.

Il assujettit l'autre bracelet de la même manière, puis se redressa pour admirer le travail.

— Superbe, murmura-t-il. Ça me rappelle la robe que tu portais la première fois que tu t'es donnée à moi. Cette seule fois a suffi, tu sais. Tu m'as anéanti. Après cela, il n'y avait plus de retour en arrière possible.

Mon appréhension s'envola, chassée par la chaleur de son amour et de son désir. Je lui étais précieuse. Jamais il ne m'obligerait à aller au-delà de mes limites.

— Lève les bras et agrippe les côtés de l'oreiller, ordonna-t-il.

Je lui obéis et la tension de mes poignets me fit prendre davantage conscience des menottes. Je me sentais ligotée. Prisonnière.

— Tu sens ? murmura-t-il.

Je compris ce qu'il voulait dire, et une fulgurante et douloureuse bouffée d'amour me balaya.

— Oui.

— Je vais te demander de fermer les yeux, poursuivit-il en se levant pour retirer son caleçon.

Il était très excité, son sexe oscillant sous son propre poids, le gland décalotté luisant de fluide séminal. J'en eus l'eau à la bouche et un flot de désir déferla en moi. Il brûlait d'envie de me posséder, et pourtant il irradiait de lui, de sa voix, un tel calme, que personne n'aurait pu s'en douter.

Cette maîtrise totale me fit mouiller. Jamais je n'aurais imaginé homme plus parfait pour moi : il me désirait violemment – ce dont j'avais besoin pour me sentir rassurée –, mais se contrôlait suffisamment pour que je n'aie jamais la sensation d'étouffer.

— Je veux que tu gardes les yeux fermés si tu le peux, reprit-il d'une voix basse, apaisante, mais si c'est trop pour toi, ouvre-les. Après avoir dit ton mot clef.

— D'accord.

Il ramassa le lien de soie et le fit glisser lentement sur ma peau. Le fermoir de métal à l'extrémité accrocha mon mamelon, dont la pointe durcit aussitôt.

— Que les choses soient claires, Eva. Ton mot clef n'est pas fait pour moi. Il est fait pour *toi*. Tu pourrais dire *non* ou *arrête*, mais de même que le fait de porter ces menottes te donne l'impression d'être attachée, le fait de prononcer ton mot clef te met dans l'état d'esprit recherché. Tu comprends ?

J'acquiesçai, de plus en plus détendue et excitée.

— Ferme les yeux.

J'obéis et perçus avec acuité la pression des bracelets sur mes poignets. Le vrombissement des moteurs parut s'intensifier. Mes lèvres s'entrouvrirent et ma respiration s'accéléra.

Le lien de satin glissa entre mes seins pour aller effleurer l'autre.

— Tu es si belle, mon ange. Tu n'imagines pas l'effet que cela me fait de te voir comme ça.

— Dis-le-moi, Gideon, murmurai-je, plus amoureuse que jamais.

Ses doigts me touchèrent la gorge, puis entamèrent une lente glissade le long de mon buste.

— Mon cœur bat aussi vite que le tien.

Je me cambrai et frissonnai sous sa caresse.

— Tant mieux.

— Je suis tellement dur que ça fait mal.

— Je suis trempée.

— Montre-moi, exigea-t-il d'une voix rauque. Écarte les cuisses.

Ses doigts fouaillèrent ma fente.

— Oui, tu es toute moite et chaude, mon ange.

Mon sexe se contracta avidement, mon corps entier réagissant à ses caresses.

— Ah, Eva, tu as la plus gourmande des petites chattes ! Je vais passer le restant de mes jours à la satisfaire.

— Tu pourrais t'y mettre dès maintenant, suggérai-je.

Il rit doucement.

— En fait, on va commencer par ta bouche. J'ai besoin que tu me suces, après quoi, je pourrai te baiser jusqu'à ce qu'on atterrisse.

— Oh, mon Dieu ! Dis-moi que ce n'est pas un vol de dix heures.

— Tu mériterais une fessée pour avoir osé dire cela.

— Mais je suis une bonne petite !

Le matelas se creusa quand il grimpa sur le lit. Je le sentis s'approcher de moi et s'immobiliser près de mon épaule.

— Sois une bonne petite, maintenant, Eva. Tourne la tête vers moi et ouvre la bouche.

Je lui obéis docilement. Tiède et soyeuse, l'extrémité de son sexe m'effleura les lèvres ; je les ouvris davantage, et son gémissement tourmenté se répandit en moi telle une onde de choc. Ses doigts plongèrent dans mes cheveux, sa main me recouvrit la nuque, l'enveloppa pour me maintenir la tête là où il voulait qu'elle soit.

— Mon Dieu, souffla-t-il, ta bouche est tout aussi gourmande.

La position dans laquelle j'étais, allongée sur le dos, les mains agrippées à l'oreiller ne m'autorisait à prendre en bouche que l'extrémité de son sexe. Tout à la joie de me concentrer exclusivement sur son plaisir, je léchai délicatement son gland. L'aimer avec la bouche n'avait pour moi rien d'altruiste. J'adorais cela.

— Voilà, m'encouragea-t-il en ondulant des hanches. Suce-moi bien... Comme ça... C'est si bon, mon ange. Tu me fais jouir tellement fort.

J'inspirai son parfum viril, sentis mon corps répondre d'instinct. Gideon saturait tous mes sens et je m'abandonnai voluptueusement à notre plaisir mutuel.

Je rêvais que j'étais en train de tomber et me réveillai en sursaut.

Le cœur battant, je réalisai que l'avion venait de franchir un trou d'air. Une turbulence. J'allais bien. Et Gideon aussi, qui s'était endormi près de moi. Cela me fit sourire. J'étais au bord de l'évanouissement quand il s'était finalement décidé à me laisser basculer dans l'orgasme. Il m'avait maintenue si longtemps en équilibre au bord du gouffre que le besoin de jouir m'avait rendue incohérente. Ce n'était donc que justice que lui aussi soit épuisé.

Un coup d'œil à ma montre m'apprit que nous volions depuis trois heures. Nous n'avions pas dû nous assoupir plus d'une vingtaine de minutes, et j'étais à peu près certaine qu'il m'avait consacré ses attentions pendant près de deux heures. Je sentais encore en moi l'écho du va-et-vient de son sexe me caressant inlassablement.

Je sortis du lit sans bruit, pour ne pas le réveiller, et refermai doucement la petite porte du cabinet de toilette derrière moi.

Avec ses panneaux de bois sombre et ses accessoires chromés, l'endroit était d'une élégance toute masculine. Le siège des toilettes était muni d'accoudoirs qui le faisaient ressembler à un trône et un petit hublot de verre dépoli laissait entrer la lumière du soleil. La cabine de douche aux lignes épurées me parut très tentante, mais je portais toujours les menottes écarlates. Je me contentai donc d'une toilette succincte, puis avisai un flacon de lotion pour les mains dans un des tiroirs.

Son parfum délicat était absolument merveilleux. Tandis que je m'en enduisais les mains, une idée me vint, et je décidai d'emporter le flacon dans la chambre.

La vision du corps bronzé de Gideon, étendu de tout son long sur le lit queen size, me coupa le souffle. L'un de ses bras était relevé au-dessus de sa tête, l'autre drapé sur ses pectoraux. Une jambe repliée était retombée sur le lit, l'autre était allongée, le pied dépassant du bord. Son sexe reposait sur son ventre, imposant même au repos.

Il était d'une virilité saisissante. Éblouissante. Son corps entier était un modèle de force et de grâce mêlées.

Et pourtant, j'étais capable de le mettre à genoux. Cela me bouleversait.

Il se réveilla quand je grimpai sur le lit et cligna des yeux.

— Eh, fit-il d'une voix enrouée. Viens ici.

— Je t'aime, chuchotai-je en me coulant entre ses bras.

Sa peau était tiède et douce comme de la soie, et je me lovai avec bonheur contre lui.

— Eva, dit-il avant de me gratifier d'un baiser tendre et gourmand. Je suis loin d'en avoir fini avec toi.

Je pris une profonde inspiration et posai le flacon de lotion sur son ventre.

— Je veux te pénétrer, champion.

Il baissa les yeux, fronça les sourcils et se figea. Son souffle se modifia de manière perceptible.

— Ce n'est pas prévu au programme, dit-il.

— Je pense que le programme peut subir quelques modifications. Du reste, on est toujours vendredi, le week-end n'a donc pas encore commencé.

— Eva...

— Ça m'excite rien que d'y penser, murmurai-je en me frottant contre sa cuisse pour qu'il sente combien j'étais humide.

Le gémissement qui m'échappa était autant dû au contact de ses poils contre ma chair sensible qu'au sentiment de me comporter avec une impudeur totale.

— Si tu me dis d'arrêter, je le ferai, assurai-je. Laisse-moi juste essayer.

Je l'entendis distinctement grincer des dents.

Je l'embrassai. Pressai mon corps contre le sien. Quand il voulait m'entraîner dans une direction nouvelle, il utilisait des mots pour me convaincre. Mais l'inverse n'était pas forcément vrai, et parler n'était pas toujours efficace avec lui. Parfois, il était préférable de lui endormir l'esprit.

— Mon ange...

Je glissai sur lui, écartant le flacon de lotion pour qu'il n'y pense pas trop, et l'enfourchai. Si je l'emmenais là où je le souhaitais, je ne voulais pas que nous analysions trop les choses. Et si cela n'apparaissait pas naturel, je m'abstiendrais. Ce que nous partagions était trop précieux pour que je m'avise de l'abîmer.

Je fis courir mes mains sur son torse avec douceur, avec amour. Pour lui, j'étais prête à tout, sauf abandonner.

Ses bras m'encerclèrent, une main s'enfonça dans mes cheveux, l'autre se posa au creux de mes reins, et il me serra contre lui. Sa bouche s'ouvrit à moi, sa langue m'incita langoureusement à investir sa bouche, et je m'immergeai dans ce baiser, inclinant la tête pour mieux le savourer.

Son sexe durcit entre nous, s'allongea contre mon ventre. Gideon souleva les hanches, accentuant la pression, et gémit dans ma bouche.

Je lui embrassai les lèvres, la joue, la gorge, en goûtai le sel de la pointe de la langue. Aspirai sa peau entre mes lèvres, plantai les dents dans sa chair pour le marquer. De sa main posée sur ma nuque, Gideon me guidait et m'encourageait, et ses gémissements de plaisir vibraient sous mes lèvres.

J'écartai légèrement la tête et contemplai avec satisfaction le suçon rouge vif que je venais de lui infliger.

— Tu es à moi, soufflai-je.

— À toi, acquiesça-t-il, la voix âpre, les paupières voilant à demi son regard brûlant.

— Entièrement, ajoutai-je avant de laisser mes lèvres glisser un peu plus bas sur son torse, jusqu'à sentir le disque plat de son mamelon sous ma langue.

J'en léchai la pointe minuscule, la titillai délicatement, puis la happai entre mes lèvres.

Gideon aspira sa salive dans un sifflement quand mes joues se creusèrent, et ses mains agrippèrent le dessus-de-lit de part et d'autre de ses hanches.

— Le dehors comme le dedans, murmurai-je avant de prodiguer mes attentions à son autre mamelon.

Lorsque ma bouche s'aventura plus bas, son corps se raidit. Et quand ma langue encercla son nombril, il tressaillit violemment.

— Là... dis-je d'un ton apaisant en frottant la joue contre son sexe.

Il s'était lavé après notre séance précédente et sentait délicieusement bon. Ses testicules reposaient lourdement entre ses cuisses. Il veillait soigneusement à les épiler et ils avaient un aspect satiné. J'adorais qu'il soit aussi lisse que moi. Quand il était en moi, la connexion était absolument parfaite et le contact de nos peaux nues intensifiait les sensations.

Les mains pressées sur la face interne de ses cuisses, je les lui écartai doucement, m'installai entre elles et léchai la peau satinée de ses testicules.

Un grondement lui échappa. Un son animal qui me tira un frémissement d'appréhension ; je ne m'arrêtai pas pour autant. J'avais trop envie de lui.

N'utilisant que la bouche, je m'employai à l'adorer. Je le suçai délicatement, le caressai de la langue. Lorsque je soulevai ses testicules pour atteindre la zone la plus sensible, ils se recroquevillèrent. Ma langue glissa un peu plus bas, se rapprochant inexorablement de mon objectif.

— Eva, arrête, haleta-t-il. Je ne peux pas. Ne fais pas ça.

Mes pensées se bousculèrent dans ma tête tandis que je continuais ma caresse, ma main se referma sur son sexe pour entamer un mouvement de va-et-vient. Gideon était encore trop conscient, trop concentré sur ce qui allait suivre plutôt que sur l'instant présent.

Mais je savais comment l'amener à se concentrer sur autre chose.

— Que dirais-tu de faire ça à deux, champion ? soufflai-je.

Je me retournai et rampai en arrière pour l'enfourcher. Ses mains m'agrippèrent les hanches avant que j'aie retrouvé l'équilibre et mon sexe se retrouva plaqué sur sa bouche. Je laissai échapper un cri de surprise quand sa langue passa sur mon clitoris, qu'il entreprit de sucer avidement. Ma chair était encore

344

si gonflée et sensible que le flot de plaisir qui me submergea soudain fut presque insupportable. Gideon
donnait libre cours à la sauvagerie de son appétit, sa
passion alimentée par la frustration et la colère.

Mes lèvres se refermèrent autour de son sexe et je
le suçai à mon tour avec ardeur. Le gémissement qu'il
laissa échapper vibra contre mon clitoris et je faillis
jouir sur-le-champ. Il m'immobilisait contre sa
bouche, ses doigts s'enfonçant douloureusement dans
la chair de mes hanches.

J'adorais cela. Il était en train de perdre pied, et
alors même qu'il en redoutait les conséquences, j'en
étais ravie. Il ne se faisait pas confiance quand il était
avec moi, mais moi, j'avais confiance en lui. Nous
avions dû batailler ferme pour atteindre ce niveau de
confiance, versé du sang et des larmes, et je le ché-
rissais comme mon bien le plus précieux.

Le va-et-vient de ma main sur son sexe s'accéléra et
je lapai l'une après l'autre les gouttes translucides qui
vinrent le couronner. Je venais à peine de remarquer
qu'il tremblait quand il nous fit basculer sur le flanc.

Sa bouche me dévorait, les poussées furieuses de sa
langue me rendaient folle. Du bout du doigt, je caressai
le pourtour de son anus tandis que mes lèvres conti-
nuaient de s'activer sur son sexe. Il frémit et le grondement qui lui échappa me donna la chair de poule.

Mes hanches ondulaient d'elles-mêmes, comme ani-
mées d'une volonté propre, et je me frottai sans pudeur
contre sa bouche. Je gémissais de manière incontrô-
lable, à présent, et de minuscules frissons de délice me
sillonnaient le ventre. Gideon me faisait merveilleusement l'amour avec sa langue... me rendait dingue.

C'est alors qu'il inséra le doigt entre mes fesses. De
ma main libre, je cherchai à tâtons le flacon de lotion.

Gideon l'attrapa avant moi et le glissa dans ma main
– le signe de consentement que j'attendais.

Je venais à peine d'ôter le bouchon que son doigt entra en moi. Je me cambrai spontanément, son sexe glissa de ma bouche et son nom m'échappa dans un souffle tandis que mon corps absorbait le choc de cette intrusion inattendue. Je réalisai alors qu'il s'était lubrifié les doigts avant de me donner le flacon.

L'espace d'un instant, j'eus la sensation d'être submergée. Il était partout – il m'enveloppait, m'investissait, se collait à moi. Et il n'était pas tendre. Son doigt allait et venait en moi, me baisait avec une détermination empreinte de colère. Je l'avais acculé là où il n'avait pas envie d'aller et il me punissait à sa manière, et le plaisir que je ressentais était trop fulgurant pour que je puisse le canaliser.

Je me montrai plus douce avec lui. Je commençai par le reprendre en bouche et laissai la lotion tiédir sur mes doigts avant de la lui appliquer. J'attendis qu'il tende les fesses vers moi avant de le pénétrer d'un seul doigt.

Le son rauque qui remonta alors dans sa poitrine ne ressemblait à rien de ce que j'avais entendu jusqu'à présent. C'était un cri d'animal blessé empli d'une souffrance humaine. Il se pétrifia, haletant contre mon sexe, son doigt profondément fiché en moi, son grand corps frissonnant.

Je le lâchai et murmurai d'une voix caressante :

— Je suis en toi, mon amour. Je vais faire en sorte que ce soit très bon.

Il inspira brièvement quand je le pénétrai plus profondément.

— *Eva !*

Son sexe enfla davantage, le sang afflua à l'extrémité et le relief de ses veines s'accentua. Il était dur comme le marbre et s'incurvait juste au-dessus de son nombril. Je ne l'avais encore jamais vu aussi excité et une vague brûlante déferla en moi en réaction.

— Je te tiens, soufflai-je, et mon doigt le caressa doucement tandis que ma langue se promenait le long de son érection. Je t'aime tellement, Gideon. J'aime te toucher ainsi… te voir ainsi.

Un cri rauque lui échappa, un long frisson, puis :

— Baise-moi, mon ange. Vas-y. *Fort.*

Je le repris en bouche et lui donnai ce qu'il demandait, m'appliquant à caresser le point sensible qui le faisait jurer et se tordre, son corps luttant contre les sensations qui le bombardaient. Il se cabra, ses mains s'écartèrent de moi, mais je continuai de m'activer, farouchement déterminée à l'emmener jusqu'à l'orgasme.

Des sons inarticulés se bousculaient hors de sa bouche, ses poings malaxaient impitoyablement le couvre-lit, et le sanglot sec qui lui échappa résonna dans la cabine.

— Arrête. Eva. Stop, ça suffit !

J'aspirai son sexe tout en enfonçant le doigt en lui, et il éjacula avec une telle force que je m'étranglai avec sa semence. Il jouit sur mes lèvres entrouvertes comme je m'écartais, sur son ventre et sur mes seins, libérant un tel torrent de sève qu'il semblait difficile de croire qu'il avait déjà joui deux fois au cours des deux dernières heures. Je sentais ses contractions au bout de mon doigt, les irrépressibles pulsations qui propulsaient le liquide séminal hors de son corps.

Je ne le retirai que lorsqu'il s'immobilisa, m'allongeai face à lui en tremblant et l'attirai dans mes bras. Nous étions trempés de sueur et de sperme, et j'adorais que cela n'ait aucune importance.

Gideon enfouit le visage entre mes seins et laissa libre cours à ses larmes.

19

La destination qu'avait choisie Gideon était paradisiaque. Quand nous atteignîmes les Caraïbes, le pilote vola très bas au-dessus de la mer d'un bleu incroyable jusqu'à l'aéroport privé le plus proche du Crosswinds Resort.

Nous étions tous deux encore sous le choc lorsque l'avion atterrit. Quand on tamponna nos passeports, nous nous tenions par la main et parlions à peine, le corps et l'esprit trop à vif, sans doute.

Une fois à bord de la limousine qui nous attendait, Gideon se servit un remontant. Il avait relevé la garde et son visage ne trahissait aucune émotion. Je secouai la tête lorsqu'il me proposa silencieusement de l'accompagner en désignant la carafe de cristal.

Il vint s'asseoir près de moi, glissa le bras autour de mes épaules.

Je me blottis contre lui, les jambes drapées sur ses genoux.

— Tout va bien ? soufflai-je.

— Oui, dit-il avant de presser un baiser sur mon front.

— Je t'aime.

— Je sais.

Il descendit son verre d'un trait et nous n'échangeâmes plus un mot au cours du long trajet depuis l'aéroport jusqu'à l'hôtel.

La nuit était tombée à notre arrivée, mais l'aire d'accueil à ciel ouvert était brillamment éclairée. Entouré de luxuriantes plantes en pots, le comptoir de bois sombre orné d'azulejos de la réception charmait d'emblée par son style à la fois décontracté et élégant.

Le directeur nous attendait dans l'allée circulaire. Son costume était immaculé, son sourire, immense. Il était visiblement tout excité à l'idée de recevoir le propriétaire des lieux et son enthousiasme s'accrut quand il découvrit que Gideon connaissait son nom – Claude.

Claude se mit à parler avec animation tandis que nous lui emboîtions le pas, main dans la main. À voir Gideon, personne n'aurait jamais deviné quel degré d'intimité extrême nous avions partagé moins d'une heure plus tôt. En séchant, mes cheveux avaient pris un mauvais pli, alors que les siens étaient aussi sublimes qu'à l'accoutumée. Son costume était impeccable tandis que ma robe avait perdu de sa superbe. Quant à mon maquillage, il avait fondu sous la douche, si bien que j'étais toute pâle avec de légers cernes de mascara.

Gideon n'en demeurait pas moins possessif, et cela se voyait dans sa façon de me guider dans notre suite, la main calée au creux de mes reins. En dépit de son masque neutre, et bien que je ne sois vraiment pas à mon avantage, je me sentais aimée et en sécurité.

Et je ne pouvais que lui en être reconnaissante.

J'aurais cependant préféré qu'il sorte de son silence, car je commençais à m'inquiéter. À me demander si j'avais bien fait de le pousser dans ses retranchements alors qu'il m'avait dit d'arrêter, et ce, à plusieurs reprises. Depuis quand est-ce que je savais ce qui était bon pour lui ?

Tandis qu'il discutait avec le gérant, je traversai à pas lents l'immense salon qui donnait sur une terrasse au sol de bambou meublé de somptueux canapés blancs. La chambre à coucher était tout aussi impressionnante avec son grand lit surmonté d'une moustiquaire et sa terrasse dotée d'une piscine privée dont le bord extérieur semblait se déverser dans l'océan.

Une brise tiède me caressa le visage et agita mes cheveux. La lune montante projetait sur l'océan un rayon argenté, et des rires au loin, entre deux notes de reggae, ajoutèrent à la dérangeante impression d'isolement que je ressentais.

Rien n'allait plus dès que Gideon se retranchait en lui-même.

— Ça te plaît ? demanda-t-il d'une voix douce.

Je me retournai et entendis la porte se refermer dans l'autre pièce.

— C'est magnifique.

— Je nous ai commandé à dîner. Tilapia et riz, fruits frais et fromage.

— Bonne idée, je meurs de faim.

— Tu trouveras des vêtements dans le dressing. Des maillots de bain, aussi, mais vu que la piscine et la plage sont privées, tu n'en auras pas besoin. S'il manque quoi que ce soit, il te suffira de me le dire pour l'obtenir.

Je le regardai, notai les quelques pas qui nous séparaient. L'éclairage savamment tamisé de la chambre faisait briller ses yeux. Il était nerveux et distant, et je sentis des larmes se former dans ma gorge.

— Gideon... commençai-je en tendant la main vers lui. Est-ce que j'ai commis une erreur ? Est-ce que j'ai brisé quelque chose entre nous ?

— Mon ange.

Il soupira, se rapprocha juste assez pour s'emparer de ma main et la porter à ses lèvres. De près, je vis qu'il détournait le regard, comme s'il ne supportait pas de poser les yeux sur moi. L'angoisse se logea en moi.

— Crossfire.

Il avait murmuré ce mot à voix si basse que je crus presque l'avoir imaginé. Puis il m'attira dans ses bras et m'embrassa tendrement.

Je me hissai sur la pointe des pieds, refermai la main sur sa nuque et répondis avec passion à son baiser.

Il s'écarta de moi – trop vite.

— Changeons-nous avant qu'on nous apporte le dîner, suggéra-t-il. Je ne serais pas contre avoir un peu moins de vêtements.

Je reculai à regret, reconnaissant qu'il devait avoir chaud dans ce costume, sans pouvoir toutefois me défaire de l'impression que quelque chose clochait. Une impression qui ne fit que se renforcer lorsqu'il quitta la pièce et que je compris que nous ne partagerions pas la même chambre.

J'enlevai mes chaussures en pénétrant dans la salle-penderie, qui contenait bien plus de vêtements qu'il n'était nécessaire pour un simple week-end. Blancs pour la plupart. Gideon aimait que je porte du blanc. Parce qu'il pensait à moi comme à son ange, soupçonnai-je.

Pensait-il encore à moi ainsi, en ce moment ? Ou étais-je le diable ? Une sorcière égoïste qui l'obligeait à affronter des démons qu'il aurait préféré oublier ?

J'enfilai une petite robe de coton noir, assortie à mon humeur funèbre. J'avais l'impression que quelque chose était mort entre nous.

Gideon et moi avions trébuché bien des fois jusqu'ici, mais jamais encore je ne m'étais sentie aussi éloignée de lui. Aussi fautive et mal à l'aise.

J'avais éprouvé la même chose autrefois, lorsqu'un garçon était sur le point de me dire qu'il ne voulait plus me voir.

Le dîner arriva et fut impeccablement servi sur la terrasse surplombant la plage privée. En apercevant la tente parasol blanche qui y était dressée, je repensai à ce rêve que Gideon avait fait, et dans lequel nous paressions dans une chaise longue pour deux avant de faire l'amour au bord de l'eau.

Mon cœur se serra.

Après avoir bu trop vite deux verres d'un délicieux vin blanc sec et fruité, je fis mine de manger malgré mon manque d'appétit. Gideon était assis en face de moi, vêtu en tout et pour tout d'un pantalon de lin blanc, ce qui n'arrangea pas les choses. Il était si beau, si sexy, que je n'arrivais pas à détacher les yeux de lui. Mais il était à des kilomètres de moi. À la fois silencieux et tellement présent que je ne pouvais que le désirer de tout mon être.

Le gouffre émotionnel qui s'était creusé entre nous allait croissant, et je ne parvenais pas à le combler.

Quand je repoussai mon assiette, je réalisai que Gideon avait à peine touché à la sienne. Il avait chipoté avec la nourriture et m'avait aidée à vider la bouteille de vin.

Je pris une profonde inspiration, puis :

— Je suis désolée. J'aurais dû... Je n'ai pas... Je suis désolée, achevai-je dans un murmure lamentable.

Je m'écartai abruptement de la table, les pieds de ma chaise raclant le sol avec un bruit épouvantable, et quittai la terrasse.

— Eva ! Attends !

Mes pieds nus heurtèrent le sable tiède et je me mis à courir vers l'océan en me débarrassant de ma robe. Quand j'entrai dans l'eau, je fus presque déçue de la trouver aussi chaude que celle d'un bain. Alors qu'elle paraissait peu profonde, le sol se déroba subitement sous moi. Je pliai les genoux et me laissai couler, heureuse de m'immerger, de me cacher sous la surface. Et je fondis en larmes.

Mes cheveux flottaient autour de ma tête et je sentais le doux frôlement des poissons qui contournaient ce corps envahissant leur monde paisible et silencieux.

Je fus brutalement tirée à la surface, et crachai et m'agitai en tous sens.

— Mon ange, gronda Gideon en me ramenant contre lui.

Il captura mes lèvres sans douceur tandis qu'il sortait de l'eau au pas de charge, gagna la paillote de toile blanche, me déposa sur une double chaise longue et me recouvrit de son corps avant que j'aie retrouvé mon souffle.

La tête me tournait encore quand il lâcha :

— Épouse-moi.

Mais ce ne fut pas pour cela que je dis :

— Oui.

Gideon était entré dans l'eau avec son pantalon, et l'étoffe mouillée me colla à la peau quand il se plaqua contre moi pour m'embrasser comme s'il mourait d'une soif que moi seule pouvais étancher. Il avait immobilisé ma tête entre ses mains et explorait ma bouche avec une ferveur possessive.

Encore choquée, je demeurai aussi raide qu'une bûche. Mon cerveau embrumé ne tarda guère à se remettre en branle.

S'il s'était montré si distant, c'était parce qu'il angoissait à l'idée de faire sa demande en mariage, et non parce qu'il avait l'intention de me quitter !

— Demain, décréta-t-il en frottant sa joue contre la mienne.

Sa barbe naissante m'amena à un niveau de conscience supérieur quant à l'endroit où nous nous trouvions et à ses intentions.

— Je...

Mon cerveau se mit à patiner tel un moteur peinant à démarrer.

— Tu es censée dire *oui*, Eva, fit-il en braquant sur moi un regard farouche. Rien de plus qu'un simple *oui*.

Je déglutis.

— On ne peut pas se marier demain.

— Bien sûr que si, s'exclama-t-il. C'est d'ailleurs ce qu'on va faire, ajouta-t-il avec emphase. J'ai besoin de ce serment, d'un statut légal... je ne peux plus vivre sans.

J'eus l'impression que le monde se mettait à tourner à toute vitesse, comme si j'étais dans un de ces tonneaux de fête foraine où l'on se retrouve plaqué contre la paroi par la force centrifuge alors que le fond du tonneau disparaît.

— C'est trop tôt, protestai-je.

— Tu oses dire cela après le vol que nous venons de vivre ? répliqua-t-il. Bon sang, Eva, je t'appartiens. Et tu m'appartiens en retour.

— Je ne peux pas respirer, me plaignis-je, inexplicablement affolée.

Gideon roula sur le côté et m'attira sur lui en m'enveloppant de ses bras.

— C'est ce que tu veux, insista-t-il. Tu m'aimes.

— Je t'aime, oui, acquiesçai-je en appuyant le front contre son torse. Mais tu précipites les ch...

— Tu croyais que j'allais te faire ma demande pendant le vol ? Allons, Eva, tu me connais mieux que ça. J'ai tout prévu depuis des semaines. Je ne pense qu'à ça !

— Gideon... on ne peut pas se marier en douce !

— Oh que si !

— Qu'est-ce que tu fais de nos familles ? De nos amis ?

— On se mariera une autre fois pour eux. Je veux aussi ce mariage-là, assura-t-il en écartant une mèche de cheveux humides de ma joue. Je veux des photos de nous dans les journaux, les magazines... partout. Mais cela prendra des mois, et je ne peux pas attendre aussi longtemps. Demain, ce ne sera que pour nous. On n'en parlera à personne si c'est ce que tu souhaites. On peut considérer cela comme des fiançailles. Comme notre secret.

Je le dévisageai, ne sachant que dire. Son enthousiasme était à la fois romantique et terrifiant.

— J'ai fait ma demande à ton père, poursuivit-il, à ma grande stupéfaction. Il n'a émis aucune ob...

— Quoi ? Mais quand ?

— Quand il est venu te voir. L'occasion s'est présentée et je l'ai saisie.

— Il ne m'a rien dit, soufflai-je, peinée.

— Je lui ai demandé de ne pas le faire. Je lui ai expliqué que ce n'était pas pour tout de suite. Que je travaillais à te reconquérir. J'ai pris la précaution d'enregistrer notre conversation au cas où tu ne me croirais pas.

Je battis des paupières.

— Tu as enregistré votre conversation ? répétai-je.

— J'ai préféré ne rien laisser au hasard, se justifia-t-il.

— Tu lui as dit que ce n'était pas pour tout de suite. Tu lui as donc menti.

— Je n'ai pas menti, rétorqua-t-il avec un sourire. C'était il y a plusieurs jours.

— Oh, mon Dieu ! Tu es fou.

— Possible. Et si c'est le cas, tu es la seule et unique cause de ma folie, déclara-t-il avant de déposer un bai-

355

ser sur ma joue. Je ne peux pas vivre sans toi, Eva. Je ne peux même pas imaginer essayer. Rien qu'à cette idée, je deviens fou.

— C'est ce que tu proposes qui est fou.

— Pourquoi ? demanda-t-il en se renfrognant. Tu sais que ni toi ni moi ne trouverons jamais mieux. Alors pourquoi attendre ?

Des tas d'arguments me vinrent à l'esprit. Toutes les raisons que nous aurions eu d'attendre, tous les écueils concevables. Mais aucun mot ne franchit mes lèvres.

— Je ne te laisse pas le choix, reprit-il d'un ton résolu. Demain, on se marie, Eva. Profite de tes dernières heures de célibat.

— *Gideon* ! criai-je quand l'orgasme explosa en moi.

Sa sueur ruisselait sur ma poitrine, ses hanches allaient et venaient infatigablement tandis que son sexe plongeait en moi...

— Oh, oui, fit-il d'une voix enrouée, serre fort ma queue ! Tu es tellement douée, mon ange. Tu vas encore me faire jouir.

J'étais à bout de souffle, languide et épuisée par ses exigences répétées. Il m'avait déjà réveillée à deux reprises pour me rappeler que je lui appartenais, qu'il pouvait me faire tout ce qu'il voulait, et l'imprimer dans mon corps et dans mon esprit avec une fabuleuse expertise

Et ça m'excitait furieusement.

— Hmm... ronronna-t-il en s'enfonçant profondément en moi. Je pourrais faire ça toute ma vie, Eva. Je ne m'en lasserais jamais.

Je calai la jambe sur sa hanche pour le garder en moi, et ordonnai :

— Embrasse-moi.

Ses lèvres s'incurvèrent sur un sourire tandis qu'il s'exécutait.

— Aime-moi, exigeai-je en enfonçant les ongles dans ses hanches.

— Je t'aime, mon ange, murmura-t-il, accompagnant ses paroles d'un coup de reins. Je ne fais que ça.

Quand je me réveillai, il n'était plus là.

Je m'étirai dans un enchevêtrement de draps imprégnés de son odeur et aspirai à pleins poumons la brise marine qui entrait par les portes ouvertes de la terrasse.

M'attardant dans le lit, je me remémorai la nuit que nous venions de passer, et le jour d'avant. Les semaines précédentes, puis les quelques mois qui s'étaient écoulés depuis ma rencontre avec Gideon. Et je remontai plus loin encore dans mes souvenirs. Jusqu'à Brett et aux autres hommes que j'avais connus. Jusqu'à cette époque où j'étais persuadée de ne jamais trouver un homme qui m'aimerait telle que j'étais, avec mes cicatrices émotionnelles, mes fêlures et ma dépendance affective.

Que pouvais-je dire d'autre que oui, maintenant que, par quelque miracle impensable, je l'avais trouvé ?

Je descendis du lit et sentis mon ventre palpiter d'excitation à la pensée d'aller voir Gideon et d'accepter de l'épouser sans réserve. J'aimais l'idée de me marier secrètement avec lui, de prononcer notre serment dans l'intimité, sans témoins, sans personne qui nourrisse le moindre doute, la moindre haine, sans personne pour nous porter malheur. Après toutes les épreuves que nous avions traversées, n'était-il pas naturel de souhaiter que notre nouveau départ ne soit rempli que d'amour, d'espoir et de bonheur ?

J'aurais dû me douter qu'il planifierait tout à la perfection, depuis le mariage secret jusqu'au lieu isolé. Et que nous allions nous marier sur une plage. Les plages étaient liées pour nous à de précieux souvenirs...

Je souris en découvrant le plateau du petit déjeuner posé sur la table basse du coin salon de la chambre. Il était agrémenté d'une rose rouge dans un soliflore, et la serviette damassée était pliée avec art. Il y avait également un peignoir de soie blanc drapé sur le dossier du fauteuil.

Gideon pensait toujours à tout.

J'enfilai le peignoir et tendis la main vers la cafetière, estimant qu'il serait préférable de m'octroyer une dose de caféine avant de partir à sa recherche pour lui donner ma réponse. C'est alors que je vis le contrat de mariage glissé sous l'assiette recouverte d'une cloche.

Ma main s'immobilisa à mi-chemin de la verseuse.

Je ne sais pas pourquoi je fus si surprise et... froissée. Il était évident que Gideon organiserait tout dans les moindres détails – à commencer par le contrat de mariage. N'avait-il pas tenté d'entamer notre relation par un contrat ?

Le bonheur qui m'avait saisie au réveil se dissipa d'un coup. Accablée, je me détournai du plateau et fonçai dans la salle de bains. Je pris tout mon temps pour me laver. Je décidai que je préférais dire non plutôt que d'accepter de lire un document légal qui attribuerait un prix à mon amour. Un amour qui était précieux et inestimable à mes yeux.

Je craignais cependant qu'il ne soit trop tard, que le mal ne soit déjà fait. Savoir qu'il avait fait rédiger un contrat de mariage changeait tout alors même que je ne pouvais le lui reprocher. Après tout, n'était-il pas Gideon Cross, l'une des vingt-cinq plus grosses fortunes mondiales ? Il était *inconcevable* qu'il n'exige pas de contrat de mariage. Et je n'étais pas naïve. Je n'en étais pas à rêver au Prince Charmant.

Après avoir enfilé une robe bain de soleil et m'être attaché les cheveux, j'allai me servir une tasse de café. J'y ajoutai de la crème et une sucrette, puis m'emparai du contrat et gagnai la terrasse.

Sur la plage, les préparatifs en vue du mariage avaient commencé. Un arceau garni de fleurs avait été dressé près du rivage et des rubans blancs tressés disposés sur le sable pour délimiter une allée improvisée.

Je choisis de m'asseoir dos à la plage pour ne pas voir cela.

Je bus une gorgée de café, la savourai, en pris une autre. J'avais déjà avalé la moitié de ma tasse quand je trouvai enfin le courage de lire ce satané torchon légal. Les premières pages détaillaient les biens que nous possédions chacun de notre côté avant le mariage. La liste de ceux de Gideon était sidérante. Quand trouvait-il le temps de dormir ? m'interrogeai-je. Je crus que la somme portée à mon crédit était erronée, jusqu'à ce que je comprenne qu'il s'agissait du capital initial auquel avaient été ajoutés les bénéfices des investissements.

Stanton avait doublé mon capital, qui était de cinq millions de dollars au départ.

Je trouvai soudain stupide de m'asseoir sur cet argent alors que j'aurais pu l'utiliser pour aider des gens qui en avaient besoin. J'avais agi comme si l'argent que Nathan avait été condamné à me verser n'existait pas, alors que j'aurais dû l'employer utilement. Je pris mentalement note de mettre ce projet à exécution dès mon retour à New York.

Après cet inventaire, la lecture du contrat se révéla plus intéressante.

La première condition posée par Gideon était que j'adopte le nom de Cross. Je pouvais garder le nom de Tramell comme nom additionnel entre mon prénom et mon nom, mais sans trait d'union. *Eva Cross* – ce n'était pas négociable. Et c'était du Gideon tout craché. Mon amant dominateur ne cherchait pas d'excuses à son comportement d'homme des cavernes.

La deuxième condition était que j'accepte dix millions de dollars de sa part au moment du mariage, doublant ainsi ma fortune personnelle grâce à un simple *Oui*. Chaque année, il me verserait une somme d'argent. J'aurais droit à une prime pour chaque enfant que nous aurions ensemble et je serais payée pour suivre une thérapie de couple avec lui. Je devais accepter de rencontrer un conseiller conjugal et de chercher une médiation en cas de divorce. Je devais accepter de vivre sous le même toit que lui, de partir en vacances tous les deux mois, de l'accompagner à des soirées...

Plus j'avançais dans ma lecture, plus je comprenais. Ce contrat n'avait absolument pas pour but de protéger les biens de Gideon. Il se montrait au contraire d'une générosité inouïe, allant jusqu'à stipuler que la moitié de tout ce qu'il acquerrait à partir de notre mariage m'appartiendrait définitivement.

Ce contrat était destiné à protéger son cœur, à me lier à lui et à me soudoyer pour que je reste avec lui quoi qu'il advienne. Il me donnait tout ce qu'il avait.

Il me rejoignit sur la terrasse alors que je tournais la dernière page du contrat. Il portait un jean à demi boutonné et rien d'autre. Je savais que son arrivée à cet instant précis n'était pas une coïncidence. Dissimulé quelque part, il m'avait observée pour jauger ma réaction.

J'essuyai les larmes qui avaient roulé sur mes joues avec une nonchalance étudiée.

— Bonjour, champion.

— Bonjour, mon ange, répondit-il en déposant un baiser sur ma joue avant de s'asseoir au bout de la table à ma gauche.

Un employé de l'hôtel apporta le petit déjeuner, assura le service et disparut aussi rapidement qu'il était apparu.

Je regardai Gideon, la façon dont la brise tropicale jouait dans sa crinière sombre. Tranquillement assis, si viril et désinvolte, il ne ressemblait en rien à l'arrangement préformaté que je venais de lire.

— Rien de ce que contient ce document ne m'incitera à rester mariée avec toi, déclarai-je en posant la main sur le contrat que j'avais refermé.

— Dans ce cas, modifions-le. Stipule tes conditions.

— Je ne veux pas de ton argent. C'est ça que je veux, dis-je en braquant le doigt sur lui. Ça, surtout, ajoutai-je en me penchant pour plaquer la main sur son cœur. Il n'y a que toi qui puisses me retenir, Gideon.

— Je ne sais pas comment faire cela, Eva, dit-il en recouvrant ma main de la mienne pour la maintenir contre son torse. Je vais tout gâcher et tu voudras te sauver.

— Je ne me sauve plus, répliquai-je. Tu n'as pas remarqué ?

— J'ai remarqué que tu étais allée te jeter dans l'océan, hier soir, et que tu avais coulé comme une pierre ! répondit-il en soutenant mon regard. Ne t'oppose pas à ce contrat par principe, Eva. S'il ne comporte rien de rédhibitoire à tes yeux, accepte-le. Pour moi.

— On va avoir du pain sur la planche, toi et moi, dis-je doucement en me radossant à mon siège. Un document ne peut pas nous forcer à croire l'un en l'autre. C'est de confiance qu'il s'agit, Gideon.

— Oui, eh bien... je ne me fais pas confiance pour ne pas tout gâcher, et tu n'es pas certaine d'avoir en toi tout ce dont j'ai besoin. Autrement, côté confiance mutuelle, ça marche plutôt bien. C'est sur le reste qu'on va devoir travailler.

— D'accord.

Son regard s'éclaira et je sus que j'avais pris la bonne décision, même si je ne parvenais pas à me défaire de l'idée qu'il était trop tôt pour la prendre.

— Mais j'ai un rectificatif à faire, ajoutai-je.

— Je t'écoute.

— Mon nom.

— Non négociable, répliqua-t-il avec un geste de la main pour faire bonne mesure.

J'arquai un sourcil.

— Tu veux bien arrêter ton numéro d'homme des cavernes ? Je veux aussi porter le nom de mon père. Il voulait me le donner, mais ma mère n'a jamais voulu en entendre parler. C'est l'occasion ou jamais d'arranger ça.

— Eva Lauren Reyes Cross, alors ?

— Eva Lauren Tramell Reyes Cross.

— C'est un peu long, mais si ça peut te faire plaisir, mon ange. Je ne veux rien d'autre.

— Moi, c'est toi que je veux, dis-je en m'inclinant pour lui offrir mes lèvres.

Il les effleura des siennes.

— Officialisons cela.

Je me mariai avec Gideon Geoffrey Cross pieds nus sur une plage des Caraïbes. Claude, le gérant de l'hôtel, et Angus McLeod furent nos témoins. Je n'avais pas réalisé qu'Angus était du voyage, mais j'étais heureuse qu'il soit là.

La cérémonie fut rapide, simple et belle. À voir le sourire radieux qu'arboraient le révérend et Claude, ils étaient extrêmement flattés d'officier au mariage de Gideon.

Je portais pour la circonstance une robe ravissante que j'avais dénichée dans le dressing. Le corsage de forme bustier était orné de volants depuis la poitrine jusqu'aux hanches, et la jupe formait une corolle de pétales d'organdi qui descendait jusqu'aux chevilles – c'était une tenue à la fois pimpante, sexy et délicieusement romantique. Mes cheveux étaient relevés en un chignon élégamment déstructuré dans lequel était piquée une rose rouge. L'hôtel avait obligeamment fourni un bouquet de jasmins enrubanné de blanc.

Gideon portait un pantalon gris graphite et une chemise blanche, col ouvert. Il était pieds nus, lui aussi. Je versai une larme lorsqu'il prononça son serment d'une voix forte et assurée, son regard trahissant un désir ardent.

Il m'aimait tellement.

Toute la cérémonie se déroula sur un mode intime et profondément personnel. Ce fut parfait.

Ma mère, mon père et Cary me manquaient. De même qu'Ireland, Stanton et Clancy. Mais lorsque Gideon se pencha pour sceller notre union d'un baiser, il murmura :

— On recommencera. Autant de fois que tu voudras.

Je l'aimais tellement.

Angus s'approcha et m'embrassa sur les deux joues.

— Ça me fait plaisir de vous voir si heureux tous les deux.

— Merci, Angus. Vous avez bien pris soin de lui pendant si longtemps.

Il sourit, les yeux brillants tandis qu'il se tournait vers Gideon. Il lui dit quelques mots avec un accent écossais si prononcé que je ne fus pas tout à fait certaine qu'il se soit exprimé en anglais. Quoi qu'il ait dit, le regard de Gideon devint aussi étincelant que le sien. Jusqu'à quel point Angus avait-il joué le rôle de père de substitution pour Gideon ? Je l'ignorais. Mais je lui serais toujours profondément reconnaissante du soutien et de l'affection qu'il lui avait offerts à un moment de sa vie où il en avait désespérément besoin.

Nous découpâmes un petit gâteau et portâmes des toasts au champagne sur la terrasse de notre suite. Nous signâmes le registre que le révérend nous présenta et reçûmes un certificat de mariage que nous paraphâmes également. Une fois que ce fut fait, Gideon caressa le document du bout des doigts, avec respect.

— C'est cela qu'il te fallait ? le taquinai-je. Un bout de papier ?

— C'est toi qu'il me fallait, madame Cross, répondit-il en m'attirant contre lui.

Angus s'éclipsa, emportant avec lui le certificat et le contrat de mariage.

Gideon et moi achevâmes la soirée sous la tente, nus dans les bras l'un de l'autre, à siroter du champagne glacé, à nous caresser avec amour et avidité, à nous embrasser paresseusement jusqu'au coucher du soleil.

Une fin de journée tout aussi parfaite que la cérémonie.

— Bon, comment allons-nous nous y prendre à notre retour ? lui demandai-je alors que nous dînions en tête à tête dans notre suite. On annonce carrément qu'on s'est mariés pendant le week-end ?

Gideon haussa les épaules et lécha une coulée de beurre fondu sur son pouce.

— À toi de voir.

Tout en extirpant la chair d'une pince de crabe, je réfléchis à la question.

— J'ai l'intention de l'annoncer à Cary, aucun doute. Et je pense que ça ne posera pas de problème à mon père. Je le lui ai déjà suggéré à demi-mot quand je l'ai appelé ce matin et il m'a dit que tu lui avais demandé ma main, il ne sera donc pas vraiment surpris. En ce qui concerne mon beau-père, je pense que ça ne lui fera ni chaud ni froid. Sans vouloir t'offenser.

— Je ne le suis pas.

— Le plus problématique, c'est ma mère. On est toujours en froid. La nouvelle risque de lui faire un choc, mais je ne voudrais pas qu'elle pense que je l'ai tenue à l'écart parce que je lui en veux.

— Pourquoi ne pas lui dire – à elle comme à tous les autres – qu'on est fiancés ?

Je plongeai la chair de ma pince de crabe dans le beurre fondu en songeant que je m'habituerais facilement à dîner en compagnie de Gideon, torse nu, comblé et détendu.

— Elle va piquer une crise si on vit ensemble avant d'être mariés.

— Dans ce cas, elle sera obligée d'accélérer les préparatifs, répliqua-t-il avec flegme. Tu es ma femme, Eva. Peu importe que les autres le sachent ou non, *moi*, je le sais. Je veux te retrouver en rentrant du travail le soir, prendre le café avec toi et remonter la fermeture de tes robes le matin, pour mieux la descendre le soir venu.

— Tu comptes porter une alliance ? demandai-je en le regardant broyer une pince de crabe entre ses mains.

— J'ai hâte.

Cela me fit sourire. Il suspendit son geste et me dévisagea.

— Quoi ? demandai-je comme il demeurait silencieux. J'ai du beurre sur le menton ?

Il se laissa aller contre le dossier de sa chaise avec un profond soupir.

— Tu es belle. Je ne me lasse pas de te regarder.

Je me sentis rougir.

— Tu n'es pas mal non plus.

— Ça commence à se dissiper, murmura-t-il.

— Quoi donc ? demandai-je, perdue.

— L'anxiété. C'est... rassurant d'être marié, non ? fit-il avant de boire une gorgée de vin. De poser ses valises. C'est agréable. Ça me plaît. Beaucoup.

Je n'avais pas disposé d'autant de temps que lui pour me faire à l'idée d'être mariée, mais quand je pris la peine d'y réfléchir, je ne pus qu'être d'accord avec lui. Gideon m'appartenait. Plus personne ne pouvait en douter désormais.

— Ça me plaît aussi.

Il porta ma main à ses lèvres. À la lumière des chandelles, mon alliance étincela de mille feux. C'était un diamant princesse, de belle taille sans être ostentatoire, serti sur une monture ancienne. J'adorais d'autant plus sa sophistication intemporelle qu'il s'agissait de l'alliance que son père avait offerte à sa mère.

Même si les trahisons de ses parents l'avaient profondément meurtri, la famille qu'ils avaient formée tous les trois demeurait dans son souvenir comme le dernier vrai bonheur auquel il avait eu droit avant de me connaître.

De la part d'un homme qui prétendait ne pas avoir une once de romantisme en lui...

Il surprit le regard admiratif que je posais sur la bague.

— Elle te plaît ?

— Oui. Elle est unique en son genre. Et j'étais en train de me dire qu'on pourrait envisager de vivre dans un appartement tout aussi unique.

— Ah, oui ? fit-il.

Il me pressa la main et se remit à manger.

— Je comprends qu'on soit obligés de faire chambre à part, mais je n'aime pas l'idée de ces murs et de ces portes qui nous séparent.

— Je n'aime pas cela non plus, mais ta sécurité passe avant tout.

— Que dirais-tu d'une suite composée de deux chambres séparées par une salle de bains sans portes ? Juste des ouvertures ? Ainsi, techniquement, on serait dans le même espace.

Il réfléchit un instant à ma proposition, puis hocha la tête.

— Dessine des plans et on les transmettra à un architecte. Nous resterons dans nos deux appartements voisins de l'Upper West Side pendant les travaux. Il faudrait que Cary visite le deux pièces attenant, et s'il envisage des changements, on les réalisera dans la foulée.

Je frottai mon pied nu contre l'arrière de son mollet pour le remercier. La brise du soir porta jusqu'à nous une mélodie qui nous rappela que nous n'étions pas seuls sur cette île déserte.

Angus s'offrait-il un peu de bon temps, me demandai-je, ou montait-il la garde devant la porte de notre suite ?

— Où est Angus ? m'enquis-je.

— Dans le coin.

— Raúl est là aussi ?

— Non, il est à New York. Il essaie de comprendre comment le bracelet de Nathan s'est retrouvé là où la police l'a trouvé.

— Ah.

L'appétit soudain coupé, je m'essuyai les doigts sur ma serviette.

— Est-ce que je suis censée m'inquiéter ?

C'était une question purement rhétorique, vu que je n'avais jamais cessé de m'inquiéter. Le mystère de l'identité de la personne qui avait aiguillé la police dans une autre direction demeurait en permanence dans un recoin de mon esprit.

— Quelqu'un m'a remis une carte *Ne passez pas par la case prison*, déclara posément Gideon. Je m'attendais qu'on vienne me réclamer de l'argent, mais personne ne m'a encore contacté. Alors j'ai décidé de prendre le taureau par les cornes.

— Encore faudrait-il savoir de qui il s'agit.

— Oh, je le découvrirai ! assura-t-il.

Sous la table, j'enroulai les jambes autour des siennes.

Nous dansâmes sur la plage au clair de lune. L'air moite était particulièrement sensuel à la nuit tombée, et nous nous en délectâmes. Quand bien même il lui en coûtait de prendre un tel risque, Gideon dormit avec moi cette nuit-là. Je n'imaginais pas de passer ma nuit de noces toute seule et je lui avais fait valoir qu'entre ses médicaments et le manque de sommeil de la nuit précédente il ne pourrait que dormir profondément. Ce fut le cas.

Le lendemain matin, Gideon me demanda si je préférais aller voir une cascade fabuleuse, faire une promenade en mer sur le catamaran de l'hôtel ou un peu de rafting en rivière. Je souris, lui répondis que je serais ravie de faire tout cela une autre fois, mais que j'avais d'autres projets en tête.

Nous entrelardâmes mos cabrioles tropicales de siestes et de plongeons dans la piscine. Il était plus

de minuit quand nous quittâmes l'hôtel et je fus désolée de devoir partir. Ce week-end de rêve était passé
bien trop vite.

— Une vie remplie de week-ends nous attend,
murmura-t-il dans la limousine qui nous ramenait à
l'aéroport.

— Je suis égoïste. Je te veux pour moi toute seule.

Quand nous embarquâmes, les vêtements qui rem-
plissaient le dressing de l'hôtel embarquèrent avec
nous. Je ne pus m'empêcher de sourire en pensant au
peu de temps que nous avions passé habillés.

Je m'emparai du vanity-case qui se trouvait dans la
chambre pour me brosser les dents avant de dormir.
Ce fut là que je découvris la petite plaque de cuivre
gainée de cuir qui y était attachée. *Eva Cross*, pouvait-
on lire gravé dans le cuivre.

Gideon se faufila derrière moi dans le cabinet de toilette et déposa un baiser sur mon épaule.

— Il faut aller se coucher, mon ange. On travaille
demain.

— Tu étais à ce point sûr que je dirais oui ? demandai-
je en indiquant la plaque de cuivre.

— J'étais déterminé à te garder en otage jusqu'à ce
que tu acceptes.

Je n'en doutai pas un instant.

— Je suis flattée, répondis-je.

— Tu es mariée, dit-il en m'appliquant une petite
tape sur les fesses. Allez, au lit, madame Cross.

Je lui obéis et m'allongeai sur le flanc. Il s'étendit
derrière moi, m'attira contre lui et drapa le bras autour
de ma taille.

— Fais de beaux rêves, mon amour, murmurai-je.

Je le sentis sourire contre ma nuque.

— Mes rêves se réalisent toujours.

20

Ce fut assez étrange d'aller travailler le lundi matin sans que personne sache que ma vie avait profondément changé. Je n'aurais jamais imaginé que le fait de prononcer quelques mots et de glisser à son doigt un anneau de métal puisse changer à ce point la perception qu'une personne avait d'elle-même.

Je n'étais plus juste Eva, fraîchement débarquée à New York avec son meilleur ami pour tenter de faire carrière. J'étais l'épouse d'un milliardaire. J'avais tout un tas de responsabilités et d'espérances nouvelles et le simple fait d'y penser m'intimidait.

Megumi se leva après avoir actionné l'ouverture de la porte de l'agence. Plus sobre que d'ordinaire, elle portait une robe noire sans manches asymétrique et des escarpins fuchsia.

— Waouh ! s'exclama-t-elle. Tu as un super bronzage. Je suis jalouse.

— Merci ! Comment s'est passé ton week-end ?

— Comme d'habitude. Michael a arrêté de m'appeler, ajouta-t-elle en fronçant le nez. Le pire, c'est que ça me manque. Ça me donnait l'illusion d'être désirée.

— Tu es complètement zinzin, dis-je en secouant la tête.

— Je sais. Dis-moi où tu es allée. Tu étais avec la rock star ou avec Cross ?

— Mes lèvres sont scellées, répliquai-je.

Je lui aurais volontiers tout avoué, mais Cary n'était pas encore au courant et je voulais lui réserver la primeur.

— Quoi ? s'exclama-t-elle. Tu as vraiment l'intention de me faire des cachotteries ?

— Temporairement, précisai-je avec un clin d'œil.

— Je sais où tu travailles, lança-t-elle dans mon dos tandis que je gagnais mon bureau.

Une fois installée, je sortis mon portable pour envoyer un message à Cary et découvris qu'il m'en avait envoyé plusieurs pendant le week-end qui n'étaient arrivés que plus tard. J'étais certaine en tout cas qu'ils n'étaient pas là quand j'avais appelé mon père samedi.

On déjeune ensemble ? lui proposai-je.

N'obtenant pas de réponse immédiate, j'éteignis mon portable et le rangeai dans le tiroir de mon bureau.

— Où diable étais-tu ce week-end ? lança Mark en passant devant mon bureau. Tu as un bronzage de rêve !

— Merci. J'ai lézardé sur une plage des Caraïbes.

— Vraiment ? Figure-toi que je cherche justement un hôtel sympa aux Caraïbes pour notre lune de miel. Tu me recommanderais celui où tu étais ?

J'éclatai de rire et réalisai que je ne m'étais pas sentie aussi heureuse depuis une éternité. C'était peut-être même la première fois.

— Absolument.

— Tu me donneras les coordonnés que je l'ajoute à ma liste.

— C'est toi qui organises la lune de miel ?

Je me levai et nous nous dirigeâmes vers la salle de repos pour aller prendre un café.

— Oui, répondit-il avec un sourire en coin. Steven planche sur la cérémonie depuis tellement longtemps que je lui abandonne les préparatifs, mais la lune de miel, c'est pour moi !

Il semblait très heureux, lui aussi, et je savais exactement ce qu'il ressentait. Sa bonne humeur rendit ce début de journée encore plus agréable.

Le coup de téléphone de Cary, un peu après 10 heures, changea radicalement la donne.

— Bureau de Mark Garrity, répondis-je. Eva Tramell...

— ... mériterait que je lui botte les fesses, acheva-t-il à ma place. Je ne me souviens pas que tu m'aies jamais énervé à ce point.

Je fronçai les sourcils et mon estomac se noua.

— Cary, qu'est-ce qui t'arrive ?

— Contrairement à quelqu'un que je connais, j'évite d'aborder les sujets sérieux au téléphone. Je te verrai à l'heure du déjeuner. Pour ta gouverne, sache que j'ai refusé un casting cet après-midi afin d'avoir le temps de discuter avec toi. Ça se fait entre amis, ajouta-t-il d'un ton pincé. On aménage son emploi du temps pour aborder les sujets importants. On ne se contente pas de laisser des petits messages bidon en se disant que ça fera l'affaire.

Il raccrocha sans me laisser le temps de répondre, et j'en restai abasourdie, choquée et vaguement effrayée.

J'eus l'impression que toute ma vie venait de freiner brutalement. Cary était mon point d'ancrage. Quand les choses n'allaient pas entre nous, je m'éparpillais. Et je savais qu'il en allait de même pour lui. Lorsqu'on perdait le contact, il se mettait à déconner.

J'attrapai mon portable et le rappelai.

— Quoi ? aboya-t-il.

Je me dis que c'était quand même bon signe qu'il réponde.

— Si j'ai merdé, je suis désolée, m'empressai-je de déclarer. Et je ferai en sorte de me rattraper, d'accord ?

Il émit un grommellement.

— Tu m'énerves, Eva.

— Je sais, je fais cet effet-là à pas mal de gens, répondis-je, mais je déteste quand c'est à toi que je le fais. Je vais me rendre malade en attendant le déjeuner. Tu sais que j'ai besoin de savoir que je peux compter sur toi.

— Ce n'est pas l'impression que tu m'as donnée ces derniers temps, répondit-il d'un ton bourru. Tu ne penses pas à moi et tu me négliges. Ça fait mal, Eva.

— Je pense tout le temps à toi. Si je ne l'ai pas assez montré, je te prie de m'excuser.

Il ne répondit pas.

— Je t'aime, Cary. Même quand je fais tout de travers.

Il poussa un long soupir.

— Reprends le boulot et arrête de stresser, dit-il. On réglera ça pendant le déjeuner.

— Je suis désolée. Vraiment.

— Je passe te chercher à midi.

Je raccrochai et tâchai de me concentrer, mais ce ne fut pas facile. C'était une chose que de mettre Cary en colère, mais apprendre de sa bouche que je l'avais blessé en était une tout autre. J'étais l'une des rares personnes dans sa vie dont il pensait qu'elle ne le laisserait jamais tomber.

À 11 h 30, je reçus une petite pile de courrier interne et fus tout excitée de découvrir dans l'une d'elles un message de Gideon.

Je n'arrête pas de penser à toi,
ma superbe femme si sexy.
À toi,
X

Mes pieds exécutèrent une petite danse joyeuse sous le bureau. La journée s'arrangeait un peu.
Je lui répondis.

Je suis follement amoureuse de toi,
monsieur Noir Danger.
Ta chaîne et ton boulet,
Madame X

Je glissai le message dans une enveloppe et la déposai dans la boîte du courrier interne.
J'étais en train de rédiger un mail à l'intention de l'artiste qui travaillait sur une campagne de cartes de vœux quand mon téléphone sonna. Je débitai la formule habituelle et la voix qui me répondit avait un accent français que je reconnus aussitôt.
— Eva, c'est Jean-François Giroux.
— *Bonjour*, monsieur Giroux.
— À quel moment pourrait-on se voir, aujourd'hui ?
Que pouvait-il bien me vouloir ? Si je voulais le découvrir, je n'avais d'autre choix que de le rencontrer, supposai-je.
— 17 heures, cela vous va ? Il y a un bar à vins à deux pas du Crossfire.
— C'est parfait.
Je lui expliquai où se trouvait le bar et il raccrocha. Son appel expéditif me fit l'effet d'un coup de fouet. M'adossant à ma chaise, je songeai que Gideon et moi avions beau tenter d'aller de l'avant, des gens et des problèmes issus de nos passés respectifs s'évertuaient à nous ralentir. L'annonce de notre mariage, ou même

simplement de nos fiançailles, suffirait-elle à changer la donne ?

Je le souhaitais de tout cœur. Mais je doutais que ce soit aussi facile.

Je jetai un coup d'œil à la pendule et repris la rédaction de mon mail.

Il était midi passé de cinq minutes quand j'atteignis le hall, mais Cary n'était pas encore arrivé. Tandis que je l'attendais, ma nervosité s'accrut. Je n'avais cessé de repenser à notre brève conversation et je ne pouvais que lui donner raison. Je m'étais persuadée qu'il serait d'accord pour accepter Gideon dans notre colocation parce que cela m'arrangeait et parce que je redoutais le dilemme dans lequel me plongerait l'alternative : devoir choisir entre mon meilleur ami et l'homme de ma vie.

Et désormais, je n'avais plus le choix. J'étais mariée. Et follement heureuse de l'être.

Je n'étais cependant pas mécontente d'avoir glissé mon alliance dans la poche zippée de mon sac à main. Si Cary avait l'impression qu'un fossé était en train de se creuser entre nous, découvrir que je m'étais mariée pendant le week-end n'arrangerait certainement pas les choses.

Un nœud se forma dans mon estomac. Les secrets s'accumulaient entre nous et ça m'était insupportable.

— Eva.

La voix de mon meilleur ami me tira de mes pensées. Vêtu d'un bermuda et d'un T-shirt à col en V, il se dirigeait vers moi. Avec ses lunettes de soleil sur le nez et ses mains dans les poches, il apparaissait froid et distant. Les gens se retournaient sur son passage, mais il ne semblait pas le remarquer. Toute son attention était concentrée sur moi.

Je me mis en mouvement, courant sur les derniers mètres, et le percutai si violemment que ses poumons se vidèrent. Je l'étreignis, la joue plaquée contre son torse.

— Tu m'as manqué, soufflai-je, et j'étais sincère à un point qu'il ne pouvait imaginer.

Il marmonna dans sa barbe et me serra dans ses bras.

— Tu sais que tu es vraiment chiante, parfois, baby girl ?

— Pardon, dis-je en m'écartant de lui.

Il me prit par la main et m'entraîna vers la sortie. Nous nous rendîmes au restaurant où nous avions mangé ensemble la dernière fois, celui qui servait de délicieux tacos. Ils préparaient aussi d'exquises margaritas sans alcool, idéales par une chaude journée d'été.

Après avoir fait la queue une dizaine de minutes, je ne commandai que deux tacos car cela faisait une éternité que je n'avais pas mis les pieds au gymnase. Cary en commanda six, et nous nous faufilâmes jusqu'à une table qui venait de se libérer. J'avais à peine eu le temps de sortir ma paille de son emballage que Cary engloutissait un premier taco.

— Je suis désolée de t'avoir laissé ce message, attaquai-je.

— Tu ne comprends pas.

Il passa sa serviette en papier sur ses lèvres qui, s'il s'avisait de sourire, avaient le don de transformer des femmes sensées en gamines gloussantes et hystériques.

— Ce n'est pas seulement le message, c'est un ensemble, Eva. Tu me laisses un message pour me dire que tu penses partager un appart avec Cross *après* avoir annoncé à ta mère que c'était déjà convenu et *avant* de disparaître de la surface de la Terre pendant tout le week-end. J'en déduis que tu te contrefiches de ce que j'ai pu ressentir.

— Ce n'est pas vrai !

— Pourquoi voudrais-tu t'encombrer d'un colocataire si tu comptes emménager avec ton mec, de toute façon ? lâcha-t-il, s'échauffant visiblement. Et qu'est-ce qui te fait croire que ça me plairait de tenir la chandelle ?

— Cary...

— Je n'ai pas besoin que tu me fasses la charité, Eva, ajouta-t-il, ses beaux yeux verts se plissant de colère. J'ai un tas de points de chute et des tas de gens avec qui je pourrais partager un appart. Tu ne me dois rien.

Ma poitrine se comprima. Je n'étais pas encore prête à me passer de Cary. Je savais qu'un jour nos routes se sépareraient et que, peut-être, nous ne nous verrions plus que de temps à autre. Mais le moment n'était pas encore venu. Ce n'était pas possible. Le simple fait d'y penser me terrifiait.

— Qui te dit que j'ai l'impression de te devoir quelque chose ? répliquai-je. Peut-être que je ne supporte pas l'idée d'être loin de toi.

Il ricana, mordit dans son taco, mâcha rageusement et aspira à la paille une longue gorgée de son verre pour avaler plus vite.

— Qu'est-ce que je représente pour toi, Eva ? Le jeton qui garantit que ça fait trois ans que tu vas mieux grâce à la thérapie ? Le parrain que tu appelles quand tu sens que tu risques de replonger ?

— Pardon, dis-je en me penchant vers lui. Je comprends que tu sois en colère. Je t'ai dit que j'étais désolée. Je t'aime et j'aime t'avoir dans ma vie, mais je n'ai pas l'intention de te laisser te passer les nerfs sur moi sous prétexte que j'ai merdé.

Je reculai ma chaise et me levai.

377

— On discutera une autre fois.

— Vous avez l'intention de vous marier, Cross et toi ?

Je m'immobilisai et baissai les yeux vers lui.

— Il me l'a proposé. J'ai accepté.

Cary hocha la tête comme s'il n'était absolument pas surpris et prit une autre bouchée. J'attrapai mon sac, qui pendait au dossier de la chaise.

— Tu as peur de vivre seule avec lui ? demanda-t-il la bouche pleine.

Il avait de bonnes raisons de le penser.

— Non. Il dormira dans sa chambre.

— Vous avez fait chambre à part ces derniers temps ?

Je le dévisageai, tâchant de déterminer s'il savait avec certitude que Gideon était le « mystérieux amant » chez qui j'étais censée avoir dormi lorsque j'étais absente ou bien s'il bluffait. Je décidai que ça n'avait aucune importance. J'étais fatiguée de lui mentir.

— La plupart du temps, oui.

— Ah ! Enfin une once de vérité, déclara-t-il en reposant son taco. Je commençais à penser que tu avais oublié que ça existait.

— Lâche-moi, Cary.

Un grand sourire aux lèvres, il désigna la chaise que je venais de quitter.

— Repose tes fesses, baby girl. On n'a pas fini de discuter, toi et moi.

— Arrête de me parler sur ce ton, tu veux ?

— T'entendre me débiter des mensonges depuis des semaines m'a mis les nerfs à vif. Assieds-toi.

Je m'assis et le fusillai du regard.

— Voilà. Tu es content ?

— Mange. J'ai des trucs à te dire.

Je poussai un soupir contrarié, raccrochai mon sac au dossier de la chaise et le fixai en haussant exagérément les sourcils.

— Si tu t'es imaginé qu'arrêter de faire la fête et travailler régulièrement avait bousillé mon radar à pipeau, tu t'es fourré le doigt dans l'œil. J'ai tout de suite su que tu avais renoué avec Cross.

Je lui décochai un regard sceptique et mordis dans mon taco.

— Eva, soupira-t-il, s'il existait à New York un autre homme capable de te pilonner toute la nuit comme le fait Cross, tu ne crois pas que je l'aurais déniché depuis le temps ?

Je faillis m'étrangler.

— Personne n'est assez verni pour tomber deux fois de suite sur un spécimen comme ça, poursuivit-il, ironique. Pas même toi, baby girl. Si Cross t'avait vraiment plaquée, tu te serais tapé une longue traversée du désert ou deux ou trois *très* mauvais coups avant de tomber sur un mec convenable.

Je lui lançai l'emballage de ma paille à la figure et il l'esquiva en riant.

— Tu avais peur que je te juge si tu te remettais avec lui alors qu'il t'avait trompée ? demanda-t-il après avoir repris son sérieux.

— C'est plus compliqué que ça, Cary. Les choses étaient... très embrouillées. Disons qu'il y avait beaucoup de pression. Il y en a toujours, d'ailleurs, avec cette journaliste qui le harcèle...

— Qui le *harcèle* ? répéta-t-il.

— Carrément. Le truc, c'est que je ne voulais pas...

T'exposer. Te mettre en danger. Que la police t'accuse de complicité.

— ... je ne pouvais pas faire autrement que de laisser passer l'orage, achevai-je lamentablement.

Il réfléchit, puis hocha la tête.

— Et maintenant, tu vas te marier avec lui.

— Oui, dis-je en avalant une gorgée de margarita dans l'espoir de desserrer le nœud logé dans ma gorge. Mais tu es le seul à le savoir en dehors de nous deux.

— Tu acceptes enfin de partager un secret avec moi, commenta-t-il avant de pincer les lèvres. Et tu veux toujours que je vive avec vous, ajouta-t-il.

Je me penchai vers lui, la main tendue.

— Je sais que tu pourrais faire autrement, aller vivre ailleurs. Mais je préférerais que tu ne le fasses pas. Je ne me sens pas prête à vivre sans toi, mariée ou pas.

Il me serra la main à la broyer.

— Eva...

— Attends, m'empressai-je de l'interrompre.

Il était soudain beaucoup trop sérieux et je ne voulais pas qu'il me coupe la parole avant que j'aie eu le temps de tout lui dire.

— Gideon est propriétaire du deux pièces qui se trouve juste à côté de son penthouse de la Cinquième Avenue et il ne s'en sert pas.

— Un deux pièces. Sur la Cinquième Avenue.

— Oui. Ce serait génial, non ? Un appartement pour toi tout seul, avec entrée indépendante et vue sur Central Park. *Et* toujours près de moi. On restera encore un moment dans l'Upper East Side pendant les travaux d'aménagement du Penthouse, débitai-je dans l'espoir de le faire réagir. Et Gideon dit que si tu souhaites apporter des changements dans ton appartement, ils pourront être réalisés en même temps.

— Mon appartement, répéta Cary en me dévisageant, ce qui ne fit qu'accroître ma nervosité.

— Il ne s'agit pas de te faire la charité, lui assurai-je. Je me suis dit que j'aimerais faire quelque chose d'utile avec l'argent que j'ai à la banque. Créer une fondation ou le consacrer à des œuvres caritatives qui nous tiennent à cœur. J'aurai besoin de ton aide. Et je te paierai, bien sûr. Pas seulement une aide pratique, mais ton image. J'aimerais faire de toi le principal porte-parole de la fondation.

La pression de la main de Cary faiblit.

Je m'en alarmai et resserrai la mienne.

— Cary ?

Ses épaules se voûtèrent.

— Tatiana est enceinte.

— Quoi ?

Je me sentis blêmir. Le petit restaurant avait beau être bondé et bruyant, j'avais entendu les trois mots que Cary venait de lâcher aussi distinctement que s'il les avait criés.

— Tu plaisantes ?

— J'aimerais bien, dit-il en me lâchant la main pour écarter une mèche qui lui retombait devant les yeux. Ce n'est pas que je ne veuille pas d'enfants. Ça, c'est le côté sympa. Mais bon... ce n'est pas le moment. Et pas avec elle.

— Mais... comment a-t-elle pu tomber enceinte ?

Cary, qui menait un style de vie à très haut risque, avait le sens des responsabilités et se protégeait religieusement – si j'ose dire.

— Eh bien, j'ai dû la pénétrer, aller et venir en elle et...

— Tais-toi, le coupai-je. Tu es un garçon *prudent*, Cary.

— Il faut croire que la vieille chaussette n'est pas un moyen de contraception infaillible, dit-il d'un ton las. Et Tatiana ne prend pas la pilule parce qu'elle dit que ça la fait grossir.

— Mon Dieu, soufflai-je, sentant des larmes me picoter les yeux. Tu es sûr qu'il est de toi ?

— Non, ricana-t-il, mais ça ne signifie pas pour autant qu'il ne l'est pas. Elle a six semaines de retard, ce qui rend la chose parfaitement plausible.

— Elle a l'intention de le garder ? ne pus-je m'empêcher de demander.

— Je ne sais pas. Elle réfléchit.

— Cary...

Je fus incapable de retenir la larme qui roula sur ma joue. Mon cœur saignait pour lui.

— Qu'est-ce que tu vas faire ?

— Que veux-tu que je fasse ? répondit-il en s'adossant à sa chaise. La décision lui appartient.

Cette impuissance devait le tuer. Sa propre mère était tombée enceinte accidentellement. Après sa naissance, elle avait utilisé l'avortement comme moyen de contraception et je savais que ça le hantait. Il me l'avait confié un jour.

— Si elle décide de le garder, j'imagine que tu demanderas un test de paternité ?

Il avait les yeux rouges et rétorqua :

— Nom de Dieu, Eva, je ne me suis pas encore projeté si loin dans l'avenir ! Qu'est-ce que je suis censé dire à Trey ? Les choses commencent tout juste à s'arranger entre nous, je ne peux pas lui balancer un truc pareil à la figure. Il va me larguer, à tous les coups.

Je pris une profonde inspiration et me redressai. Je ne pouvais pas laisser Cary et Trey se séparer. Maintenant que tout allait bien entre Gideon et moi, il était temps d'arranger les choses dans certains des domaines de ma vie que j'avais négligés.

— On réglera ça un pas après l'autre, Cary, assurai-je. On trouvera toujours des solutions. On s'en sortira, promis.

— J'ai besoin de toi, souffla-t-il.

— Moi aussi, j'ai besoin de toi. On va se serrer les coudes, dis-je en m'efforçant de sourire. Je ne vais plus nulle part et toi non plus – sauf à San Diego le week-end prochain, me hâtai-je d'ajouter, me souvenant qu'il fallait que j'en parle à Gideon.

— Dieu merci, soupira Cary. Je donnerais cher pour discuter avec le Dr Travis.

— Je comprends.

Je n'aurais moi-même pas été fâchée d'avoir un tête-à-tête avec lui.

Que dirait-il quand il découvrirait à quel point nous nous étions écartés des rails depuis notre arrivée à New York ? Nous avions évoqué des tas de rêves complètement fous la dernière fois que nous l'avions vu. Cary voulait être la star d'une pub du Super Bowl et je voulais être celle qui concevrait ladite campagne de pub. À présent, il se retrouvait confronté à la possibilité d'être père et je venais d'épouser l'homme le plus compliqué que j'aie jamais connu.

— Le Dr Travis va flipper, marmonna Cary comme s'il lisait dans mes pensées.

Bizarrement, cette idée nous plongea dans un fou rire inextinguible.

De retour au bureau, je découvris une nouvelle pile d'enveloppes de courrier interne. Je les passai en revue jusqu'à ce que je tombe sur celle que j'espérais trouver.

> *Madame X, je pourrais utiliser cette chaîne*
> *de plus d'une façon.*
> *Toutes te plairaient énormément.*
> *À toi,*
> *X*

Certains des nuages sombres qui s'étaient amoncelés au-dessus de ma tête depuis le déjeuner se dissipèrent.

Après la bouleversante révélation de Cary, mon rendez-vous avec Giroux m'apparaissait comme un pique-nique.

Il était déjà là quand j'entrai dans le bar à vins. Avec son pantalon kaki impeccable et sa chemise blanche immaculée, manches retroussées et col ouvert, il ne manquait pas d'allure. Mais quoique sa tenue soit décontractée, il ne paraissait pas détendu pour autant. Il était visiblement crispé, vibrant de tension, rongé de l'intérieur.

— Eva, me salua-t-il avant de m'embrasser de nouveau sur les deux joues, ce qui eut le don de me hérisser cette fois encore.

— Dois-je comprendre que vous me trouvez un peu moins blonde que la dernière fois ?

— Voilà une remarque que je n'ai pas volée, reconnut-il en me gratifiant d'un sourire qui n'atteignit pas ses yeux.

Je m'assis à sa table, qui se trouvait près de la fenêtre, et on nous servit presque aussitôt.

L'établissement ne datait pas d'hier. À en juger par le plafond recouvert de carreaux en étain, le parquet usé et le comptoir de bois sculpté, l'endroit avait dû être un pub à un moment donné. On l'avait modernisé avec des accessoires chromés ainsi qu'un casier à bouteilles qui évoquait une sculpture abstraite.

Giroux m'étudia ouvertement tandis que le serveur remplissait nos verres. J'ignorais ce qu'il espérait trouver, mais il était évident qu'il cherchait quelque chose.

Alors que je buvais une gorgée d'un délicieux syrah, Giroux s'adossa à sa chaise et fit tournoyer le vin dans son verre.

— Vous avez rencontré ma femme.

— Oui. Elle est très belle.

— Elle l'est, en effet, dit-il en baissant les yeux sur le contenu de son verre. Que pensez-vous d'autre à son sujet ?

— Quelle importance ?

Il releva les yeux sur moi.

— La considérez-vous comme une rivale ? Une menace ?

— Ni l'un ni l'autre.

Je pris une autre gorgée et vis un SUV Bentley noir se garer le long du trottoir, juste devant le bar. Angus était au volant et ne paraissait pas se soucier du panneau d'interdiction de stationner qui se trouvait devant lui.

— Vous avez à ce point confiance en Cross ?

— Oui, répondis-je en reportant le regard sur Giroux. Ce qui ne signifie pas que je ne vous serais pas infiniment reconnaissante si vous retourniez en France en emportant votre femme dans vos bagages.

Sa bouche s'incurva sur un demi-sourire désabusé.

— Vous êtes amoureuse de Cross, n'est-ce pas ?

— Oui.

— Pourquoi ?

Sa question me fit sourire.

— Si vous croyez pouvoir comprendre ce que Corinne lui trouve à travers ce que *je* lui trouve, vous faites fausse route. Notre relation n'a rien à voir avec celles que nous pouvons avoir avec d'autres personnes.

— Je l'ai remarqué, dit Giroux avant de goûter à son vin, qu'il savoura avant de l'avaler. De son côté, en tout cas.

— Pardonnez-moi, mais je ne comprends pas ce que nous faisons ici. Qu'attendez-vous de moi ?

— Vous êtes toujours aussi directe ?

— Oui. J'aime que les choses soient claires.

— Bien. Dans ce cas, je serai aussi direct que vous, dit-il en soulevant ma main gauche. Votre bronzage révèle la présence récente d'une bague à votre doigt. D'après sa taille, je pencherais pour une bague de fiançailles. Je me trompe ?

Je baissai les yeux sur ma main et constatai qu'il avait raison. Mon annulaire présentait une surface carrée légèrement plus claire que le reste de ma peau. Contrairement à ma mère, qui avait la peau très pâle, je ressemblais à mon père et bronzais très facilement.

— Vous êtes très observateur, mais j'apprécierais que vous gardiez vos hypothèses pour vous.

Il sourit, et pour la première fois, son sourire n'eut rien de forcé.

— Je vais peut-être récupérer ma femme, finalement.

— Je pense que ce n'est pas impossible, si vous essayez, déclarai-je en me levant. Vous savez ce qu'elle m'a dit un jour ? Que vous étiez indifférent. Au lieu d'attendre qu'elle revienne, vous feriez mieux d'aller la chercher. Je pense que c'est ce qu'elle veut.

Il s'était levé en même temps que moi.

— Elle a couru après Cross. Je ne crois pas qu'une femme qui court après un homme trouve attirant un homme qui lui court après.

— Je n'en suis pas aussi sûre, dis-je en prenant un billet de vingt de mon sac pour le poser sur la table malgré son froncement de sourcils. Elle a dit oui quand vous l'avez demandée en mariage, n'est-ce pas ? Quoi que vous ayez fait pour la séduire, refaites-le. Au revoir, Jean-François.

Il ouvrit la bouche pour me répondre, mais j'avais déjà atteint la porte.

Quand je sortis du bar, Angus attendait près de la Bentley.

— Souhaitez-vous rentrer à la maison, madame Cross ? me demanda-t-il une fois que j'eus pris place sur la banquette.

L'entendre m'appeler ainsi me fit sourire. Et ce détail, combiné à la conversation que je venais d'avoir avec Giroux, me donna une idée.

— J'aimerais m'arrêter quelque part avant, si cela ne vous ennuie pas.

— Pas le moins du monde.

Je lui donnai mes instructions et me laissai aller contre la banquette en me réjouissant d'avance.

Il était 18 h 30 quand j'en eus terminé, mais quand je demandai à Angus où se trouvait Gideon, il m'apprit qu'il était toujours à son bureau.

— Vous voulez bien m'y emmener ?

— Bien sûr.

Retourner au Crossfire après ma journée de travail me fit un drôle d'effet. Des gens circulaient encore dans le hall, mais l'ambiance n'était plus la même que pendant la journée. Arrivée au dernier étage, je trouvai les portes vitrées grandes ouvertes, le personnel d'entretien déjà occupé à vider les corbeilles à papier, à nettoyer les vitres et à passer l'aspirateur.

Je gagnai directement le bureau de Gideon, et le découvris à travers la paroi vitrée qui le séparait du reste du monde, debout, les mains calées sur les hanches, son oreillette vissée à l'oreille. Il affichait une expression concentrée et ses lèvres remuaient très vite.

En face de lui, le mur était couvert d'écrans plats diffusant des informations du monde entier. Sur sa gauche, un bar derrière lequel des carafes en cristal taillé s'alignaient sur une étagère de verre éclairée, seule touche de couleur dans cet univers noir, blanc et gris. Il y avait trois coins salon distincts pour les réunions informelles, et le grand bureau noir de Gideon, véritable joyau de la technologie moderne, tenait lieu de poste de commande.

Dans cet écrin de coûteux gadgets, mon mari me parut plus comestible que jamais. La coupe irréprochable de son pantalon et de son gilet – il avait ôté sa veste – mettait en valeur la perfection de son corps, et le voir aux manettes de l'empire qu'il avait bâti me fit battre le cœur. La ville, qui se déployait derrière l'une des deux baies vitrées courant du sol au plafond, formait un arrière-plan impressionnant qui correspondait à la personnalité de Gideon.

Il maîtrisait tout ce que son regard embrassait et cela se voyait.

Plongeant la main dans la pochette zippée de mon sac, je sortis les alliances qui s'y trouvaient et passai la mienne. Je m'approchai ensuite de la double porte vitrée.

Il tourna la tête dans ma direction et son regard se fit ardent dès qu'il se posa sur moi. Il pressa un bouton sur son bureau et la porte s'ouvrit automatiquement. Un instant plus tard, la paroi vitrée s'opacifiait afin que personne ne puisse nous voir de l'extérieur du bureau.

— Je suis d'accord, dit-il à son interlocuteur comme j'entrais. Bouclez-moi ça et transmettez-moi votre rapport.

Sans me quitter des yeux, il se débarrassa de son oreillette et la laissa tomber sur son bureau.

— Tu es une surprise bienvenue, mon ange. Raconte-moi comment s'est passée ton entrevue avec Giroux.

— Comment l'as-tu su ?

Il se contenta de me regarder d'un air qui signifiait *Tu tiens vraiment à le savoir ?*

— Tu en as encore pour longtemps ? demandai-je.

— J'ai une téléconférence avec le Japon qui commence dans une demi-heure et après, fini. On ira dîner quelque part.

— Je préférerais qu'on achète des plats à emporter et qu'on dîne avec Cary. Il va être papa.

Gideon haussa les sourcils.

— Tu peux répéter ?

— Ce n'est pas encore sûr, mais ça risque de l'être, soupirai-je. Cette perspective le perturbe et je veux qu'il sente que je le soutiens.

— Apparemment, ça te perturbe aussi, commenta-t-il.

Il contourna son bureau, les bras ouverts.

— Viens là que je te serre contre moi.

Je lâchai mon sac, me débarrassai de mes chaussures et m'élançai vers lui. Ses bras se refermèrent sur moi et il pressa les lèvres contre mon front.

— On trouvera une solution, murmura-t-il. Ne t'inquiète pas.

— Je t'aime, Gideon.

Il me serra plus étroitement contre lui. Je renversai la tête en arrière et contemplai son beau visage. Ses yeux semblaient encore plus bleus que d'ordinaire, avec son teint plus hâlé.

— J'ai quelque chose pour toi, soufflai-je.

— Ah, bon ?

Je m'écartai, lui attrapai la main gauche et lui glissai au doigt l'alliance que je venais de lui acheter. Je dus légèrement forcer pour lui faire franchir la dernière jointure. Gideon était demeuré parfaitement immobile, et lorsque je le relâchai pour lui permettre de contempler sa bague, il laissa sa main là où elle était quand je la tenais, comme s'il s'était pétrifié sur place.

Inclinant la tête de côté, j'admirai l'alliance. Je trouvais qu'elle lui allait à la perfection. Comme il ne disait toujours rien, je relevai les yeux et découvris qu'il regardait sa main comme s'il ne l'avait encore jamais vue.

Mon cœur se serra.

— Elle ne te plaît pas.

Les narines frémissantes, il prit une longue inspiration et tourna la main. L'envers de la bague était identique. Le motif que j'avais choisi faisait le tour de l'anneau.

L'alliance de platine ressemblait beaucoup à la bague qu'il portait à la main droite. Elle était ornée des mêmes motifs biseautés très masculins, mais les rubis qui l'ornaient la distinguaient complètement de l'autre anneau. Sa peau bronzée mettait en valeur leur teinte rouge sang, discret signe de ma possession.

— C'est trop, déclarai-je posément.

— C'est toujours trop, dit-il d'une voix rauque.

Et soudain ses mains m'enveloppèrent la tête, sa bouche s'empara voracement de la mienne.

Je voulus lui agripper les poignets, mais il fut plus rapide que moi, me saisit par la taille et me porta jusqu'au canapé où il m'avait allongée pour la première fois, il y avait des semaines de cela.

— Tu n'as pas le temps, murmurai-je, affolée.

Il me fit asseoir, les fesses au bord du canapé.

— Ça ne prendra pas longtemps.

Il ne plaisantait pas. Il souleva ma jupe, fit glisser ma culotte le long de mes jambes, les écarta largement et baissa la tête.

Là, dans ce bureau où je venais tout juste d'admirer la puissance et l'autorité qui émanaient de lui, Gideon Cross s'agenouilla entre mes cuisses pour m'aimer de sa bouche impitoyablement experte. Sa langue lapa mon clitoris jusqu'à ce que je me torde de désir, mais ce fut de le voir ainsi, en chemise et gilet, dans son bureau, s'appliquant avec ferveur à me satisfaire, qui me fit atteindre l'orgasme en criant son nom.

Un frisson me secoua quand il enfouit la langue en moi, ma chair sensible palpitant à chaque délicieuse intrusion. Lorsqu'il ouvrit sa braguette pour libérer son érection, j'avais tellement besoin de l'avoir en moi que mon corps se cambra vers lui en une prière aussi silencieuse qu'impudique.

Empoignant son sexe, Gideon caressa ma fente de son gland velouté que l'essence de mon plaisir rendit aussitôt luisant. Le fait que nous soyons tous deux presque entièrement vêtus rendait la situation prodigieusement excitante.

— Je te veux soumise, dit-il d'une voix rauque. Retourne-toi et écarte bien les jambes, que je puisse te prendre bien à fond.

Le simple fait d'imaginer la scène me tira un gémissement et je m'empressai de lui obéir. Consciente de sa stature, je gagnai le côté du canapé, me penchai sur l'accoudoir et soulevai ma jupe pour dégager mes fesses.

Il n'hésita pas une seconde. D'une puissante poussée des hanches, il me pénétra, m'écartela.

— *Eva*.

Mes doigts s'enfoncèrent dans les coussins du canapé. Son sexe long, dur me comblait complètement, et mon ventre plaqué contre l'accoudoir intensifiait la sensation.

Incliné au-dessus de moi, il m'enlaça et planta les dents dans mon cou. Ce symbole de possession primitif fit se contracter mes muscles intimes.

Gideon gronda et fit courir ses lèvres sur mon cou, sa barbe naissante m'irritant la peau.

— C'est tellement bon d'être en toi. J'adore te baiser, Eva.

— Gideon.

— Donne-moi tes mains.

Ne sachant trop ce qu'il avait en tête, je ramenai lentement les bras le long de mon corps. Il m'encercla les poignets et plaça mes mains au creux de mes reins.

Puis il se mit à me besogner, à me pilonner sans pitié. Il me tirait en arrière par les bras au rythme de son va-et-vient, me précipitant à toute allure vers un nouvel orgasme. Chaque coup de reins lui arrachait un grognement auquel mon cri venait faire écho.

Sa course à l'orgasme était aussi excitante que le contrôle total qu'il exerçait sur mon corps. Je ne pouvais que subir, accepter son désir, le satisfaire à mon tour. La friction de son sexe en moi me rendait folle de désir.

J'aurais aimé voir son regard devenir flou et son beau visage se crisper à l'instant où le plaisir le submergeait. J'adorais l'idée d'avoir sur lui un effet aussi dévastateur, qu'il éprouve un tel plaisir à se servir de mon corps, que le sexe avec moi vienne à bout de toutes ses défenses.

Un frémissement le traversa et il laissa échapper un juron. Son sexe s'allongea et enfla tandis que ses testicules se contractaient.

— Eva... Mon Dieu, Eva, je t'aime.

Il me lâcha les poignets pour glisser la main entre mes cuisses et caresser mon clitoris gonflé. Je jouis alors qu'il continuait de se mouvoir en moi, et me contractai spasmodiquement autour de son sexe tandis qu'il se soulageait en moi, les lèvres contre ma joue, son souffle chaud et moite me caressant la peau.

Nous étions aussi essoufflés l'un que l'autre quand l'orgasme reflua.

— Je crois que l'alliance te plaît, finalement, risquai-je, hors d'haleine.

Son rire de gorge m'emplit de joie.

Cinq minutes plus tard, je gisais sur le canapé, comblée et incapable de bouger. Assis à son bureau, l'allure impeccable, Gideon irradiait cette vitalité du mâle qui vient de tirer son coup.

Sa téléconférence se déroula sans accroc. Gideon s'exprimait principalement en anglais, mais prenait la peine de commencer et de terminer par des formules de politesse en japonais. Son regard passait sur moi de temps à autre, et l'ombre d'un sourire teinté de triomphe lui retroussait le coin des lèvres.

La quantité d'endorphines post-orgasmiques qui flottait dans mon organisme était telle que j'avais l'impression d'être ivre, il avait donc des raisons d'afficher cet orgueil si typiquement masculin, supposai-je.

Une fois son appel terminé, Gideon se leva et se débarrassa à nouveau de sa veste. La lueur dans son regard était plus que facile à interpréter.

Hausser les sourcils me demanda un effort prodigieux.

— On ne rentre pas ? m'étonnai-je.

— Si, mais pas tout de suite.

— Tu devrais peut-être arrêter de prendre tes vitamines, champion.

Il sourit tout en déboutonnant son gilet.

— J'ai passé trop de temps à fantasmer sur toutes les façons dont je te prendrais sur ce canapé. Et on est loin d'en avoir concrétisé la moitié.

Je m'étirai, délibérément provocante.

— On a encore le droit de faire des trucs comme ça quand on est mariés ?

L'étincelle dans ses yeux fut on ne peut plus éloquente.

Et quand nous quittâmes le Crossfire, aux alentours de 21 heures, Gideon avait apporté à ma question une réponse définitive.

21

Gideon et moi étions en train de manger une pizza, assis par terre en jogging dans mon salon, quand Cary rentra aux alentours de 22 heures en compagnie de Tatiana. Tout en tendant la main pour que Gideon me passe le sachet de parmesan, je murmurai :

— La mère du bébé.

— Elle sent les ennuis à plein nez. Le pauvre.

Ce fut exactement la pensée qui me traversa l'esprit quand, à peine entrée dans la pièce, elle fronça grossièrement le nez à la vue de notre pizza. Puis elle aperçut Gideon et afficha aussitôt un sourire aguicheur.

J'inspirai à fond et décidai de ne pas relever.

— Salut, Cary, lança Gideon avant de passer le bras autour de mes épaules et d'enfouir le nez au creux de mon cou.

— Salut, fit Cary. Qu'est-ce que vous regardez ?

— *End of Watch*, répondis-je. C'est vraiment excellent. Vous voulez vous joindre à nous ?

— Pourquoi pas ? répondit Cary en attrapant la main de Tatiana pour l'entraîner dans son sillage.

Celle-ci ne prit même pas la peine de dissimuler sa désapprobation. Ils s'assirent sur le canapé et se lovèrent l'un contre l'autre, adoptant spontanément une position qui leur était visiblement familière. Gideon poussa le carton de pizza vers eux.

— Servez-vous si vous avez faim.

Cary se pencha pour en prendre une part et Tatiana se plaignit qu'il l'avait bousculée. Sa mauvaise grâce et sa mauvaise humeur m'agacèrent. Si elle devait avoir un bébé avec Cary, elle ferait forcément partie de ma vie, et je détestais l'idée que cette relation soit bancale.

Finalement, Tatiana prétendit que les séquences du film tournées caméra à l'épaule lui donnaient la nausée si bien qu'ils nous abandonnèrent pour aller dans la chambre de Cary. Un peu plus tard, je crus l'entendre rire, et j'en déduisis que le principal problème de cette fille, c'était qu'elle voulait Cary pour elle toute seule. Je connaissais bien ce sentiment d'insécurité pour en être victime moi-même.

— Détends-toi, murmura Gideon en m'attirant contre lui. Les choses se mettront en place petit à petit. Laisse faire le temps.

J'attrapai sa main gauche qui pendait au-dessus de mon épaule et jouai avec son alliance.

Il m'embrassa sur la tempe et nous finîmes de regarder notre film tranquillement.

Gideon dormit dans l'appartement voisin, mais il me rejoignit de bonne heure pour m'aider à remonter la fermeture de ma robe et me préparer du café. Je venais de fixer des perles à mes oreilles et m'engageais dans le couloir quand Tatiana apparut, venant de la cuisine, une bouteille d'eau dans chaque main.

Nue comme un ver.

La colère me saisit, mais je réussis à me maîtriser.

Son état n'était pas encore visible, mais le simple fait de la savoir enceinte m'interdit de hausser le ton.

— Excuse-moi, mais tu dois avoir une tenue décente quand tu circules dans mon appartement.

— Cet appartement n'est pas qu'à toi, répliqua-t-elle.

Projetant sa somptueuse crinière blonde derrière son épaule d'une torsion du cou, elle continua d'avancer. Je tendis le bras en travers du couloir pour lui bloquer le passage.

— Tu n'as pas intérêt à jouer à ce petit jeu-là avec moi, Tatiana.

— Sinon quoi ?

— Sinon tu es sûre de perdre.

Elle me fixa du regard pendant une longue minute.

— Il me soutiendrait.

— Si les choses en arrivaient là, il t'en voudrait et tu perdrais quand même. Penses-y, ajoutai-je en laissant retomber le bras.

J'entendis la porte de Cary s'ouvrir derrière moi.

— Qu'est-ce que tu fous, Tatiana ?

Je tournai la tête. Il se tenait sur le seuil de sa chambre, en caleçon.

— Elle veut te donner une bonne raison de lui acheter une nouvelle robe, Cary, répondis-je.

Il crispa les mâchoires, me fit signe de m'éloigner, puis ouvrit la porte en grand, exigeant silencieusement de Tatiana qu'elle se dépêche de ramener ses fesses nues dans la chambre.

Je gagnai la cuisine en grinçant des dents. Mon humeur empira quand je découvris Gideon dans la cuisine, sirotant nonchalamment son café, appuyé au comptoir. Avec son costume noir et sa cravate gris perle, il était la séduction incarnée

— Le spectacle t'a plu ? demandai-je avec raideur.

Je détestais l'idée qu'il ait posé les yeux sur une femme nue. Et pas n'importe quelle femme, mais un top model pourvu du genre de silhouette élancée qu'il était censé affectionner.

— Pas particulièrement, répondit-il en haussant une épaule.

— Je sais que tu aimes les girafes, dis-je en prenant la tasse de café qui m'attendait.

Gideon posa sa main sur la mienne. Les rubis de son alliance étincelèrent sous les spots de la cuisine.

— À ma connaissance, la femme à laquelle je suis incapable de résister est petite et tout en courbes voluptueuses. Sublime, quoi, selon mes critères.

Fermant les yeux, je m'efforçai de surmonter ma jalousie.

— Tu sais pourquoi je t'ai choisi cette alliance ? demandai-je.

— Parce que le rouge est ta couleur. Robes rouges dans les limousines. Talons aiguilles rouges aux garden-parties. Rose rouge dans tes cheveux quand tu m'as épousé.

Sa compréhension m'apaisa. Je me tournai vers lui et plaquai mon corps contre le sien.

— Hmm, ronronna-t-il. Tu sais que tu es un délicieux petit lot, mon ange ?

Je secouai la tête, ma colère cédant la place à l'exaspération.

Il frotta le nez contre ma joue.

— Je t'aime.

— Gideon.

Penchant la tête en arrière, je lui offris ma bouche afin qu'il chasse ma mauvaise humeur d'un baiser.

Le contact de ses lèvres sur les miennes ne cesserait jamais de me bouleverser. La tête me tournait un peu quand il s'écarta pour me murmurer :

— J'ai rendez-vous avec Petersen ce soir. Je t'appelle en sortant de son cabinet et on décide de ce qu'on fait pour dîner.

— D'accord.

— Je peux lui demander un rendez-vous pour nous deux jeudi, suggéra-t-il.

— Je préférerais le jeudi suivant. J'aimerais vraiment reprendre nos séances, mais ma mère tient à ce que Cary et moi assistions à un gala de charité ce jeudi-ci. Elle m'a déjà acheté la robe et tout. Et je crains, si je n'y vais pas, qu'elle ne l'interprète mal.

— Nous assisterons à ce gala ensemble.

— C'est vrai ?

Gideon en smoking agissait sur moi comme un puissant aphrodisiaque. Certes, il avait cet effet-là sur moi quelle que soit sa tenue – ou son absence de tenue –, mais en smoking... il était tout simplement irrésistible.

— Oui. Je trouve le moment particulièrement bien choisi pour faire une apparition publique ensemble. Et pour annoncer nos fiançailles.

Je m'humectai les lèvres.

— J'aurai le droit d'abuser de toi dans la limousine ?

— Mais certainement, mon ange, s'esclaffa-t-il.

Quand j'arrivai à l'agence, Megumi n'était pas derrière le comptoir de la réception, mais son absence me fournit une excuse pour appeler Martin et m'informer de la façon dont s'étaient passées les choses entre Lacey et lui à l'issue de notre folle soirée au *Primal*.

En sortant mon portable, je découvris que ma mère avait laissé un message sur ma boîte vocale et je l'écoutai en me dirigeant vers mon bureau. Elle demandait si je voulais être coiffée et maquillée avant le dîner de gala de jeudi et proposait d'amener chez moi une équipe de professionnels pour qu'on se fasse bichonner toutes les deux.

Je lui envoyai un texto pour lui dire que c'était très gentil de sa part, mais qu'étant donné que je finissais à 5 heures ce serait un peu juste.

Je commençais à peine à travailler lorsque Will fit son apparition.

— Tu as des projets pour ce midi ? s'enquit-il.

Il n'y avait vraiment que lui pour porter avec classe une chemise écossaise, songeai-je.

— Pas de festin de glucides cette fois-ci, l'avisai-je. Mon popotin ne le supportera pas.

— Ne t'inquiète pas, fit-il en souriant. Natalie est sortie de la phase dure de son régime et je suis moins en manque. Je pensais plutôt à un bar à soupes et salades.

— Avec plaisir, alors. Tu veux bien demander à Megumi si elle est partante ?

— Elle n'est pas là aujourd'hui.

— Ah bon ? Elle est malade ?

— Je l'ignore. Je sais juste qu'elle n'est pas là parce que c'est moi qui ai appelé l'agence d'intérim pour lui trouver une remplaçante.

— Je l'appellerai pendant ma pause pour prendre des nouvelles, dis-je en fronçant les sourcils.

— Salue-la de ma part, dit-il avant de s'éloigner.

La journée passa à toute allure. J'avais laissé un message à Megumi à midi, et j'essayai à nouveau de la joindre après le boulot alors que Clancy me conduisait à Brooklyn pour mon cours de krav maga.

— Demande à Lacey de m'appeler si tu te sens trop mal, conclus-je. Je voudrais juste savoir comment tu vas.

Après avoir raccroché, je décidai d'appeler Martin.

— Eva, répondit-il aussitôt – et j'en déduisis qu'il avait mon numéro dans sa liste de contacts –, ça me fait plaisir de t'entendre.

— Comment vas-tu, Martin ?

— Bien, et toi ?

— Ma foi, je fais aller. Ce serait sympa de se voir pour boire un verre après le boulot ou pour un dîner à quatre.

— Volontiers. Tu en es où côté cœur depuis la dernière fois ?

— Je recolle les morceaux avec Gideon.

— Cross ? Tu es faite pour lui, Eva, c'est évident !

Sa déclaration me tira un éclat de rire et me fit regretter de ne pas porter mon alliance au vu et au su de tous comme Gideon. Lui était prêt à faire savoir à la terre entière que nous étions mariés, alors que je ne l'avais encore révélé à personne.

— Merci pour ce vote de confiance, dis-je. Et toi ? Tu vois quelqu'un ?

— J'accroche bien avec Lacey. Elle me plaît beaucoup. Elle est très drôle.

— Super. Ça me fait plaisir de l'apprendre. Dis-moi, si tu as l'occasion de lui parler aujourd'hui, tu peux lui demander de m'appeler pour me donner des nouvelles de Megumi ? Elle n'est pas venue travailler et j'aimerais être sûre que ce n'est pas grave et qu'elle n'a besoin de rien.

— Pas de problème, répondit-il, et les bruits qui me parvinrent soudain m'apprirent qu'il sortait dans la rue. Lacey n'est pas à New York aujourd'hui, mais elle est censée me téléphoner ce soir.

— Merci, c'est sympa. Bon, je devine que tu es en train de bouger alors je ne te retiens pas. On se voit la semaine prochaine et on se rappelle d'ici deux jours pour régler les détails, d'accord ?

— Ça marche.

— À bientôt, répondis-je.

Une fois que j'eus raccroché, me sentant en veine de communication, j'envoyai un message à Shawna et à Brett. Un petit coucou rapide accompagné d'un smiley.

Quand je relevai les yeux, je croisai le regard de Clancy dans le rétroviseur.

— Comment va ma mère ? m'enquis-je.

— Elle s'en remettra, répondit-il de ce ton neutre qui le caractérisait.

Je hochai la tête et regardai par la fenêtre au moment où un bus sur le flanc duquel s'étalait la silhouette de Cary passait dans mon champ de vision.

— Ce n'est pas toujours facile, la famille, soupirai-je.

— Je sais.

— Vous avez des frères et sœurs, Clancy ?

— Un frère, une sœur.

À quoi pouvaient-ils bien ressembler ? Étaient-ils aussi durs et implacables que lui ? Ou bien était-il la brebis galeuse ?

— Et vous êtes proches les uns des autres – si je peux me permettre de vous poser cette question ?

— On est très soudés, oui. Ma sœur vit en dehors de l'État ; je ne la vois pas beaucoup, mais on se téléphone. Mon frère est à New York, on se voit donc plus souvent.

— C'est bien.

Je tâchai de me représenter Clancy, détendu, sirotant des bières avec un type qui lui ressemblait, mais n'y parvins pas.

— Il est garde du corps, lui aussi ?

— Pas encore, répondit-il avec ce petit mouvement des lèvres qui pouvait passer pour un sourire. Il travaille pour le FBI en ce moment.

— Et votre sœur ?

— Elle est dans les marines.

— C'est impressionnant.

— Elle l'est.

Je l'observai un instant.

— Vous aussi, vous avez été dans l'armée ?

— Oui, se contenta-t-il de répondre.

Je m'apprêtais à lui poser d'autres questions quand il bifurqua au coin de la rue pour se garer devant l'entrepôt abritant le gymnase de Parker.

J'attrapai mon sac de gym et descendis de voiture avant qu'il ait eu le temps de m'ouvrir la portière.

— À tout à l'heure ! jetai-je en m'éloignant.

— Mettez-leur la pâtée, Eva, lança-t-il en réponse.

La lourde porte du gymnase venait à peine de se refermer derrière moi lorsque j'aperçus du coin de l'œil une femme brune que j'aurais aimé ne jamais revoir de ma vie. Les bras croisés, elle se tenait au bord du tatami, sa silhouette athlétique impeccablement moulée dans un pantalon de sport noir à rayures bleues assorti à son maillot à manches longues, ses cheveux bouclés attachés à la diable.

Elle pivota, et son implacable regard bleu me détailla de la tête aux pieds.

Une confrontation étant inévitable, je pris une profonde inspiration et m'avançai vers elle.

— Inspectrice Graves.

— Eva, me salua-t-elle d'un hochement de tête. Joli bronzage.

— Merci.

— Cross vous a emmenée en week-end ?

La question était tout sauf anodine.

— Je me suis octroyé un peu de répit.

Un coin de sa bouche se releva.

— Toujours aussi prudente. C'est bien. Qu'est-ce que votre père pense de Cross ?

— Mon père se fie à mon jugement, je pense.

— Si j'étais vous, cette histoire du bracelet de Barker me titillerait. Déformation professionnelle, me direz-vous.

Un frisson courut le long de ma colonne vertébrale. L'histoire du bracelet de Nathan ne faisait pas que me titiller, mais je ne pouvais en parler à personne d'autre qu'à Gideon, et je lui faisais confiance pour faire tout ce qui était en son pouvoir pour résoudre ce mystère.

— Je cherchais justement un partenaire, enchaîna l'inspectrice. Vous vous sentez de taille ?

— Heu... Quoi ? fis-je en clignant des yeux. Est-ce que nous pouvons... ? Vous croyez que... ?

— L'affaire a été classée, Eva, répliqua-t-elle en avançant au centre du tatami pour s'étirer. Vous venez ? Je n'ai pas toute la nuit.

Graves me mit la pâtée. Cette petite femme nerveuse possédait une force incroyable. Elle était concentrée, précise, impitoyable. Elle m'apprit beaucoup de choses durant l'heure et demie que nous passâmes sur le tatami. Entre autres à ne jamais baisser ma garde. Vive comme l'éclair, elle exploitait la moindre faille.

En rentrant chez moi, titubant presque de fatigue, peu après 20 heures, je filai directement dans la baignoire. Je marinai dans l'eau parfumée à la vanille, à la lueur des bougies, en espérant que Gideon arriverait avant que ma peau soit complètement ridée.

Il fit son apparition alors que je m'enroulais dans un drap de bain. Si je me fiais à ses cheveux humides et à son jean, il s'était douché après une séance d'entraînement avec son coach personnel.

— Bonsoir, champion.

— Bonsoir, femme, répondit-il.

Il s'approcha, écarta les pans de ma serviette et inclina la tête.

Je cessai un instant de respirer quand il aspira la pointe d'un sein dans sa bouche et la suça jusqu'à la faire durcir.

Il redressa la tête et admira son ouvrage.

— Hmm... sexy.

Je me hissai sur la pointe des pieds et déposai un baiser sur son menton.

— Comment s'est passée ta soirée jusqu'ici ?

Il me regarda avec un sourire narquois.

— Petersen a commencé par me féliciter avant de me faire valoir qu'une thérapie de couple serait indispensable.

— Il pense qu'on s'est mariés trop tôt.

Gideon explosa de rire.

— Il ne voulait même pas qu'on ait de rapports sexuels, Eva !

Je fronçai le nez, rajustai ma serviette et m'emparai d'un peigne.

— Laisse-moi faire.

Il me prit le peigne des mains et m'incita à m'asseoir sur le rebord de la baignoire.

Pendant qu'il peignait mes cheveux, je lui racontai ma rencontre avec l'inspectrice Graves au cours de krav maga.

— Mes avocats m'ont dit que l'affaire avait été classée, fit-il.

— Que ressens-tu ?

— Tu es en sécurité. C'est tout ce qui compte.

Il s'était exprimé d'un ton neutre qui m'apprit que cela avait bien plus d'importance à ses yeux qu'il ne voulait bien le dire. Je savais que, tout au fond de lui, le meurtre de Nathan le hantait. Je le savais parce que j'étais moi-même hantée par ce qu'il avait fait pour moi et que nous étions les deux moitiés d'une même âme.

C'était pour cette raison qu'il avait si farouchement voulu m'épouser. J'étais son havre de paix. La seule personne à connaître tous ses sombres secrets et à l'aimer malgré tout. Et il avait plus besoin d'amour que qui que ce soit au monde.

Je sentis soudain une vibration contre mon épaule.

— Un nouveau sex-toy ? le taquinai-je.

— J'ai oublié d'éteindre ce fichu truc, grommela-t-il en sortant son portable de sa poche. Cross, répondit-il après avoir consulté l'écran.

Je perçus une voix de femme qui semblait très agitée, mais ne parvins pas à comprendre ce qu'elle disait.

— Quand ?... Où cela ?... D'accord. J'arrive.

Il coupa la communication et se passa la main dans les cheveux.

— Que se passe-t-il ? demandai-je en me levant.

— Corinne est à l'hôpital. Ma mère dit que c'est grave.

— Je m'habille. Que lui est-il arrivé ?

Gideon me regarda et j'en eus la chair de poule. Jamais je ne l'avais vu aussi... ébranlé.

— Des cachets, répondit-il d'une voix enrouée. Elle a avalé tout un flacon de cachets.

Nous prîmes la DB9. En attendant que le voiturier nous l'apporte, Gideon appela Raúl pour lui demander de venir chercher l'Aston Martin à l'hôpital.

Une fois au volant, Gideon se concentra sur la conduite, dosant avec précision chaque coup de volant, chaque pression sur l'accélérateur. Enfermée avec lui dans l'étroit habitacle, je le sentis se fermer au monde extérieur. Se rendre émotionnellement inaccessible. Quand je posai la main sur son genou pour lui apporter soutien et réconfort, il ne frémit même pas. Je ne fus même pas sûre qu'il le sentît.

Raúl nous attendait quand nous nous arrêtâmes devant l'entrée des urgences. Il m'ouvrit la portière, puis contourna la voiture pour prendre la place que Gideon avait libérée. Nous n'avions pas franchi les portes que l'étincelant bolide avait disparu.

Je pris la main de Gideon, là encore, mais je ne fus pas certaine qu'il le sentît. Son regard était rivé sur sa mère qui s'était levée à notre entrée dans la salle d'attente privée vers laquelle nous avions été dirigés. Elizabeth Vidal me jeta à peine un coup d'œil et fonça droit vers son fils qu'elle étreignit.

Il ne lui rendit pas son étreinte, mais ne la repoussa pas non plus. Je sentis sa main se crisper dans la mienne.

Mme Vidal ne daigna pas me saluer. Me tournant carrément le dos, elle fit signe au couple qui était assis non loin de là – les parents de Corinne, de toute évidence. Ils étaient en train de parler avec Elizabeth quand nous étions entrés, ce qui était étrange car Jean-François Giroux se tenait seul près de la fenêtre comme si les autres le tenaient à l'écart – comme moi.

Je sentis la main de Gideon se ramollir quand sa mère le poussa vers les parents de Corinne. Gênée de me retrouver soudain seule, je rejoignis Jean-François.

— Je suis désolée, lui dis-je à voix basse.

Il tourna la tête et posa sur moi un regard éteint. Il semblait avoir vieilli de dix ans depuis notre entrevue de la veille.

— Qu'est-ce que vous faites ici ? demanda-t-il.

— Mme Vidal a appelé Gideon.

— Évidemment fit-il en regardant le petit groupe. À croire que c'est lui qui est marié avec elle et pas moi.

Je suivis son regard. Accroupi devant les parents de Corinne, Gideon tenait la main de sa mère. Une sensation d'effroi me saisit, et un grand froid m'envahit.

— Elle préfère mourir plutôt que vivre sans lui, déclara Jean-François d'une voix atone.

Je tournai les yeux vers lui et compris soudain.

— Vous lui avez dit, n'est-ce pas ? Au sujet de nos fiançailles ?

— Et vous voyez comment elle a pris la nouvelle.

Mon Dieu. Chancelante, je me rapprochai du mur pour éviter de tomber. Elle ne pouvait pas ne pas savoir quel effet une tentative de suicide aurait sur Gideon. Elle ne pouvait être aveugle à ce point. À moins que sa réaction, sa culpabilité, aient été son seul objectif ? La nausée s'empara de moi à l'idée qu'on puisse se montrer aussi manipulateur, mais j'avais le résultat sous les yeux. Gideon était revenu vers elle. Du moins pour l'instant.

Une femme médecin entra dans la pièce. Elle avait un visage doux, des cheveux blonds très courts et des yeux d'un bleu délavé.

— Monsieur Giroux ?

— *Oui*, répondit ce dernier en s'avançant vers elle.

— Je suis le Dr Steinberg. C'est moi qui m'occupe de votre femme. J'aimerais vous parler en privé.

Le père de Corinne se leva.

— Nous sommes ses parents.

— Je comprends, répondit le Dr Steinberg. Mais c'est au mari de Corinne que je dois parler. Votre fille va bien, elle sera sur pied d'ici quelques jours.

Elle quitta la pièce en compagnie de Giroux. Ils demeurèrent de l'autre côté de la paroi vitrée de la salle d'attente, la porte étouffant le bruit de leur voix. Tandis qu'elle parlait, Giroux, qui dominait le médecin de toute sa taille, parut se ratatiner. Dans la salle d'attente, la tension était à son comble. Debout près de sa mère, Gideon était complètement absorbée par la scène poignante et muette qui se déroulait sous nos yeux.

Sans cesser de parler, le Dr Steinberg posa la main sur le bras de Jean-François. Puis elle se tut et s'éloigna. Giroux resta immobile, le regard rivé au sol, les épaules voûtées comme si un poids l'écrasait.

J'étais sur le point de le rejoindre, mais Gideon me devança. À peine eut-il franchi la porte que Giroux se rua sur lui.

L'impact de leurs corps entrant en collision fut d'une extrême violence et les murs de la salle d'attente tremblèrent quand Gideon heurta la paroi vitrée.

Un cri de surprise retentit, puis une voix appela la sécurité.

Gideon bloqua la main de Giroux qui s'apprêtait à le frapper, puis se baissa pour parer un coup au visage venant de l'autre main. Jean-François hurla quelque chose, le visage tordu par la souffrance et la rage.

Le père de Corinne se précipita vers eux au moment où la sécurité arrivait, taser au poing. Gideon para un nouveau coup de Jean-François sans jamais riposter. Son visage était de marbre, son regard froid et presque aussi vide que celui de Giroux.

Jean-François s'adressa à Gideon en hurlant. Le père de Corinne avait laissé la porte ouverte en sortant et je saisis une partie de ce qu'il dit. Le mot *enfant*[1] ne nécessitait pas de traduction. Tout se figea soudain en moi et le rugissement dans mes tympans m'empêcha d'entendre quoi que ce soit d'autre.

Tout le monde se précipita hors de la salle d'attente quand les agents de sécurité menottèrent Giroux et Gideon avant de les escorter jusqu'à un ascenseur

1. En français dans le texte. *(N.d.T.)*

409

réservé au personnel. Angus apparut soudain sur le seuil de la salle d'attente et je clignai des yeux, persuadée d'être victime d'une hallucination.

— Madame Cross, dit-il doucement en s'approchant de moi, sa casquette entre les mains.

Je devais avoir l'air hébété. Mon esprit restait scotché au mot enfant et à ce qu'il pouvait impliquer. Après tout, Corinne était à New York depuis que je connaissais Gideon... alors que son mari, lui, se trouvait en France.

— Je suis venu pour vous ramener chez vous.

— Où est Gideon ?

— Il m'a envoyé un texto pour me demander de venir vous chercher.

Ma confusion céda la place à une douleur aiguë.

— Mais il a besoin de moi.

Angus prit une profonde inspiration et le regard qu'il posa sur moi était empli de pitié, me sembla-t-il.

— Venez, Eva. Il est tard.

— Il ne veut pas de moi ici, dis-je d'une voix morne. C'était une telle évidence.

— Il veut que vous l'attendiez tranquillement à la maison.

— C'est ce que disait son texto ? murmurai-je en ayant l'impression que mes pieds étaient collés au sol.

— C'est ce qu'il pensait.

— Vous êtes gentil.

Je me mis en marche comme un automate.

Je passai devant un infirmier occupé à ramasser ce qui était tombé d'un chariot que Giroux avait renversé. Sa façon d'éviter de me regarder ne fit que confirmer la dure réalité.

J'étais mise à l'écart.

22

Gideon ne rentra pas de la nuit. J'allai jeter un coup d'œil dans son appartement avant d'aller travailler et trouvai son lit fait.

Où qu'il ait passé la nuit, il l'avait passée loin de moi. Après la révélation de la grossesse de Corinne, j'étais encore sidérée qu'il m'ait abandonnée sans me donner la moindre explication. J'avais l'impression qu'une bombe avait explosé devant moi et que je me retrouvais toute seule, perdue au milieu des décombres.

Angus et la Bentley m'attendaient devant l'immeuble, ce qui ne fit qu'attiser ma colère. Chaque fois que Gideon s'éloignait de moi, il se faisait remplacer par Angus.

— C'est avec *vous* que j'aurais dû me marier, Angus, grommelai-je en prenant place sur la banquette. Vous, au moins, vous êtes toujours là pour moi.

— Gideon y veille, répondit-il avant de refermer la portière.

« Toujours loyal », pensai-je avec amertume.

En arrivant à l'agence, j'appris que Megumi était toujours absente. Je m'inquiétais pour elle, mais fus soulagée qu'elle ne me voie pas dans cet état car elle

411

m'aurait posé des questions auxquelles je n'avais pas envie de répondre. Auxquelles je n'aurais pas *pu* répondre, en fait. J'ignorais où était mon mari, ce qu'il faisait ou ce qu'il ressentait.

J'étais en colère et blessée. Mais pas effrayée. Gideon avait raison, le fait d'être marié avait quelque chose de rassurant. Il faudrait désormais qu'il se donne beaucoup de mal pour m'ôter ce sentiment de sécurité. Il ne pouvait disparaître ni m'ignorer éternellement. À un moment ou à un autre, il serait obligé de m'affronter. Restait à savoir quand.

Je me concentrai sur mon travail pour ne pas voir le temps passer. Quand je sortis à 17 heures, je n'avais toujours pas eu de nouvelles de Gideon et n'avais pas cherché à le contacter non plus. J'estimais que c'était à *lui* de combler le fossé qu'il avait creusé entre nous.

J'allai à mon cours de krav maga, et Parker se consacra exclusivement à moi pendant une heure.

— Tu pètes le feu, ce soir, observa-t-il après que je l'eus mis au tapis pour la sixième ou septième fois.

Je me gardai de lui expliquer que j'imaginais que c'était avec Gideon, et non avec lui, que je me battais.

De retour à la maison, je trouvai Cary et Trey au salon. Ils mangeaient de gros sandwichs devant la télé.

Trey coupa son sandwich en deux pour m'en offrir la moitié.

— Il y a de la bière au frigo, si tu veux, ajouta-t-il.

Ce garçon était vraiment adorable. Et il était amoureux de mon meilleur ami. Je regardai Cary et, l'espace d'une seconde, il me laissa voir son trouble et son chagrin, puis il masqua le tout derrière un sourire ravageur et tapota le coussin à côté de lui.

— Viens t'asseoir, baby girl.

— Je prends une douche vite fait et j'arrive, répondis-je.

Une fois propre, j'enfilai un jogging et les rejoignis au salon, furieuse d'être tombée sur un message qui disait « introuvable » après avoir suivi les instructions que Gideon m'avait laissées pour pister son portable.

À la fin de la soirée, je m'endormis dans le séjour, préférant le canapé à mon lit, où je risquais de sentir l'odeur de mon mari.

Ce fut pourtant son odeur qui me réveilla, et le contact de ses bras quand il me souleva. Encore endormie, je laissai aller ma tête contre son torse et écoutai le battement puissant et régulier de son cœur. Il me porta jusqu'à ma chambre.

— Où étais-tu ? marmonnai-je.

— En Californie.

Je sursautai.

— Quoi ?

Il secoua la tête.

— On en parlera demain matin.

— Gideon...

— Demain matin, Eva, coupa-t-il d'un ton sévère en rabattant le drap sur moi avant de me planter un baiser sur le front.

Je lui attrapai le poignet quand il se redressa.

— Ne t'avise pas de me laisser.

— Ça fait presque deux jours que je n'ai pas dormi.

Son ton coupant m'alarma. Je me hissai sur les coudes et tâchai de distinguer son visage dans la pénombre, mais j'avais l'esprit encore embrumé par le sommeil et je n'arrivai à rien. Tout ce que je vis, c'était qu'il portait un jean et une chemise à manches longues.

— Et alors ? Il y a un lit ici, non ?

Il lâcha un long soupir à la fois las et exaspéré.

— Allonge-toi. Je vais chercher mes médicaments.

Ce ne fut qu'après son départ que je me souvins qu'il en gardait une boîte dans ma salle de bains. Il avait donc utilisé ce prétexte pour partir et n'avait pas l'intention de revenir. Je repoussai le drap, allai récupérer mes clefs dans mon sac et gagnai l'appartement de Gideon. Je faillis trébucher sur sa valise en entrant.

Il avait apparemment juste pris le temps de la déposer avant d'aller chez moi. Pourquoi était-il venu puisqu'il n'avait pas l'intention de passer la nuit dans mon lit ? Pour me regarder dormir ? Pour s'assurer que j'étais là ?

Je partis à sa recherche et le trouvai affalé à plat ventre sur le grand lit de sa chambre, encore tout habillé, la tête reposant sur mon oreiller. Il s'était contenté de retirer ses chaussures, qui gisaient au pied du lit, et de poser son portefeuille et son portable sur la table de chevet.

Le portable exerçait sur moi une attraction irrésistible.

Je m'en emparai, composai le mot de passe *monange* et parcourus son contenu sans éprouver la moindre honte. S'il me surprenait en train de le faire, cela ne me dérangerait pas. Puisqu'il ne voulait pas me donner de réponses, j'avais le droit de chercher à les obtenir par moi-même.

J'eus d'abord la surprise de découvrir une incroyable quantité de photos de moi dans son album. Des photos de nous deux aussi, volées par des paparazzis. Des photos de moi qu'il avait prises sans que je m'en rende compte et qui me permettaient de me voir à travers ses yeux.

Je cessai de m'inquiéter. Il m'aimait. Il m'adorait. Aucun homme n'aurait pris ce genre de photos sans être amoureux. On m'y voyait décoiffée et sans maquillage. En train de lire ou debout devant la porte ouverte du frigo. En train de dormir, de manger ou de me concentrer, les sourcils froncés... Des photos sans intérêt, à moins d'être gravement amoureux.

Le relevé de ses communications faisait état d'appels entre lui et Angus, Raúl ou Scott. Il avait aussi reçu des messages de Corinne, mais je refusai de me torturer en les écoutant. Il me suffisait de constater qu'il ne lui avait pas répondu, et qu'il ne l'avait pas appelée depuis un bon moment. Il y avait aussi des appels professionnels avec ses associés, d'autres avec ses avocats et deux coups de fil d'Arnoldo.

Ainsi que trois appels échangés avec Deanna Johnson.

J'étrécis les yeux. Leur durée allait de quelques minutes à plus d'un quart d'heure.

Je consultai aussi ses textos et trouvai celui qu'il avait envoyé à Angus de l'hôpital.

J'ai besoin qu'elle ne soit pas là.

Je me laissai choir dans le fauteuil et relus le message. *Besoin...* Il n'avait pas écrit *je ne veux pas d'elle.* Bizarrement, le choix de ses mots modifia ma perception des événements. Je ne comprenais toujours pas, mais je me sentais moins... évincée.

Il y avait aussi des échanges de textos entre Ireland et lui, ce qui me fit plaisir. Je ne les lus pas, mais constatai que le dernier en date remontait à lundi.

Je remis le téléphone à sa place et contemplai l'homme que j'aimais. Il avait l'air épuisé et faisait son âge. Tant de responsabilités pesaient sur ses épaules et il donnait tellement l'impression que cela ne lui coûtait aucun effort... il était facile d'oublier qu'il pouvait être, comme tout un chacun, surchargé de travail et victime de stress.

Mon devoir d'épouse consistait à l'aider à faire face. Mais il me rendait la tâche impossible en me tenant à l'écart. En m'épargnant des soucis, il en endossait plus que sa part.

Nous allions devoir discuter de cela une fois qu'il aurait récupéré.

Je me réveillai avec un début de torticolis et la vague sensation que quelque chose n'allait pas. Je m'étais endormie, recroquevillée sur moi-même, dans le fauteuil qui se trouvait dans la chambre de Gideon. Avec précaution, je dépliai mes membres endoloris. L'aube se levait. Une lumière rose-orangé filtrait à travers la fenêtre, et un coup d'œil au réveil sur la table de nuit m'apprit qu'il serait bientôt l'heure de se lever pour de bon.

Gideon gémit et je me figeai, terrifiée par le son qu'il venait d'émettre. Un bruit affreux, celui que fait une créature blessée à la fois dans sa chair et dans son âme. Un frisson me parcourut quand il gémit de nouveau, tout mon être réagissant violemment à son tourment.

Je me précipitai vers le lit, grimpai dessus, m'agenouillai à côté de lui et lui pressai l'épaule.

— Gideon. Réveille-toi.

Il s'écarta de moi et encercla l'oreiller de ses bras. Un sursaut le secoua comme un sanglot lui échappait.

Je m'allongeai contre son dos, glissai le bras autour de lui.

— Là, mon amour, chuchotai-je. Je suis là, tout va bien.

Je le berçai tandis qu'il pleurait dans son sommeil.

— Réveille-toi, mon ange, murmura Gideon contre ma joue. J'ai besoin de toi.

Je m'étirai et sentis aussitôt les courbatures dues à deux soirées d'entraînement intensif et quelques heures de sommeil dans un fauteuil.

Gideon souleva mon T-shirt, exposant ma poitrine à sa bouche avide. Après quoi il baissa mon pantalon et mon slip, et me caressa avec habileté, éveillant instantanément mon désir.

— Gideon...

Rien qu'à sa façon de me toucher, je devinai qu'il était très excité.

Il me fit taire d'un baiser, et mes reins se creusèrent quand ses doigts me pénétrèrent. Pressée de satisfaire sa demande silencieuse, je me tortillai pour me débarrasser complètement de mon pantalon, puis tendis les mains vers sa braguette, la déboutonnai et tirai sur son caleçon.

— Prends-moi en toi, murmura-t-il contre mes lèvres.

J'empoignai son sexe érigé, le positionnai entre mes cuisses et soulevai le bassin pour faciliter la pénétration.

Gideon enfouit le visage au creux de mon cou et gémit de bonheur lorsque mes muscles l'enserrèrent.

— J'avais tellement besoin de toi, Eva, articula-t-il.

Je nouai les jambes autour de ses hanches, me cramponnai à lui.

Le temps suspendit son cours et le monde extérieur cessa d'exister. Gideon renouvela toutes les promesses qu'il m'avait faites sur la plage des Caraïbes, et je m'efforçai de soigner ses blessures secrètes, de lui donner la force d'affronter une nouvelle journée.

J'étais en train de me maquiller quand Gideon me rejoignit dans la salle de bains. Il posa une tasse de café fumante près de moi. Il ne portait que son bas de pyjama et j'en conclus qu'il n'avait pas l'intention d'aller à son bureau, du moins pas dans l'immédiat.

En observant son reflet dans le miroir, je tâchai de déceler des signes indiquant qu'il se souvenait de son rêve. Je ne l'avais jamais vu aussi bouleversé – c'était comme si son cœur se brisait.

— Eva, déclara-t-il posément, il faut qu'on parle.

— Je sais, oui.

Tenant sa tasse à deux mains, il contempla son café pendant un long moment avant de demander :

— Eva, est-ce que tu as déjà réalisé une sextape avec Brett Kline ?

— Pardon ? m'exclamai-je en me retournant vivement vers lui, ma main se crispant sur le manche de mon pinceau de maquillage. Non. Jamais de la vie ! Pourquoi cette question ?

Il soutint mon regard.

— En rentrant de l'hôpital l'autre soir, Deanna m'a intercepté dans le hall. Après ce que venait de faire Corinne, je me suis dit que l'ignorer serait une erreur.

— Je te l'avais déjà dit.

— Je sais. Tu avais raison. Je l'ai donc emmenée dans un bar, un peu plus loin dans la rue, je lui ai offert un verre et je lui ai présenté mes excuses.

— Tu l'as emmenée boire un verre, répétai-je.

— Non, je l'ai emmenée dans bar pour m'excuser de la façon dont je l'avais traitée. Je ne lui ai offert un verre que parce qu'il fallait bien que j'aie une raison de m'asseoir avec elle dans ce fichu bar, rectifia-t-il, irrité. J'ai supposé que tu préférerais apprendre que la chose avait eu lieu dans un lieu public plutôt qu'à l'appartement, ce qui aurait pourtant été plus pratique.

Il avait raison et je fus touchée qu'il ait pensé à la façon dont je réagirais et ait agi en conséquence. Mais j'étais tout de même agacée que Deanna ait réussi à obtenir un pseudo-rendez-vous galant avec lui.

Gideon dut le sentir car il eut un sourire en coin.

— Ce que tu peux être possessive, mon ange. Tu as de la chance que ça me plaise autant.

— Tais-toi. Explique-moi plutôt ce que Deanna a à voir avec cette histoire de sextape. C'est elle qui t'a dit qu'il en existait une ? C'est un mensonge. Elle ment.

— Non, elle ne ment pas. Mes excuses ont un peu arrangé les choses si bien qu'elle a consenti à me jeter un os. Elle m'a parlé de cette vidéo et m'a averti qu'elle allait être vendue aux enchères très prochainement.

— Et moi, je te dis que c'est n'importe quoi, persistai-je.

— Tu connais un certain Sam Yimara ?

Le monde cessa abruptement de tourner. L'angoisse me noua les entrailles.

— Oui. C'est un type qui s'était improvisé vidéographe du groupe de Brett.

— Précisément, dit Gideon.

Il but une gorgée de café. Son regard était dur par-dessus le rebord de sa tasse.

— Apparemment, il aurait installé une caméra télécommandée en coulisses lors d'un concert du groupe afin de réaliser un montage vidéo avec des images « backstage ». Il prétend avoir recréé le clip de *Golden* avec des images nettement plus explicites.

— Oh, non ! soufflai-je en plaquant la main sur ma bouche.

J'avais envie de vomir. Imaginer que des gens que je ne connaissais pas voient des images de Brett et moi en pleine action était déjà épouvantable, mais imaginer que *Gideon* les visionne était un million de fois pire. Je revoyais encore son expression lorsqu'il avait regardé la vidéo… Les choses ne seraient plus jamais pareilles entre nous s'il voyait la même scène avec Brett et moi en personne. En ce qui me concernait, je serais incapable d'effacer de mon esprit des images de lui en compagnie d'autres femmes. Et avec le temps, elles me rongeraient comme un acide.

— C'est pour cela que tu es allé en Californie, murmurai-je.

— Deanna m'a transmis les infos dont elle disposait, et par l'intermédiaire de mes avocats, j'ai obtenu une injonction temporaire interdisant à Yimara de tirer le moindre bénéfice de cette vidéo.

Je n'arrivais pas à deviner ce qu'il pensait ou ressentait. Il était complètement fermé et tout en retenue. Alors que j'avais l'impression d'être sur le point de me désagréger.

— Tu ne pourras pas empêcher ce truc de circuler, déclarai-je. Il suffira qu'il soit publié sur Internet pour se répandre comme une épidémie.

— J'ai une équipe de techniciens exclusivement chargés de surveiller l'éventuelle apparition de ces images sur Internet. Mais je ne pense pas que Yimara s'y risque parce qu'il n'aurait rien à y gagner. Il n'en arrivera là que lorsqu'il aura épuisé toutes les autres options possibles – y compris me la vendre à moi.

— Mais Deanna mentionnera l'existence de cette vidéo. Son boulot consiste à diffuser les secrets, pas à les garder pour elle.

— Je lui ai offert l'exclusivité de nos photos de mariage pendant quarante-huit heures en échange de son silence sur cette affaire.

— Et elle a accepté ? demandai-je, sceptique. Cette femme est dingue de toi. Apprendre que tu vas te caser définitivement n'a pas dû lui faire plaisir.

— Il arrive un moment où il devient évident qu'il n'y a plus aucun espoir, répliqua-t-il avec flegme Je pense avoir été on ne peut plus clair sur ce point. Crois-moi, l'argent que lui rapporteront les photos de notre mariage aura tôt fait de la consoler.

Je m'approchai de la cuvette des toilettes, rabattis le couvercle et m'assis.

— Cette histoire me rend malade, Gideon, avouai-je.

Il posa sa tasse près de la mienne et vint s'accroupir devant moi.

— Regarde-moi.

Je lui obéis à contrecœur.

— Je ne laisserai jamais personne te faire du mal, déclara-t-il. Tu comprends ? Je me charge de régler cette histoire.

— Je suis désolée, soufflai-je. Je suis désolée que tu aies à t'occuper de cela. Et de tout ce que tu vas devoir faire pour...

Gideon s'empara de mes mains.

— Quelqu'un a violé ton intimité, Eva. Tu n'as pas à t'en excuser. Quant au fait que je me charge d'arranger les choses, je considère cela comme mon devoir. C'est pour moi un honneur. Tu seras toujours ma priorité.

— Ce n'est pas l'impression que j'ai eue à l'hôpital, fis-je remarquer.

Je préférais vider mon sac, avouer mon ressentiment avant qu'il m'empoisonne. Je voulais aussi qu'il m'explique pourquoi il me repoussait chaque fois qu'il cherchait à me protéger.

— Tout était en train de se désintégrer et tu as chargé Angus de m'éloigner quand j'aurais voulu être là pour toi. Tu es parti en Californie et tu ne m'as même pas appelée... tu ne m'as rien dit.

— Et je n'ai pas dormi. Obtenir cette injonction dans un délai aussi court n'a pas été simple, crois-moi. Tu dois me faire confiance, Eva. Même si tu ne comprends pas ce que je fais, tu dois savoir que je pense toujours à toi et à ton intérêt. À *notre* intérêt.

Je détournai les yeux, redoutant la réponse qu'il allait me faire.

— Corinne est enceinte ?

Il poussa un long soupir.

— Elle l'était, oui. De quatre mois.

— L'était ? répétai-je.

— Elle a fait une fausse couche alors que les médecins s'occupaient de son overdose. J'ai choisi de croire qu'elle ignorait son état.

Je le scrutai tout en m'efforçant de dissimuler mon pitoyable soulagement.

— Quatre mois ? L'enfant était de Giroux, alors.

— Je suppose, répliqua-t-il sèchement. Giroux semble le penser, en tout cas, et me tient pour responsable de la tentative de suicide et donc de la fausse couche de sa femme.

— Mon Dieu.

Gideon posa la tête sur mes genoux.

— Elle ignorait forcément qu'elle était enceinte. Je ne peux pas imaginer qu'elle ait pris le risque de perdre son enfant pour quelque chose d'aussi stupide.

— Je ne te laisserai pas te faire le moindre reproche, Gideon, l'avertis-je d'un ton sévère.

Il m'entoura la taille de ses bras.

— Bon sang ! Tu crois que je suis victime d'une malédiction ?

Je ressentis une telle haine vis-à-vis de Corinne à cet instant précis que je me serais montrée violente si elle s'était trouvée devant moi. Elle savait que le père de Gideon s'était suicidé. Si elle connaissait un tant soit peu Gideon, elle savait à quel point son geste l'anéantirait.

— Corinne est seule responsable de ses actes, lui rappelai-je en lui caressant les cheveux. C'est elle qui devra vivre avec ce qu'elle a fait, et non toi, ou moi.

— Eva.

Il me serra très fort dans ses bras et son souffle était tiède à travers la soie de mon peignoir.

Un quart d'heure après que Gideon m'eut laissée dans la salle de bains pour prendre un appel de Raúl, j'étais toujours à la même place, les yeux rivés sur le lavabo.

— Tu vas être en retard au travail, dit-il doucement en m'enlaçant par-derrière.

— J'ai bien envie de me faire porter pâle.

Cela ne m'était encore jamais arrivé jusqu'à présent, mais j'étais fatiguée, et bonne à ramasser à la petite cuillère. Je doutais de réussir à me ressaisir suffisamment pour me concentrer sur mon travail.

— Tu pourrais, mais ça la fichera mal quand tes collègues verront des photos de toi au gala de ce soir.

— Nous n'irons pas, déclarai-je en le regardant dans le miroir.

— Bien sûr que si.

— Gideon, si la vidéo de Brett et moi est rendue publique, tu ne voudras pas que ton nom soit lié au mien.

Il se raidit et me fit pivoter face à lui.

— Répète un peu, pour voir.

— Tu m'as parfaitement entendue. Tu ne crois pas que le nom de Cross a été assez sali ?

— Mon ange, je n'ai jamais été aussi près de te donner une fessée. Tu as de la chance que je ne sois pas violent quand je suis en colère.

Sa plaisanterie ne parvint pas à détourner mes pensées du fait qu'il était déterminé à protéger la fille que

423

j'avais été, et dont j'avais honte. Il était prêt à s'interposer entre un éventuel scandale et moi, à me protéger du mieux qu'il pouvait et à encaisser les coups avec moi si les choses devaient en arriver là.

Je n'aurais pas cru possible de l'aimer davantage que je ne l'aimais déjà, mais il me donnait tort, une fois de plus.

Il encadra mon visage de ses mains.

— Quoi que nous ayons à affronter, nous l'affronterons ensemble. Et tu le feras sous mon nom.

— Gideon...

— Tu n'imagines pas combien je suis fier que tu le portes. Ce que cela signifie à mes yeux que tu aies accepté de le faire tien.

— Oh, Gideon, je t'aime tellement ! dis-je en me blottissant contre lui.

Quand j'arrivai à l'agence, avec une demi-heure de retard, je découvris une intérimaire à la place de Megumi. Je la saluai au passage, mais l'inquiétude me rongeait déjà. Après être allée m'excuser de mon retard auprès de Mark, je téléphonai à Megumi. Elle ne répondit pas.

J'allai trouver Will.

— Qui Megumi a-t-elle appelé pour prévenir qu'elle était malade ? lui demandai-je.

— Daphné. Pourquoi ?

— Je suis inquiète. Elle ne m'a pas rappelée, et je me demande si elle est fâchée contre moi. Ça m'énerve de ne pas le savoir ou de ne pas pouvoir l'aider.

— Pour ce que ça vaut, Daphné a dit qu'elle avait une voix épouvantable.

— Ce n'est absolument pas rassurant, mais merci quand même.

424

Je m'apprêtais à regagner mon bureau lorsque Mark me fit signe de le rejoindre dans le sien.

— Une équipe de chez nous doit déployer une bannière de six étages pour la campagne des écharpes Tungsten. Ça te dit d'aller y jeter un coup d'œil ?

— Et comment ! m'exclamai-je, ravie d'échapper à mon bureau, quitte à affronter la chaleur moite du mois d'août.

Mark attrapa sa veste sur le dossier de sa chaise.

— Dans ce cas, en route !

En rentrant chez moi, peu après 17 heures, je trouvai le salon envahi par une armada d'esthéticiennes et de coiffeuses en blouse blanche. Trey et Cary se prélassaient sur le canapé, le visage recouvert de gelée verdâtre, des serviettes calées sous la tête pour protéger le tissu. Ma mère jacassait pendant qu'une coiffeuse s'affairait sur ses boucles blondes.

Après une douche rapide, je me joignis à eux. En une heure, ces professionnelles de la beauté accomplirent le tour de force de me transformer en une créature glamour à souhait, et tandis qu'elles s'affairaient autour de moi, j'eus tout le loisir de penser à ce que j'avais refoulé impitoyablement toute la journée : la vidéo, Corinne, Giroux, Deanna et Brett.

Quelqu'un allait devoir prévenir ce dernier. Et ce quelqu'un, c'était moi.

Quand l'esthéticienne s'approcha avec son pinceau à lèvres, je levai la main.

— Rouge, s'il vous plaît.

Elle m'étudia un instant, puis :

— Oui, vous avez raison.

Je retenais mon souffle alors qu'on m'appliquait un ultime coup de laque lorsque mon portable vibra dans la poche de mon peignoir.

— Bonsoir, champion.

— Comment seras-tu habillée ? s'enquit-il d'emblée.

— Lamé argent.

— Vraiment ? demanda-t-il de sa voix de velours. J'ai hâte de te voir dedans. Et de te l'enlever.

— Ta patience sera récompensée, assurai-je. Tu as intérêt à ramener tes fesses par ici. Je te donne dix minutes, pas une de plus !

— Bien, madame.

— Dépêche-toi si tu tiens à profiter du confort de la limousine, ajouta-je en plissant les yeux.

— Je serai là dans cinq minutes !

Il coupa la communication et je gardai mon portable à la main en souriant.

— Qui était-ce ? s'enquit ma mère en s'approchant.

— Gideon.

Son regard s'illumina.

— C'est lui qui t'escorte ce soir ?

— Oui.

— Oh, Eva, s'exclama-t-elle en m'étreignant, je suis si heureuse !

Tandis que je lui rendais son étreinte, il m'apparut que le moment était bien choisi pour annoncer nos fiançailles. Je savais que Gideon serait impatient de partager la nouvelle avec le monde entier.

— Il a demandé à papa l'autorisation de me faire sa demande, annonçai-je tranquillement.

— Vraiment ? demanda-t-elle en s'écartant, le sourire aux lèvres. Il en a également parlé à Richard – j'ai trouvé cela charmant de sa part. J'ai commencé les préparatifs. Je pensais au mois de juin, chez *Pierre*, évidemment. Nous...

— Je suggérerais décembre au plus tard, l'interrompis-je.

Ma mère écarquilla les yeux.

— Ne sois pas ridicule, Eva, voyons. On ne peut pas organiser un mariage en si peu de temps. C'est impossible !

— Dis à Gideon que tu envisages notre mariage au mois de juin de l'année prochaine, dis-je en haussant les épaules. Tu verras bien ce qu'il te répondra.

— Ma foi, il faudra que j'attende qu'il t'ait d'abord fait sa demande.

— Absolument, répondis-je en déposant un baiser sur sa joue. Je file m'habiller.

23

J'étais dans ma chambre en train d'enfiler mon four-reau argenté sur mon bustier assorti quand Gideon entra. Cessant littéralement de respirer, j'admirai son reflet dans la psyché. Avec son smoking sur mesure et sa cravate qui s'harmonisait à merveille avec ma robe, il était tout simplement éblouissant.

— Waouh, soufflai-je, subjuguée. Ta patience sera bel et bien récompensée.

— Est-ce que cela signifie que ce n'est pas la peine que je remonte la fermeture de ta robe ?

— Est-ce que cela signifie que ce n'est pas la peine d'assister à ce gala ?

— Hors de question, mon ange. Ce soir, j'exhibe ma femme.

— Personne ne sait que je suis ta femme.

— *Moi*, je le sais, rétorqua-t-il en remontant ma fer-meture. Et bientôt – très bientôt – le monde entier le saura.

Je me laissai aller contre lui et nous admirai dans la glace. Nous formions un couple très photogénique.

Ce qui me fit penser à d'autres photos...

— Promets-moi que tu ne regarderas jamais cette vidéo.

Comme il ne répondait pas, je tournai la tête vers lui. Et quand je découvris son expression fermée, j'eus soudain très peur.

— Gideon, tu l'as déjà regardée ?

— Une minute ou deux. Rien d'explicite. Juste assez pour en établir la validité.

— Oh, mon Dieu ! Promets-moi de ne jamais la regarder ! m'écriai-je, ma voix montant dans les aigus tandis que la panique m'envahissait. Promets-le-moi !

Ses mains se refermèrent sur mes poignets et les serrèrent si fort que j'en tressaillis. Je fixai Gideon avec de grands yeux, perdue, surprise par cette agression soudaine.

— Calme-toi, dit-il posément.

Une curieuse onde de chaleur se propagea depuis mes poignets. Mon cœur se mit à battre plus vite, mais aussi plus régulièrement. Je regardai nos mains et mon attention fut attirée par son alliance en rubis. Rouge. Du même rouge que les menottes qu'il avait achetées pour moi. Je me sentais tout aussi entravée en cet instant. Et cela m'apaisait d'une manière inexplicable.

Mais qui ne l'était pas pour Gideon, à l'évidence.

C'était pour cette raison que j'avais eu peur de l'épouser, réalisai-je. Il m'entraînait dans un voyage dont j'ignorais la destination et j'avais accepté de le suivre les yeux bandés. Ce n'était pas ce que notre couple allait devenir qui m'inquiétait, parce que cela, je le savais. Nous étions aussi obsédés, aussi dépendants l'un de l'autre que des drogués. Non, ce que j'ignorais, c'était ce que j'allais devenir, *moi*, qui je serais à la fin de ce voyage.

La transformation de Gideon avait été presque brutale, elle était survenue dans un moment d'hyperlucidité, lorsqu'il avait compris qu'il ne pouvait vivre sans moi. Mon changement était plus graduel, si désespérément mesuré que j'en venais à croire que je n'aurais pas du tout besoin de changer.

Ce en quoi je me trompais.

— Écoute, Gideon, commençai-je, la gorge serrée, quoi qu'il y ait sur cette vidéo, ce n'est rien comparé à ce que nous partageons, toi et moi. Les seuls souvenirs que je veux que tu conserves sont ceux que nous avons créés *ensemble*... c'est la seule chose qui soit réelle. La seule chose qui compte. Alors, s'il te plaît... promets-le-moi.

Il ferma brièvement les yeux, puis hocha la tête.

— Très bien. Je te le promets.

Je poussai un soupir de soulagement.

— Merci.

Il porta mes mains à ses lèvres et les baisa l'une après l'autre.

— Tu es à moi, Eva.

D'un accord tacite, nous nous abstînmes de mettre du désordre dans notre tenue avant notre première apparition publique en tant que couple. J'étais nerveuse et un orgasme ou deux m'auraient sans doute détendue, mais ne pas me sentir impeccable n'aurait fait qu'aggraver ma nervosité. Et les gens l'auraient remarqué. Non seulement ma robe en lamé argent attirait les regards, mais le délicieux mari que j'avais à mon bras était un accessoire qu'on ne pouvait pas ne pas remarquer.

L'attention se concentrerait sur nous, et Gideon semblait déterminé à ce qu'il en soit ainsi. Il m'aida à descendre de la limousine quand nous arrivâmes au croisement de la Cinquième Avenue et de Central Park South, et prit le temps de m'effleurer la tempe de ses lèvres.

— Ta robe sera du plus bel effet sur le plancher de ma chambre.

Sa réplique digne d'une comédie romantique me fit rire et je devinai que c'était justement son intention. Les flashs crépitèrent, aveuglants, tandis que les photographes nous mitraillaient. Mais dès qu'il se détourna de moi, son expression chaleureuse fut remplacée par le masque neutre qu'il portait toujours en public. La main au creux de mes reins, il me guida sur le tapis rouge jusqu'à l'entrée du *Cipriani's*.

Une fois à l'intérieur, il se posta à un endroit qui lui convenait et nous y restâmes pendant une heure, ses associés d'affaires et ses relations nous encerclant. Il voulait qu'on me voie à ses côtés et il voulait aussi être vu à mes côtés, comme il me le prouva un peu plus tard quand nous nous dirigeâmes vers la piste de danse.

— Présente-moi, dit-il simplement.

Je suivis son regard et aperçus Christine Field et Walter Leaman, de chez Waters, Field & Leaman, qui riaient au milieu d'un petit groupe. Christine, vêtue d'une robe noire brodée de perles qui la couvrait entièrement depuis la gorge jusqu'aux poignets et aux chevilles, mais laissait son dos nu, était d'une rare élégance. Walter, en smoking bien coupé et nœud papillon, offrait l'image d'un publicitaire prospère et sûr de lui.

— Ils savent qui tu es, fis-je observer.

— Savent-ils qui je suis *pour toi* ?

Je fronçai le nez, réalisant que mon univers allait radicalement changer quand mon moi de célibataire serait supplanté par mon identité en tant qu'Eva Cross.

— Suis-moi, champion.

Nous nous frayâmes un chemin parmi les tables garnies de nappes blanches et ornées de chandeliers enrubannés de guirlandes de fleurs fraîches qui répandaient leur délicieux parfum dans la salle.

Mes patrons remarquèrent d'abord Gideon, évidemment. Je ne pense même pas qu'ils me reconnurent avant qu'il devienne évident que Gideon tenait à ce que je prenne la parole la première.

— Bonsoir, dis-je en serrant tour à tour la main de Christine et de Walter. Je sais que vous connaissez tous deux Gideon Cross, mon...

Je m'interrompis, ne sachant trop quel terme utiliser.

— ... fiancé, acheva Gideon à ma place.

Nous eûmes droit à leurs félicitations, les sourires s'agrandirent et les yeux brillèrent davantage.

— J'espère que cela ne signifie pas que nous allons vous perdre ? demanda Christine, ses pendants d'oreilles en diamants étincelant à la lueur des bougies.

— Non, non, je reste avec vous, m'empressai-je de lui assurer.

Nous discutâmes un peu de la campagne pour la vodka Kingsman, ce qui fut surtout l'occasion de mettre en avant l'excellent travail réalisé par Waters, Field & Leaman, histoire de décrocher d'autres contrats avec Cross Industries. Gideon joua le jeu. Il se montra poli et charmant, mais n'en apparut pas moins comme un homme qui ne se laissait pas facilement influencer.

Après quoi, ayant épuisé les sujets de conversation possibles, Gideon s'excusa et nous nous éloignâmes.

— Allons danser, me murmura-t-il à l'oreille. J'ai besoin de te serrer dans mes bras.

Nous gagnâmes la piste de danse sur laquelle Cary se taillait déjà un franc succès en compagnie d'une superbe rousse. Les fentes audacieuses de sa robe vert émeraude laissaient voir par intermittence ses jambes sublimes. Cary, très danseur mondain, la fit tournoyer avant de la renverser en arrière.

Trey n'avait malheureusement pas pu venir parce qu'il avait cours, et j'étais ravie que Cary n'ait pas invité Tatiana, même si je n'étais pas fière d'entretenir pareille pensée.

— Regarde-moi, ordonna Gideon.

Je tournai la tête. Il avait les yeux rivés sur moi.

— Hello, champion !

Il m'enlaça, me prit la main et nous commençâmes à glisser nonchalamment sur la piste de danse.

— Crossfire, murmura-t-il, le regard ardent.

Je lui caressai la joue du bout du doigt.

— On tire des leçons de ses erreurs.

— Tu lis dans mes pensées.

— Ce n'est pas désagréable.

Il me sourit, ses yeux bleus étincelants, et j'eus soudain envie de plonger les doigts dans ses cheveux si soyeux.

— Pas aussi agréable que d'être en toi, chuchotat-il en resserrant son étreinte.

Nous restâmes sur la piste pendant deux chansons, puis la musique cessa et le chef d'orchestre s'approcha du micro pour annoncer que le dîner allait être servi. À notre table, il y avait ma mère, Richard, Cary, un chirurgien esthétique et son épouse, et un jeune comédien qui venait de boucler le tournage du pilote d'une série télé dont il attendait beaucoup.

Le plat qu'on nous servit s'inspirait de la cuisine asiatique et je n'en laissai pas une miette, d'abord parce que c'était délicieux, ensuite parce que les parts n'étaient pas très copieuses. Gideon avait posé la main sur ma cuisse sous la table et les petits cercles qu'il traçait avec son pouce me tiraient de délicieux frissons.

433

— Arrête de te tortiller, murmura-t-il en se penchant vers moi.

— Alors arrête de me caresser la cuisse, répliquai-je sur le même ton.

— Continue de te tortiller, et c'est ta chatte que je vais caresser.

— Tu n'oserais pas.

— Mets-moi au défi et tu verras bien, répondit-il avec un demi-sourire.

Le connaissant, je ne m'y risquai pas et cessai de bouger au prix d'un immense effort.

— Si vous voulez bien m'excuser, dit soudain Cary en se levant de table.

Je le regardai s'éloigner et vis son regard s'attarder sur une table voisine. Lorsque la rousse en robe vert émeraude quitta la salle un instant plus tard, je fus plus déçue que surprise. Je savais que la situation avec Tatiana le stressait et je savais aussi que Cary considérait le fait de s'envoyer en l'air comme la panacée – un « remède » qui avait cependant un effet dévastateur sur son amour-propre et engendrait plus de problèmes qu'il n'en réglait.

C'était vraiment une bonne chose que nous ne soyons plus qu'à deux jours de revoir le Dr Travis.

— Je vais passer le week-end à San Diego avec Cary, chuchotai-je à l'oreille de Gideon.

— Et c'est *maintenant* que tu me le dis ? s'exclama-t-il.

— Disons qu'entre tes ex, mon ex, mes parents, Cary et tout le reste, ça n'arrête pas de me sortir de la tête. J'ai préféré t'en parler avant d'oublier de nouveau.

— Mon ange, soupira-t-il.

— Attends, dis-je soudain en me levant.

J'avais l'intention de lui rappeler que la tournée de Brett passait justement par San Diego ce week-end, mais je devais d'abord aller trouver Cary.

Gideon se leva en me dévisageant d'un air perplexe.

— Je reviens tout de suite, soufflai-je avant d'ajouter : Je vais obliger quelqu'un à garder sa queue dans son pantalon.

— Eva...

Je perçus la mise en garde dans sa voix, mais n'en tins pas compte, soulevai le bas de ma robe et tâchai de rattraper Cary. Je venais de franchir le seuil de la salle de réception quand j'aperçus un visage familier.

— Magdalene ! m'exclamai-je, surprise. J'ignorais que vous étiez là.

— Gage était tellement absorbé par un projet que nous sommes arrivés en retard. On a raté tout le dîner, en fait, mais j'ai réussi à mettre la main sur l'une de ces mousses au chocolat qu'ils ont servies au dessert.

— À tomber, approuvai-je.

— Raide, renchérit-elle avec un sourire.

Je la trouvai plus belle que jamais. Plus douce, plus aimable. Aussi éblouissante que d'ordinaire dans sa robe de dentelle rouge qui lui découvrait une épaule, ses cheveux sombres encadrant son visage aux traits délicats. Prendre ses distances avec Christopher Vidal lui avait été bénéfique. Et le fait d'avoir un nouvel homme dans sa vie devait aider aussi.

— Je vous ai aperçue avec Gideon tout à l'heure. Et j'ai remarqué votre bague.

— Vous auriez dû faire un saut à notre table.

— J'étais en train de manger ma mousse au chocolat.

— Il y a des priorités dans la vie d'une femme, m'esclaffai-je.

— Je suis heureuse pour vous, Eva, reprit-elle en me touchant brièvement le bras. Et pour Gideon aussi.

— Merci, soufflai-je. Vous devriez aller le lui dire.

— Entendu. À plus tard.

Elle s'éloigna et je la suivis des yeux, toujours méfiante, mais un peu plus encline à penser qu'elle n'était peut-être pas si mauvaise que cela, finalement.

En attendant, constatai-je, j'avais perdu Cary.

Je m'apprêtais à aller retrouver Gideon tout en préparant mentalement un petit discours bien senti à l'intention de mon meilleur ami quand Elizabeth Vidal m'intercepta.

— Excusez-moi, dis-je quand je faillis la heurter.

Elle m'attrapa par le coude et m'entraîna à l'écart. Puis elle s'empara de ma main et regarda mon alliance.

— Cette bague est à moi.

Je dégageai ma main.

— Elle *était* à vous. Elle est à moi désormais. Votre fils me l'a donnée lorsqu'il m'a demandé de l'épouser.

Elle me fixa de ce regard bleu si semblable à celui de son fils et de sa fille. C'était une belle femme, glamour et élégante. Aussi belle que ma mère, vraiment, mais aussi glaciale que Gideon.

— Je ne vous laisserai pas me le prendre, siffla-t-elle.

— Vous n'avez vraiment rien compris, répliquai-je en croisant les bras. Je veux vous réconcilier afin que l'on puisse enfin se parler franchement.

— Vous lui farcissez la tête de mensonges.

— Oh, non ! Vous le pensez vraiment ? La prochaine fois qu'il vous racontera ce qui s'est passé – et je veillerai à ce qu'il le fasse – vous serez bien obligée de le croire. Et vous vous excuserez. Et vous trouverez le moyen de faire en sorte que son fardeau soit moins lourd à porter. Parce que je veux qu'il guérisse et qu'il aille bien.

Elizabeth me fusilla du regard, visiblement furieuse. Le projet dont je venais de faire état ne rencontrait visiblement pas son approbation.

— C'est terminé ? demandai-je, dégoûtée par son aveuglement délibéré.

— Loin de là, cracha-t-elle. Je suis au courant de vos frasques avec ce chanteur. Je vois clair dans votre jeu.

Je secouai la tête. Christopher lui avait-il parlé ? Que lui avait-il dit ? Sachant ce qu'il avait fait à Magdalene, je le pensais capable des pires ignominies.

— C'est effarant. Vous croyez les mensonges, mais pas la vérité !

Je pivotai sur mes talons, puis revins sur mes pas.

— Ce que je trouve extrêmement intéressant, c'est qu'après la conversation que nous avons eue la dernière fois vous n'ayez même pas pris la peine de demander à Gideon ce qu'il en était. « Hé, Gideon, ta cinglée d'amie m'a raconté une histoire à dormir debout. » Je ne comprends pas pourquoi vous ne l'avez pas fait, mais j'imagine que vous n'avez pas envie de me l'expliquer, n'est-ce pas ?

— Allez vous faire foutre.

— Je me doutais que vous refuseriez.

Je l'abandonnai avant qu'elle ait le temps de rouvrir la bouche et réussisse à me gâcher complètement ma soirée.

Malheureusement, alors que je rejoignais ma table, je découvris que Deanna Johnson s'était installée à ma place et discutait avec Gideon.

— C'est une blague ? marmonnai-je.

J'étrécis les yeux en remarquant qu'elle ne cessait de poser la main sur le bras de mon mari tout en parlant. Cary était parti faire ce qu'il n'était pas censé faire ; ma mère et Stanton étaient sur la piste de danse ; et Deanna en avait profité pour se faufiler jusqu'à Gideon tel un serpent.

Quoi qu'il en pense, il était évident qu'elle était toujours attirée par lui. Et même s'il ne l'encourageait

437

en rien, se contentant de l'écouter, le simple fait qu'il lui accorde son attention alimentait son désir.

— Elle doit être bonne au lit. Il baise souvent avec elle.

Je me figeai, puis me retournai vers la femme qui venait de s'adresser à moi. C'était la rousse de Cary et à en juger par ses joues empourprées et l'éclat de son regard, il venait de la régaler d'un joli orgasme. Elle était cependant plus âgée que je ne l'avais cru en la voyant de loin.

— Vous devriez vous méfier, reprit-elle, les yeux rivés sur Gideon. Il se sert des femmes. Je l'ai vu à l'œuvre. Plus que je n'aurais dû.

— Je sais m'occuper de moi-même.

— Elles disent toutes cela, rétorqua-t-elle avec un sourire de compassion qui me hérissa. Deux femmes ont fait de graves dépressions à cause de lui. Et ce ne seront sûrement pas les dernières.

— Vous ne devriez pas écouter les ragots, répliquai-je.

Elle s'éloigna, un sourire supérieur aux lèvres, tapotant ses cheveux du plat de la main tandis qu'elle slalomait entre les tables pour regagner la sienne.

Elle avait déjà traversé la moitié de la salle lorsque je remis son visage.

— Merde.

Je m'empressai de rejoindre Gideon, qui se leva à mon arrivée.

— J'ai besoin de toi tout de suite, dis-je d'un ton brusque avant de jeter un coup d'œil à la journaliste assise sur ma chaise. Deanna, ravie de vous voir, comme toujours.

Elle ignora ma pique.

— Bonsoir, Eva. J'allais justement partir et...

Mais je m'étais déjà détournée. J'attrapai la main de Gideon et tentai de l'entraîner à ma suite.

438

— Viens !

— D'accord. Du calme.

Il glissa quelque chose à Deanna que je ne compris pas, occupée que j'étais à tirer sur son bras.

— Bon sang, Eva ! Qu'y a-t-il donc de si urgent ?

Je m'arrêtai et balayai la salle du regard, cherchant à localiser des cheveux roux et une robe verte. Il me semblait qu'il aurait dû remarquer son ancienne maîtresse – à moins qu'elle ne l'ait délibérément évité. Certes, elle était très différente maintenant qu'elle ne portait plus les cheveux courts, et je n'avais pas repéré la crinière blanche de son mari, ce qui m'aurait permis de l'identifier plus vite.

— Sais-tu si Anne Lucas est ici ?

Sa main se crispa sur la mienne.

— Je ne l'ai pas vue. Pourquoi ?

— Robe vert émeraude, longs cheveux roux. Tu es sûr de ne pas l'avoir vue ?

— Oui.

— Elle dansait avec Cary tout à l'heure.

— Je n'ai pas fait attention.

Je le regardai, gagnée par une soudaine irritation.

— Enfin, Gideon, c'était difficile de ne pas la remarquer !

— Tu m'excuseras de n'avoir d'yeux que pour ma femme, dit-il, pince-sans-rire.

— Désolée, murmurai-je en lui serrant la main. J'aimerais juste savoir si c'était elle.

— Pourquoi ? Elle t'a parlé ?

— Oui. Elle m'a balancé des vacheries sur ton compte et elle est partie. Je crois que c'est avec elle que Cary s'est éclipsé tout à l'heure.

Les traits de Gideon se durcirent. Il reporta son attention sur la salle qu'il parcourut lentement du regard.

— Je ne la vois pas. Ni aucune femme qui ressemble à ta description.

— Anne est bien thérapeute ?

— Psychiatre.

Je me sentis gagnée par un mauvais pressentiment et ma nervosité s'accrut.

— On peut rentrer, à présent ? demandai-je.

Gideon m'observa avec attention.

— Répète-moi ce qu'elle t'a dit.

— Rien que je n'aie déjà entendu.

— Voilà qui est rassurant, marmonna-t-il. Bon, rentrons.

Nous retournâmes à notre table pour récupérer ma pochette et prendre congé de tout le monde.

— Je peux profiter de votre voiture ? s'enquit Cary après que j'eus embrassé ma mère.

Gideon hocha la tête.

Angus referma la portière de la limousine, et, un instant plus tard, nous nous insérions dans le flot de la circulation.

Cary me jeta un coup d'œil.

— Ne commence pas, Eva.

Il avait horreur que je lui fasse la morale, ce que je comprenais parfaitement. Je n'étais pas sa mère. Mais je l'aimais et je souhaitais son bonheur. Et je savais à quel point il pouvait être autodestructeur quand il se retrouvait livré à lui-même.

Mais ce n'était pas ma plus grosse inquiétude du moment.

— Comment s'appelait-elle ? lui demandai-je, priant pour qu'il le sache, ce qui me permettrait d'identifier la rousse une bonne fois pour toutes.

— Qu'est-ce que ça peut te faire ?

Mes mains se crispaient spasmodiquement sur ma pochette.

— Tu le sais ou pas ?

— Je ne lui ai pas demandé. Laisse tomber.

— Ne lui parle pas sur ce ton, intervint Gideon, très calme. Tu as un problème, très bien. Mais ne reproche pas à Eva de se soucier de toi.

Cary serra les dents et regarda par la fenêtre.

Je me laissai aller contre la banquette et Gideon m'attira contre lui, sa main caressant mon bras nu.

Plus personne ne dit mot durant tout le trajet.

Une fois à l'appartement, Gideon alla chercher une bouteille d'eau à la cuisine et se retrouva au téléphone, son regard croisant le mien au-dessus du comptoir du petit déjeuner.

Cary, lui, se dirigea vers sa chambre, pivota brusquement, revint sur ses pas et me serra dans ses bras. Très fort.

— Pardon, baby girl, me souffla-t-il à l'oreille.

Je lui rendis son étreinte.

— Tu vaux mieux que la façon dont tu te traites, assurai-je.

— Je ne l'ai pas sautée, lâcha-t-il en s'écartant pour me regarder. J'allais le faire. Je pensais en avoir envie. Mais au dernier moment, j'ai réalisé que j'avais un gamin en route. Un *gamin*, Eva. Et je ne veux pas qu'il ou elle grandisse en pensant de moi ce que je pensais de ma mère. Il faut que je me soigne.

Je le serrai de nouveau dans mes bras.

— Je suis fière de toi.

— Bof, fit-il, l'air penaud. Je lui ai quand même donné ce qu'elle voulait – j'avais poussé les choses trop loin, je n'avais plus trop le choix. Mais j'ai gardé ma queue dans mon slip.

441

— Tu en dis trop, Cary. Beaucoup trop.

— C'est toujours d'accord pour San Diego ? demanda-t-il avec un regard plein d'espoir qui me fendit le cœur.

— Je veux ! Il me tarde d'y être.

Son sourire refléta son soulagement.

— Super ! On décolle à 20 h 30.

Gideon nous rejoignit et le regard dont il me gratifia m'apprit que notre discussion à propos de cette escapade n'était pas terminée. Tandis que Cary gagnait sa chambre, je nouai les bras autour du cou de Gideon pour l'embrasser avec fougue, remettant cette conversation à plus tard. Comme je l'espérais, il m'attira aussitôt contre lui et prit la direction des opérations, sa langue explorant lascivement ma bouche.

Je me laissai faire en gémissant. Le monde pouvait continuer à devenir fou sans nous l'espace d'une nuit. Demain viendrait bien assez vite.

J'attrapai sa cravate.

— Cette nuit, tu m'appartiens.

— Je t'appartiens toutes les nuits, me rappela-t-il de cette voix grave qui avait le don de faire naître en moi les fantasmes les plus brûlants.

— Mets-toi au travail immédiatement, décrétai-je en tirant sur sa cravate tout en marchant à reculons en direction de ma chambre. Et ne t'arrête pas.

Il m'obéit. Jusqu'au lendemain matin.

Note de l'auteur

Oui, chère lectrice, tu as raison. Cela ne peut pas finir ainsi.

Le voyage d'Eva et de Gideon n'est pas encore tout à fait achevé. J'ai hâte de savoir où ils nous emmèneront la prochaine fois.

Bien cordialement,

Sylvia

Remerciements

Ma gratitude à l'éditrice Hilary Sares pour le dur labeur accompli sur *Enlace-moi* et les deux précédents volumes de la série Crossfire. Sans elle, il y aurait eu des tas de digressions, des locutions latines en pagaille, de brefs passages en jargon historique et toutes sortes d'autres maladresses qui n'auraient fait que distraire les lecteurs de la beauté de l'amour de Gideon pour Eva. Merci infiniment, Hilary !

Un grand merci à mon agent, Kimberly Whalen, et à mon éditrice, Cindy Hwang, pour m'avoir aidée à recréer l'univers unique de Gideon et d'Eva pendant que j'écrivais cette histoire. J'ai pu compter sur elles chaque fois que j'ai eu besoin d'aide. Merci, Kim et Cindy !

Merci à mon publiciste, Gregg Sullivan, qui m'a permis de m'organiser et m'a aidée à gérer mon emploi du temps.

Merci à mon agent, Jon Casir de chez CAA, pour tout son travail et la patience dont il fait preuve pour répondre à mes questions.

Je dois aussi remercier tous les éditeurs internationaux qui ont apporté leur soutien enthousiaste à la série Crossfire.

Quant à mes lecteurs, je ne les remercierai jamais assez de leur patience et de leur soutien. Je vous suis infiniment reconnaissante de partager le voyage de Gideon et d'Eva avec moi.

Crossfire

Ce qu'ils en disent...

« Terriblement "plaisir coupable", sans les kilos en trop. »
Josée Blanchette, *Le Devoir*

« Une nouvelle nuance d'érotisme. » *Paris Match*

« *Dévoile-moi* se révèle un peu plus piquant dans les descriptions de scènes érotiques que *Fifty Shades of Grey*. » *ELLE*

« Romance érotique à New York [...] Sylvia Day a répondu aux attentes des lecteurs. »
Le Journal de Montréal

« Leur union sera intense et ravivera toutes sortes de blessures intimes et de désirs vertigineux. L'amour entre les deux sera d'une grande profondeur. »
Échos Vedettes

« L'œuvre de Sylvia Day tient du phénomène. »
Le Parisien

« Quand il s'agit de créer une synergie sexuelle malicieusement jouissive, Sylvia Day a peu de rivaux littéraires. » **American Library Association**

« *Dévoile-moi* éclipse toute compétition. [...] Unique et inoubliable. » *Joyfully Reviewed*